TEINE NAINE

SANDIE JONES

TEINE NAINE

Inglise keelest tõlkinud Egle Taklai

Rahva Raamat

The Other Woman
Pan Books
an imprint of Pan Macmillan

Copyright © Sandie Jones 2018

Tõlge eesti keelde © Egle Taklai ja Rahva Raamat 2021

Toimetaja Ülle Tarum-Saarmann
Kaanekujundus © Jan Garshnek
Kaane foto © Claire Morgan / Trevillion Images

Trükitud Tallinna Raamatutrükikojas

ISBN (trükis) 978-9916-661-17-8
ISBN (e-pub) 978-9916-661-18-5

Ivy Rolphile
Minu memmele – kes alati julgustas mind
olema see, kes tahan.

Proloog

Ta näeb oma pulmakleidis imeilus välja. See istub ideaalselt ja on täpselt selline, nagu olingi ette kujutanud: elegantne, tagasihoidlik ja ainukordne – just nagu temagi. Mu süda murdub, kuna tema päev ei tule mitte iial, aga ta ei pea seda veel teadma.

Mõtlen külalistele, kes jäävad tulemata; pildiraamidele ilma fotodeta; pulmavalsile, mis vaikib; tordile, mis jääb söömata; ja tunnen, kuidas mu otsusekindlus lööb kõikuma. Võtan end kokku. Kõhkluste aeg on möödas.

Nii palju tööd on veel teha, nii palju valu veel põhjustada, aga ma ei lase end sellest heidutada. Kord ma juba põrusin, aga seekord teen kõik õigesti.

Liiga palju on kaalul, et teha midagi valesti.

1

Kui ma Adamit esimest korda Londonis Grosvenor Hoteli rahvarohkes baaris nägin, ei olnud temas minu silmis kuigi palju ebameeldivaid jooni, kui empaatia puudumine kõrvale jätta. Olin just tulnud uskumatult igavalt „Värbamise tuleviku" koolituselt ja vajasin üht drinki palju rohkem kui tema või baarmen aimatagi oskasid.

Seisin baarileti ääres terve igaviku, lehvitades teatraalselt õhus päevinäinud kümnenaelast rahatähte, kui minu kõrvalt trügis jõuga leti äärde tumedapäine mees, käes krediitkaart. „Hei! Siiapoole, vennas," kõmistas ta.

„Ee ... andke andeks," laususin ma, kavatsetust pisut valjemalt. „Te vist ei pannud tähele, et mina olin siin enne."

Ta kehitas õlgu ning naeratas avalalt. „Kahju küll, aga ma olen juba terve igaviku oodanud."

Ma seisin ja vaatasin ammuli sui, kuidas tema ja baarmen nookasid teineteisele semulikult peaga, ja ilma et trügija oleks lausunud sõnagi, asetati tema ette pudel Peroni õlut.

„Uskumatu," pomisesin, kui ta minu poole vaatas. Ta naeratas jälle seda naeratust ning pöördus enda kõrval rüseleva meestesumma poole, et küsida, mida neile tellida.

„Kas see on mingi nali või?" ägasin ma ja toetasin pea käte vahele, et edasi oodata. Olin kindel, et minu korra saabumiseni kulub ilmatumalt kaua aega.

„Mida võin valada?" küsis mees baarileti tagant. „See kutt seal arvab, et sa oled *rosé* tüüpi tüdruk, aga mina pakun, et soovid pigem džinni toonikuga."

Naeratasin tahtmatult. „Kui väga ma ka tahaks tõestada, et ta eksib, pean kahjuks nentima, et klaas *rosé*'d oleks suurepärane, aitäh."

Hakkasin baarmenile kümnekat ulatama, kui ta klaasi minu ette asetas, aga tema raputas pead. „Pole vaja," ütles ta. „Võta seda kui tervitust härrasmehelt, kes järjekorras vahele trügis."

Ma polnud kindel, kumb mulle rohkem meeldis: kas baarmen, kes tuleks minu arvates ülendada peasommeljeeks, või see üpris kena kutt, kes mulle baarist naeratas. Oo, milline võim on jahutatud roosal veinil!

Mu nägu võttis sama värvitooni, kui tõstsin tema poole klaasi ja suundusin nurka, kuhu olid kogunenud mu seminarikaaslased, igaüks tinistades oma meelisnapsi. Veel seitse tundi tagasi olime täiesti võõrad, nii et üldine konsensus paistis olevat selline, et igaüks hangib oma joogi ise ega muretse teiste pärast.

Härra Peronil ja tema semudel ilmselgelt sellist kokkulepet pole, mõtlesin omaette naeratades, kui tema poole vaadates nägin, et ta jätkas oma sõpradele välja tegemist.

Rüüpasin lonksu veini ja võisin lausa kuulda, kuidas mu maitsmispungad mind tänasid, kui külm neste neid enne kurgupõhja jõudmist õrritas. Mis teeb selle esimese meki nii eriliseks, et seda ei saa iial korrata? Vahel leian end seda esmast rüübet edasi lükkamas, kartes imelisest aistingust ilma jääda.

Ma kõlan küll nagu ohjeldamatu alkohoolik, aga joon siiski ainult nädalavahetustel, ja vahel ka üle mõistuse tüütutel kolmapäevadel pärast seda, kui olen terve päeva koos kahesaja personalispetsiga kusagil redutanud. Loengus pealkirjaga „Me ei meeldi kellelegi. Ja meil on sellest ükspuha" oli meid lahkesti informeeritud ühest hiljutisest uurimistööst, millest selgus, et värbamiskonsultantidest on kiiresti saamas kõige vähem sallitud ametiisikud, neist vastikumad on vaid kinnisvaramaaklerid. Ma sooviksin vihakandjatele vastu hakata ja tõestada, et me pole moraalselt puudulikud, ebaeetilised sobingusõlmijad. Aga kui vaatan enda ümber noid upsakaid ja lärmakaid City isehakanud pintsaklipslasi, nende üle pea silutud geelitatud juukseid ja võltse näoilmeid, pean allaandmise märgiks käed tõstma.

Ehkki olin end päeval „foorumil" juba tutvustanud, tundsin lõugavale jõugule lähenedes, et pean seda uuesti tegema.

„Tere, mina olen Emily," kohmasin n-ö ringi veerel seisvale tüübile. Ta polnud inimene, kellega kõnelemine pakkunuks mulle erilist huvi, aga ma pidin midagi rääkima, kui tahtsin lõpetada oma klaasi veini ilma täieliku nohiku muljet jätmata. „Ma töötan konsultandina Faulkner'sis," jätkasin.

Pakkusin talle kätt ja ta raputas seda ägedalt, veidi oma territooriumi kaitsval moel. *Sa trügid minu eramaale* oli sõnum, mille ta edastas, kuigi olime terve päeva õppinud tegema vastupidist.

„Ole avatud. Ära ehita müüre," oli koolitusel manitsenud kõneleja nr 2. „Tööandjad ja töövõtjad tahavad näha sõbralikke nägusid. Nad peavad tundma, et saavad sind usaldada. Et sa töötad nende heaks, mitte vastu. Tegele klientidega *nende* tingimustel, mitte enda omadel, isegi kui see paneb põntsu su eneseuhkusele. Niisiis, hinda iga olukorda eraldi ja reageeri vastavalt."

Ma olin alati enda üle uhke, et käitusin täpipealt nõnda, ja just seepärast olingi olnud seitse kuud järjest Faulkner'si edukaim konsultant. Päriselus olin ma inimeste ootuste täielik vastand: aus, teisi arvestav ja eesmärkide tagaajamise suhtes ükskõikne. Kuni mul oli piisavalt raha, et maksta üüri, toidu ja toasooja eest, olin rahul. Paberitel seevastu olin rabavalt edukas. Kliendid soovisid ajada asju üksnes minuga ja ma olin meile toonud rohkem uusi kliente kui keegi teine kogu viiekontorilises võrgustikus. Tellimusi voolas sisse uksest ja aknast. Võib-olla oleksin pidanud hoopis *mina* seal poodiumil seisma ja rääkima neile, kuidas tööd tegema peab.

Tüüp mingist tundmatust Leigh-on-Sea agentuurist tegi loiu katse mind vestlusse kaasata. Mitte keegi meestest ei tutvustanud end, eelistades minu pealaest jalatallani mõõtmist, justkui näeksid naisterahvast esimest korda. Üks neist vangutas koguni pead ja tõi kuuldavale aeglase vile. Heitsin talle põgliku pilgu, siis taipasin, et see on Ivor, kiilas ülekaaluline Balhamis asuva ühekontorilise kontserni direktor, kelle partneriks oli mul ennelõunases rolli-mängus ebaõnn olla. Ta hingeõhk haises eelmise õhtu karri järele, nii et mul tekkis silme ette pilt, kuidas ta seda oma süles olevast fooliumkarbist aplalt kugistab.

„Müü mulle see pastakas maha," haugatas ta, kui tegime ülesannet „Kuidas müüa eskimole lund". Õhk oli lahtunud kurkumi lehast paks ja ma kirtsutasin vastikusest nina. Võtsin temalt täiesti tavalise välimusega Bici pastaka ja hakkasin tutvustama selle suurepäraseid omadusi: esmaklassiline plastist korpus, pehme ots, eriti hästi voolav tint. Mõtlesin, ja mitte esimest korda, mis on selle kõige mõte. Mu ülemus Nathan oli kindel, et need koolitused on kasulikud – hoiavad me vaimu erksa.

Kui ta lootis, et mind võiksid motiveerida ja paeluda uued põnevad äritegemisviisid, siis oli ta valinud vale koolituse. Ja kindlasti oli mind pandud paari vale mehega.

Kiitsin pastakat aina edasi, aga kui pilgu tõstsin, nägin, et Ivor ei vaevunud müügiobjekti vaatamagi, vaid puuris silmadega ainiti mu dekolteed.

„Hmh," köhatasin, püüdes juhtida paarilise tähelepanu tagasi käsilolevale harjutusele, kuid tema vaid naeratas juhmilt, justkui naudiskleks omaenda fantaasiates. Tõmbasin seepeale vaistlikult pluusi eest rohkem kokku, kahetsedes, et polnud pannud selga kõrge kaelusega sviitrit.

Ta pisikesed kilavad silmad jõllitasid mind praegugi. „Su nimi on Emma, kas pole?" küsis ta lähemale astudes. Heitsin pilgu alla oma vasakule rinnale kinnitatud nimesildile, lihtsalt et üle kontrollida.

„E-mi-ly," ütlesin ma, nagu räägiks väikese lapsega. „Mu nimi on E-mi-ly."

„Emma, Emily, üks ja sama kõik."

„Ega ikka ei ole küll."

„Me olime täna hommikul paaris," uhkeldas ta teiste meeste ees. „Meil oli tore, kas polnud, Em?"

Olen kindel, et tundsin jälestusjudinat.

„Mu nimi on E-mi-ly, mitte Em," ütlesin juba tõsiselt ärritunult. „Ja ma ei arva, et meie koostöö oleks kuigi hästi sujunud."

„Ah, ole nüüd," lausus ta ringi vaadates, kuid näoilme reetis, et ta polnud sugugi nii enesekindel, kui üritas välja näidata. „Me olime hea tiim. Sa kindlasti tajusid seda." Põrnitsesin talle tühja pilguga vastu. Mul polnud lihtsalt sõnu oma pahameele väljendamiseks ja isegi kui oleksin midagi piisavalt teravat leidnud, olnuks mõttetu nende peale hingeõhku raisata. Raputasin pead, samas kui ülejäänud seltskond vaatas kohmetult põrandale. Pole kahtlustki, et kui ma praegu kohe kanna pealt ringi pööraksin, patsutaksid nad talle kiituseks hästi tehtud töö eest õlale.

Läksin oma poolenisti joodud veiniga rahvast tuubil baari vaiksemasse tagaossa. Jõudsin seal olla vaid paar minutit, kui mõistsin põhjust, miks seal kedagi teist ei olnud: iga paari sekundi tagant sain mõne kondise küünarnukiga obaduse selga või siis tõukasid ettekandjad mind õlgadega kõrvale, kui tühje klaase ära viisid. „See on *meie* ala," kähvas noor tüdruk, omal nägu näpitud ja punniline. „Ära jalgu jää."

„Aga palun väga," pobisesin, kuid neiuke oli liiga tähtis, et püsida paigal piisavalt kaua, et seda üldse kuulda. Võtsin siiski veidi koomale, et end „tema alalt" ära koristada, ja sobrasin kotis telefoni järele. Veini oli alles veel ainult kolm lonksukest või üks suur sõõm. Kõige rohkem neli minutit veel ja hakkan astuma.

Sirvisin vargsi oma meile lootuses, et a) siis ei tule keegi mind tülitama ja b) jääb mulje, nagu ootaksin kedagi. Mõtlesin, mida tegid inimesed enne mobiile ja nende kaugeleulatuvaid infojälgi. Kas ma seisaksin siin ja loeksin Financial Timesi või, veel parem, kipuksin alustama vestlust kellegagi, kes võib osutuda huvitavaks? Mõlemal juhul saaksin lõpuks kindlasti midagi uut teada, aga mispärast siis login ma praegu Twitterisse, et vaadata, millega Kim Kardashian tegeleb?

Mul hakkas sees lausa keerama, kui kuulsin kedagi hüüdmas: „Emily, tahad veel üht drinki?" *Päriselt*? Kas ta ei saanud vihjest aru? Vaatasin Ivori poole, aga ta oli vestlusega hõivatud. Piilusin silmanurgast ringi, tundes piinlikkust, sest teadsin, et inimene, kes seda hõikas, näeb mu kimbatust pealt. Mu pilk jäi põgusalt pidama härra Peronil, kelle kõrvuni naerul suu paljastas ühtlased valged hambad. Muigasin endamisi, kuna mulle meenus ema omaaegne elutarkus. „Hammastest võib kõike välja lugeda, Emily," oli ta öelnud pärast mu viimase poiss-sõbra Tomiga kohtumist. „Kenade hammastega meest võib alati usaldada." Jajaa – ja vaat, kuidas see ikkagi lõppes.

Minu jaoks on olulisem, kas inimese naeratus jõuab ka tema silmadesse, ja selle kuti oma, ma panin tähele, igatahes jõudis. Ma riietasin ta mõttes lahti, isegi adumata, et seda tegin, ning märkasin, et tume ülikond, valge särk ja kergelt lõdvaks lastud lips

14

istusid ta hästi treenitud kehal hästi. Ma kujutasin ette laiu õlgu kummalgi pool jõulist selga, mis allpool läks sujuvalt üle saledaks pihaks. Kolmnurkne figuur. Või siis ka mitte. Raske öelda, mida ülikond varjab – see võib peita ka tohutul hulgal patte. Aga ma lootsin, et mul on õigus.

Tundsin, kuidas mu kael kuumama hakkas, kui ta jälgis mind üksisilmi ja teraselt, sättides käega juukseid ühele küljele. Naeratasin põgusalt ning pöörasin hääleallikat otsides pead tervelt 360 kraadi.

„Kas see tähendab jah või ei?" kõlas hääl jälle, nüüd veidi ligemalt. Härra Peroni oli end manööverdanud nii, et oli nüüd mu lähinaaber, meie vahele jäi vaid üks inimene. Mis veider väljend, mõtlesin endamisi, teadvustamata fakti, et ta seisis nüüd juba päris minu kõrval. Kas on võimalik, et sul on ka kaugnaaber, mõtlesin.

„Mitmes klaas sul juba läheb?"Ta naeris, kui teda tühja pilguga vahtisin. Märkasin siiski, et lähedalt paistis ta pikem.

„Vabandust, mulle tundus, et keegi hüüdis mu nime," vastasin ma.

„Mina olen Adam," lausus ta kätt ulatades.

„Aa. Emily," ütlesin ma ning sirutasin oma käe, mis oli järsku muutunud niiskeks ja külmaks. „Mina olen Emily."

„Ma tean, see on päris suurte tähtedega su rinnale kirjutatud."

Heitsin pilgu rinnasildile ja tundsin, et punastan. „Ahaa, nii palju siis salapärase naise mängimisest, jah?"

Ta kallutas pea viltu, silmis ülemeelik helk. „Kes ütles, et me mängime?"

Mul polnud aimugi, kas me mängisime või mitte. Flirtimine pole kunagi kuulunud mu tugevate külgede hulka. Ma ei teaks isegi, kust alustada, nii et kui tema soovis mängida, siis mängis ta üksi.

„Noh, mis lugu selle nimesildiga siis on?" küsis härra Peroni, *alias* Adam, nii koketeerivalt kui üks mees seda suudab.

„Ma osalen ühel eliitkoolitusel," ütlesin palju söakamalt kui end tegelikult tundsin.

„Kas tõesti?" Ta naeratas.

Ma noogutasin. „Võta teatavaks, ma olen omal alal parimatest parim. Üks kõige kõrgema järgu tegijaid."

„Vau." Ta muigas. „Nii et sa osaled siis tualettpaberimüüjate seminaril? Ma nägin plakatit, kui sisse tulin."

Püüdsin naeratust tagasi hoida. „Tegelikult on see MI5 agentide salakohtumine," sosistasin, vaadates vandeseltslaslikult ringi.

„Ja seepärast kirjutatigi su nimi suurelt su rinnale, on nii? Et keegi ei saaks teada, kes sa oled."

Püüdsin tõsist ilmet säilitada, aga mu suunurgad kerkisid tahtmatult. „See on mu varjunimi," laususin, koputades odavale plastlatakale. „Mu koolitusepseudonüüm."

„Ah nii, agent Emily," ütles ta, kääris käise üles ja tõstis käekella kujuteldavasse mikrofoni rääkimiseks huulte juurde. „Ja kas härrasmees kella kolme suunas on samuti agent?" Ta ootas, et ma järele jõuaks, aga mul polnud õrna aimu, kuhu poole vaadata. Väänasin end igas suunas, püüdes tulutult leida oma sisemisel kompassil kella kolme. Adam naeris, haaras mul õlgadest ja pööras mu näoga Ivori poole, kes ägedalt žestikuleerides seletas midagi meeskolleegile, ise igatsevalt tolle taga seisvat liibuvates nahkpükstes naist piieldes. Naine oli õndsas teadmatuses, et mees teda silmadega õgis. Võdistasin tahtmatult õlgu.

„Vastus eitav," ütlesin selle peale ja hoidsin peopesa nagu kuularit kõrva ääres. „Ta ei ole ei agent ega härrasmees."

Adam naeris taas, kuna olin mängu lülitunud. „Kas võime ta vaenlaseks klassifitseerida?"

„Vastus jaatav. Võta ta maha, kui soovid."

Ta kissitas silmi, püüdes lugeda pahalase nimesilti. „Ivor?" küsis ta kõhklevalt.

Noogutasin.

„Ivor Biggun*?" Adam vaatas mulle otsa, oodates mu reaktsiooni. Mul kulus veidi aega, tegelikult päris palju aega, et naljale pihta saada, aga kuni see mulle kohale jõudis, ta lihtsalt seisis ja vaatas mind üksisilmi.

---

* Ivor Biggun kõlab Briti inglise keeles kui „I've a big 'un" (mul on pirakas riist). – *Siin ja edaspidi tõlkija märkused.*

2

Ma ei otsinud endale kallimat. Ma polnud isegi teadlik, et kedagi üldse tahtsin, kuni ilmus välja Adam. Mu korterikaaslane Pippa ja mina olime oma eluga õndsalt rahul: läksime tööle, tulime koju, sõime kandikutelt õhtusööki ning seejärel pugisime end ühtejutti mitut „Põgenemise" osa vaadates šokolaadist kurguni täis. Need mõned lühikesed tunnid on maapealne paradiis, aga järgmisel hommikul – astun kaalule ja neetud neli kilo talverasva juures. Sama kordub igal aastal ja see, et ma ei käi kunagi jõusaalis, mille eest maksan seitsekümmend kaks naela kuus, ei aita ka sugugi kaasa. Ma ei mahu enam number neljakümmend teksadesse, mida kandsin eelmisel suvel, aga selle asemel et osta numbri võrra suuremad, kammin pigem poode läbi, et leida avarama lõikega paar number nelikümmend pükse, millesse suudan end hädavaevu sisse pressida. Olin veetnud terve suve „eituses" ja petsin end ikka veel mõttega, et tõotatud vananaistesuvel leian taas motivatsiooni end käsile võtta.

Vahetevahel käin ka väljas, iseäranis tihti pärast palgapäeva, aga õhtused väljaskäimised pole enam need, mis olid varem. Võib-olla peitub põhjus selles, et ma jään vanemaks – või jäävad kõik teised nooremaks –, aga ma ei näe erilist mõtet tolkneda rahvast pilgeni täis pubis, kus iga kord, kui tahad jooki tellida, pead küünarnukkidega baarileti juurde teed murdma. Pippa on mind vastupõtkimisest ja jonnist hoolimata vedanud mõnele kontserdile, kuigi kahjuks mitte O2 areenile. Tema eelistab põrandaaluseid urkaid, kus bändipoisid, kellest enamikuga ta tundub olevat maganud, vingerdavad laval ja ärgitavad publikut sama tegema. Mina olen ainus, kes saali tagaosas seisab, kõrvasisestest klappidest üürgamas muusikaliteatri suurimad hitid.

Jumal tänatud, et mul on Seb, mu parim sõber ja minu meesversioon. Ma oleksin temaga juba aastate eest abiellunud, kui oleksin uskunud, et ta kehal võib olla kas või üks karv, mille saaks heteroks muuta, aga paraku pean leppima õhtutega helikindlasse karaokeputkasse lukustatuna, võistlemas Sebiga selle eest, kumb saab laulda „Hüljatute" parimaid fraase. Me kohtusime ajal, mida tema nimetab minu „juuksuriperioodiks". Sekretäritööst tüdinud, registreerisin end õhtusele juuksuri- ja meigikursusele. Muidugi mõista kujutasin oma nägemuses ette, et minust saab naissoost Nicky Clarke, kel on trendikas salong keset Mayfairi ja et kuulsustest kliendid peavad minu juurde mitu kuud varem aja kinni panema. Ent selle asemel pühkisin kolm kuud juukseid põrandalt kokku ja sain söövitavast šampoonist kätele ekseemi. Mul olid ikka sellised poolküpsed ideed ja ma lausa tormasin neid teoks tegema, ent suurusehullustus pani mulle alati paugu. Nagu siis, kui registreerusin kohaliku ametikooli kodukujunduskursusele. Mul polnud kunagi plaanis õppida, kuidas teha ilusat diivanipatja või vanalt kummutilt tundide kaupa viiekordset lakikihti maha lihvida. Ei – minust pidi saama uus Kelly Hoppen, ning loomulikult tahtsin ma vahele jätta kõik selle raske töö ja vundamendiladumise, mida uue oskuse õppimine endaga kaasa toob. Ma pidin minema otsejoones New Yorki, kus mind tellitaks kohe kujundama pirakat katusekorterit Chandlerile seriaalist „Sõbrad". On ütlematagi selge, et padi ei saanud iial valmis ning kõik tapeedi- ja tekstiilinäidised, mis olin hankinud, ei näinud kunagi rohkem päevavalgust.

Seb on näinud mind läbi tegemas vähemalt nelja karjääripööret ja ta pole neist ühegi suhtes olnud midagi vähemat kui ülimalt entusiastlik, kinnitades mulle alati, et olen „selleks loodud". Ent kui järjekordne etapp tuli ja läks ning ma huilgasin diivanil nutulaulu sellest, kui kasutu ma olen, veenis ta mind, et tegelikult polnud see ala mulle juba algusest saati sobinud. Aga nüüd lõpuks olen ma leidnud oma kutsumuse. See juhtus küll veidi hiljem kui olin plaaninud, kuid inimeste müümine on minu rida. Ma tean, mida ma teen, ja ma olen selles osav.

„Ta on siis IT analüütiline analüütik?" kordas Seb umbusklikult, kui istusime järgmisel päeval Soho Square'il, jagades M&S-ist ostetud võileiba ja salatikaussi. „Mida iganes see ka tähendab."

Ma noogutasin innukalt, aga sisimas küsisin endalt sama. Ma seostasin reaalseid inimesi reaalsete töökohtadega: jaemüügiabilised kuuluvad poodidesse, sekretärid kontoritesse, hambakirurgi assistendid operatsioonisaalidesse. IT-sektor on midagi täiesti uut ja erinevat, tööstuskoll, midagi sellist, mille me Faulkner'is jätame spetside hooleks.

„Nojah, igatahes jätab ta lõbusa selli mulje," ütles Seb, püüdes meeleheitlikult tõsiseks jääda. „Mida ta siis tegi? Võlus sind oma megabaitidega?"

Puhkesin naerma. „Ta ei näe välja selline, nagu võiks eeldada."

„Nii et ta ei kanna prille ja juukselahk pole keskel?"

Raputasin naeratades pead.

„Ja ta nimi pole Eugene?"

„Ei," nämmutasin ma, endal suu rostbiifivõileiba täis. „Ta on pikk ja tumedapoolne, vapustavalt ilusate hammastega."

„Oh, su emale ta meeldiks."

Äsasin Sebile käega vastu õlga. „Ja tal on väga seksikas hääl. Hästi sügav ja salapärane. Nagu Matthew McConaugheyl, aga ilma Texase aktsendita."

Seb kergitas küsivalt kulme. „Siis pole ta ju McConaughey moodigi."

Ma ei lasknud end häirida. „Saad aru küll, mida ma mõtlen. Ja suured käed … tõesti suured käed, ja kenasti hooldatud küüned."

„Mille põrgu pärast sa tema käsi uurisid?" küsis Seb, purtsatades suust lahtunud limonaadi. „Sa olid temaga ainult viisteist minutit ja suutsid selle ajaga juba ta küünenahad üle kontrollida?"

Kehitasin õlgu. „Ma tahan lihtsalt öelda, et ta ilmselgelt hoolitseb enda eest, ja mehe juures see meeldib mulle. See on oluline."

Seb turtsatas. „See kõik kõlab väga hästi, aga kümnepalliskaalal – kui tõenäoline on, et sa teda uuesti näed?"

„Ausalt? Üks või kaks. Esiteks, ta tundus seda tüüpi mees, kellel ilmselt on oma tüdruk, ja teiseks, minu arust oli ta napsine."

„Kas ta oli jõminas või lihtsalt lõbusas tujus?"

„Raske öelda. Nad pidasid kellegi lahkumispidu, ja ta vist rääkis, et nad tulid mingist kesklinna pubist, nii et nad olid ilmselt juba mõnda aega tähistanud. Adam nägi täitsa timm välja, pisut räsitud ehk, aga ma ju ei tea, milline ta harilikult välja näeb. Üks või kaks tema sõpsi olid kahtlemata juba päris pehmed – püsisid vaevu jalul."

„Ah nii, vean kihla, et Grosvenor oli kindlasti väga rõõmus, et *nemad* seal olid," naeris Seb.

„Ma arvan, et neil paluti lahkuda umbes samal ajal, kui mina ära tulin," ütlesin mõtlikult. „Kõrgetel kontsadel külalised hakkasid saabuma ja baar meenutas midagi, mida võib kohata pigem Magalufi peatänaval kui Park Lane'il."

„Asi ei paista kuigi hea, lapsuke," lausus Seb.

Ma kirtsutasin nina. „Ei. Ma arvan, et tõenäosus temast uuesti kuulda on päris väike."

„Kas sa tegid talle seda nägu?" küsis Seb.

„Mis nägu?"

„Tead küll. Seda oma vii-mind-voodisse-või-jääd-minust-iga-veseks-ilma nägu?" Seb laksutas ripsmeid ja limpsas huuli kõige ebaseksikamal moel, nagu koer pärast šokolaadimaiust. Üks mu potentsiaalne kosilane olla talle kord öelnud, et mul on „magamistoa silmad" ja „aplad huuled", ja see polevat olnud veel kõik. „Noh, tegid või?"

„Ah, ole vait!"

„Mis sul seljas oli?" küsis ta.

„Mu must pliiatsseelik ja valge pluus. Miks küsid?"

„Ta helistab sulle." Seb naeratas. „Kui sa oleksid kandnud toda telkkleiti, mille sealt Whistlesi soodukalt ostsid, siis ütleksin, et pole vähimatki võimalust, aga pliiatsseelikuga? Šanss on keskmine kuni suur."

Ma naersin ja viskasin teda närtsinud salatilehega. Igal naisel peaks olema oma Seb. Ta annab jõhkralt ausat nõu, mis võib küll mõnikord lüüa rööpast välja ja panna kogu elu ümber hindama, aga täna olen ma valmis selle vastu võtma ja mul on hea meel, et saan lasta tal olukorda hinnata, sest tal on alati paganama õigus.

„Niisiis, kuidas sa kavatsed käituda, kui ta helistab?" küsis Seb, koukides habemest sinna eksinud salatilehe ja heites selle murule.

„Juhul kui ta helistab," rõhutasin ma, „käitun nii, nagu alati käitun. Ujedalt ja väga tagasihoidlikult."

Seb naeris ja viskus selili maha, kõditades lisaefektiks oma ribisid. „Kui sina oled uje ja väga tagasihoidlik, siis mina olen pesueht *macho*."

Mul oli kiusatus tühjendada järelejäänud salatikauss talle pähe, kui ta niimoodi pikali maas vigurdas, aga ma teadsin, et see oleks ilmselt lõppenud täiemõõdulise toidusõjaga. Mul oli see pärast-lõuna kalendermärkmikus töid ning tegemisi täis ja ma tahtsin oma siidpluusi palsamiäädikakastmest säästa. Niisiis müksasin teda lihtsalt tögavalt oma patentnahast kontskinga ninaga.

„Ja sa nimetad end sõbraks?" laususin nipsakalt ning tõusin lahkumiseks püsti.

„Helista mulle, kui ta helistab!" hüüdis Seb mulle järele. Ta kõkutas ikka veel, kui ma minema läksin.

„Ma helistan sulle, *juhul kui* ta helistab!" hõikasin vastu, juba väravast väljas.

Mul oli hiljem sel pärastlõunal parajasti kohtumine pooleli, kui mobiil helises. Minu klient, üks Hiina ärimees, kes tõlgi abiga otsis töölisi oma laienevasse ettevõttesse, andis mulle märku, et võtaksin kõne vastu. Ma naeratasin viisakalt ja raputasin pead, kuid ekraanile kuvatud TUNDMATU NUMBER oli äratanud minus huvi. Kui see helises veel kolm korda, vaatas ta mind anuvalt, pea-aegu paludes, et ma vastaksin.

„Vabandage mind," ütlesin ja väljusin ruumist, selg ees. Parem oleks, kui see on midagi tähtsat.

Libistasin sõrmega üle iPhone'i ekraani. „Emily Havistock," teatasin asjalikult.

„Havistock?" kordas meeshääl.

„Jah, kas ma saan teid aidata?"

„Pole ime, et su perekonnanime sildile ei kirjutatud," naeris mees.

Tundsin, kuidas õhetus ronis mu kaela mööda üles ning hiilis ka põskedele. „Mul on kahjuks praegu kohtumine pooleli. Kas ma võin teile tagasi helistada?"

„Minu mäletamist mööda ei olnud ka su hääl nii tähtis. Või on see su telefonihääl?"

Olin vait, aga naeratasin.

„Olgu, helista mulle tagasi," ütles ta. „Muide, minu nimi on Adam. Adam Banks."

Kui paljudele meestele ma tema arvates oma numbrit jaganud olen?

„Ma saadan sulle sõnumi," ütles Adam. „Juhuks kui mu numbrit ekraanil ei kuvata."

„Tänan, võtan teiega peagi uuesti ühendust," ütlesin ja lõpetasin kõne, aga enne veel kuulsin teda itsitamas.

Ma ei suutnud kogu ülejäänud kohtumise ajal keskenduda ja püüdsin sellega võimalikult kiiresti ühele poole saada. Samas ei tahtnud ma jätta muljet, et olen Adamist ülimalt huvitatud ja talle liiga kiiresti tagasi helistada ning kui tõlk ütles, et mu klient sooviks mulle näidata nende uut kontorit mõni korrus kõrgemal, võtsin pakkumise tänulikult vastu.

Õhtusöögi ajal nädal hiljem pidin Adamile selgitama, miks oli mul läinud talle tagasi helistamiseks kolm tundi.

„Kas sa ausalt arvad, et ma peaksin seda uskuma?" küsis ta umbusklikult.

„Ma vannun. Ma pole selline, kes venitaks kummi lihtsalt selleks, et lahedana näida. Sind tunnikeseks higistama panna – võibolla. Aga kolmeks? See oleks ebaviisakas." Ma naersin.

Adami silmad tõmbusid kissi, kui ta püüdis naeratust alla suruda. „Ja sa olid päriselt kogu selle aja liftis kinni?"

„Jah, kolm *väga* pikka tundi, koos mehega, kes ei rääkinud peaaegu üldse inglise keelt, ja kahe ülinutika telefoniga, millest kumbki polnud piisavalt nutikas, et oleks suutnud abi kutsuda."

Tal läks Sauvignon Blanc kurku ja ta purtsatas. „Vaat sulle siis Hiina tehnoloogiat."

Selleks ajaks, kui kuu aega hiljem Adamit Sebile tutvustasin, olime kohtunud kaheksateist korda.

„Tõsiselt või?" vingus Seb, kui ütlesin talle kolmandat õhtut järjest, et ei saa temaga kohtuda. „Mis sa arvad, millal sul võiks minu jaoks aega tekkida?"

„Ah, ära hakka nüüd armukadetsema," narrisin teda. „Võib-olla homme õhtul?"

„Kui ta sind siis jälle välja ei kutsu, ma eeldan?"

„Ma luban, homne õhtu on sinu ja ainult sinu päralt." Ehkki seda öeldes tundsin end tsipake solvununa.

„Okei, mida sa teha tahaksid?" küsis Seb tusaselt. „See film on väljas – tolle raamatu põhjal, mis meile mõlemale väga meeldis."

„„Süü on tähtedel"?" küsisin, enne kui mõelda jõudsin. „Me läheme seda täna Adamiga vaatama."

„Ahah." Ma lausa tundsin oma sõbra pettumust ja tahtnuks endale kohe kõrvakiilu anda.

„Aga sellest pole midagi," ütlesin reipal toonil. „Ma lähen meeleldi homme õhtul uuesti. Raamat oli imeline, nii et film on kindlasti ka, eks? Me *peame* seda koos vaatama."

„Kui sa nii arvad ..." ütles Seb ning ta hääl kõrgenes. „Püüa seda oma peikaga mitte liiga palju nautida."

Kui see oleks vaid nii läinud. Ma olin liigagi teadlik sellest, et Adam terve filmi ajal niheles ja telefoni kiikas. „Nojah, oli see vast üks lõbus väike looke," ütles ta, kui kinost kaks tundi hiljem väljusime.

„Sinul veab," laususin, nuusates ja pühkides salamahti nina salvrätti. „Mina pean selle kõik homme uuesti läbi elama."

Ta jäi keset tänavat seisma ja pööras näoga minu poole. „Miks?" küsis ta.

„Sest ma lubasin Sebile, et lähen seda koos temaga vaatama."

Adam kergitas küsivalt kulme.

„Meile mõlemale meeldis raamat väga ja me lubasime teine-teisele, et kui sellest tehakse film, siis vaatame seda koos."

„Aga sa oled seda nüüd näinud," ütles ta. „Asi ants."

„Ma tean, aga see on midagi, mida me mõlemad tahtsime teha."

„Ma pean kohtuma selle Sebiga, kes su minult ära võtab," lausus ta mind enda vastu tõmmates ja mu juustesse hingates.

„Kui ta oleks hetero, oleks sul paras probleem," naersin. „Aga sa ei pea millegi pärast muretsema."

„Vahet pole. Saame järgmisel nädalal mingil õhtul kokku ja arutame kõik koos, mis on selle kummalise filmi head ja vead."

Andsin talle tögavalt rusikaga võmmu vastu käsivart, ja ta suudles mind pealaele. Tundus, nagu oleksime olnud koos juba terve igaviku, ent ainuüksi tema läheduses viibimine tekitas minus pulbitsevat elevust, sütitades iga närvi. Ma ei tahtnud, et see tunne kunagi kaoks.

Oli veel liiga vara midagi öelda, ent see osake minust, mida keegi ei näinud, aga mis lootis, et *see on midagi*, kasvas pidevalt. Ma polnud piisavalt julge – või ehk piisavalt rumal – kuulutamaks tervele maailmale, et Adam on see *üks ja õige*, kuid mulle meeldis see tunne. See tundus teistmoodi ja ma hoidsin pöialt ning kõiki sõrmi-varbaid ka, et see sisetunne oleks õige.

Me tundsime end teineteise seltsis hästi. Noh, mitte nii hästi, et oleksin tualetiukse pärani jätnud, aga ma ei pidanud ka vaevama pead selle üle, kas mu küünelaki värv sobib huulepulga tooniga … ja kutte, kellega olin suhtes sellise sundimatuseni jõudnud, polnud just palju.

„Kas oled kindel, et Seb-o-meetri testiks pole liiga vara?" küsis Seb silmi pühkides, kui kakskümmend neli tundi hiljem sama kino uksest välja astusime. „Ma pean silmas seda, et te pole koos olnud veel kuu aegagi, või olete?"

„No aitäh usalduse eest," ütlesin ma. Ka mina vesistasin jälle, aga kuna olin Sebiga, siis polnud sel tähtsust. Haakisin end tema käevangu, et jagada kurbust selle üle, kuidas film oli lõppenud.

„Ma ei taha kõlada negatiivselt, kuid see kõik liigub natuke liiga täistuuridel, et kestma jääda, kas sa ei arva? Te saate kokku peaaegu igal õhtul. Oled sa kindel, et te lugu ei viska tossu välja sama kiiresti nagu algas? Ära unusta, et ma tean, milline sa oled."

Ma naeratasin hoolimata sellest, et tundsin end natuke haavatuna vihjest, et see, mis Adami ja minu vahel oli, võis olla kõigest lühiajaline tiivaripsutus. „Ma pole kunagi midagi sellist tundnud, Seb. Sa pead temaga kohtuma, sest ma arvan, et see võib olla alles millegi suure algus. Ja minu jaoks on oluline, et ta meeldiks sulle."

„Aga sa saad väga ausa hinnangu," jätkas Seb. „Kas oled selleks valmis?"

„Ma arvan, et ta hakkab sulle meeldima," ütlesin ma. „Ja kui ei hakka, siis lihtsalt teeskle, et meeldib."

Ta mõtles hetke. „Kas on mõni teema, mida ma ei tohiks puudutada? Näiteks see, kui sa palusid mul endaga abielluda või kui sa viskasid oma alukad Take Thati bändipoiste jalge ette?"

Ma naersin. „Ei, kõigest võib rääkida. Sa võid öelda kõike, mida tahad. Ma ei kavatse tema eest midagi varjata."

„Oota hetk," ütles Seb, kummardus ettepoole ja tõi kuuldavale kerge krooksatuse. „Nii. Palju parem. Kuhu me jäimegi?"

„Tead, kui sa tahad, siis sa võid olla ikka üks väga tüütu pind perses," torkasin.

„Aga just sellisena sa mind tahad."

„Tõsiselt, ta on alati rahulik nagu reha, nii et ma ei usu, et sa suudaksid teda kuigi lihtsalt rööpast välja viia."

See oli tegelikult Adami ainus probleem: kui ta oleks pisutki rahulikum, lebaks ta hauas. Tema maailmas oli kõik tüüne ja kontrolli all, nagu meri ilma laineteta. Teda ei aja marru, kui me oleme piinarikkalt aeglase juhi taga lõksus. Ta ei risti Southeasterni ronge kõikvõimalike lopsakate väljenditega, kui lehed rööbastel põhjustavad hilinemisi, ja ta ei süüdista sotsiaalmeediat kõiges, mis on maailmas valesti. „Kui see sulle ei meeldi, siis miks sa neid üldse vaatad?" küsis ta lihtsalt, kui kurtsin, et mu endised koolikaaslased riputavad postitusi iga krooksu, puuksu ja sõna kohta, mis nende tited kuuldavale toovad.

Ükski neist pisiasjust, mis mind panid ühtevalu vaat et iga päev tõrva pritsima, ei paistnud teda loksutavat. Võis ju olla, et ta ootas kannatlikult, navigeerides hoolikalt mu tundelainete ja -hoovuste keskel, enne kui enda omad paljastada, aga ma tahtsin temalt rohkemat. Mul oli tarvis teada, et ta soontes voolab veri ja et näppu lõigates veritseb temagi.

Ma olin mitmel korral püüdnud temast mingit reaktsiooni välja pressida, kas või ainult selleks, et kontrollida, kas ta pulss töötab, kuid ei suutnud teda endast välja viia. Ta näis olevat rahul lihtsalt kaasa lonkides, ilma tõelise vajaduse või soovita pakkuda midagi enamat. Võib-olla olen ma ebaõiglane, võib-olla ta ongi selline, kuid vahel meeldib mulle, et mind pannakse proovile, isegi kui see kujutab endast vaid arutelu Daily Maili artikli üle. Pole oluline, mis see oleks – lihtsalt midagigi, mis laseks mul heita pilgu tema maailma. Aga kui väga ma ka püüdsin, rääkisime me lõpuks alati minust, isegi kui mina olin see, kes esitas küsimusi. Ma ei eita, et vahel mõjus see värskendavalt, kuna eelmine kutt, kellega ma väljas käisin, oli terve õhtu vadranud oma kinnisideeks muutunud videomängudest. Adami pidev põiklemine pani mind siiski pead murdma: mida ma temast *tegelikult* tean?

Seepärast oligi mul vaja Sebi. Ta on selline tüüp, kes suudab jõuda teiste inimeste sisemusse, kaevuda läbi erinevate iseloomuomaduste keerukatest kihtidest nende hingeni, mille nad avavad sageli juba mõni minut pärast temaga tutvumist. Kord küsis ta mu emalt, kas mu isa on ainus mees, kellega ta on maganud. Ma katsin otsekohe kõrvad kätega ja hakkasin valju häälega laulma, ent kuulsin siiski, kuidas ema tunnistas, et tal olnud imetabane armulugu ühe ameeriklasega, keda ta oli kohanud veidi enne isaga tutvumist. „Noh, see polnud seda tüüpi afäär, millest teie noorukesed tänapäeval räägite," ütles ema. „Meil ei olnud salakohtumisi ja me ei seksinud salaja ja kumbki meist polnud abielus, seega see polnud romaan selles mõttes, nagu *teie* seda mõistate. See oli lihtsalt kahe täiesti samal lainel oleva inimese kaunis kohtumine."

Mul vajus suu šokist ammuli. Vähe sellest, et mu ema oli ilmselgelt seksinud rohkem kui kahel korral, mille käigus eostati mina ja mu vend, oli ta seda teinud lisaks minu isale enne veel kellegi *teisega*? Tütrena avaneb sul haruldaselt harva võimalus avastada neid kuldseid pärleid möödaläinud aegadest ja enne kui arugi saame, on juba liiga hilja. Aga kui sa oled kellegi sellisega nagu Seb, urgitsetakse välja iga väiksem kui killuke, ilma et sa sellest ise arugi saaksid.

Nii leppisimegi Adami ja Sebiga järgmiseks nädalavahetuseks kokku kohtumise ühes Covent Gardeni baaris. Igaks juhuks ei pakkunud ma välja ühist õhtusööki, kuna oleksime siis ehk tundnud end veidi sunnitult ja kohmetuna – ma lootsin, et me õhtu lõpeb sundimatus suhtluses. Me polnud jõudnud esimest drinkigi veel lõpetada, kui Seb juba küsis Adamilt, kus too üles kasvas.

„Readingi külje all," vastas ta. „Kui olin üheksane, kolisime Sevenoaksi. Aga sina?"

Ta teeb seda jälle!

Ent Seb ei lasknud oma plaani nurjata. „Ma sündisin Lewishami haiglas ja olen seal elanud sellest ajast saadik. Mitte haiglas, muidugi, aga sõna otseses mõttes ainult kaks tänavat eemal, kiviviske kaugusel High Streetist. Ma väisasin paar aastat tagasi Sevenoaksi; kutil, kellega käisin, on seal disaininõustamisfirma. Väga ilus. Miks te Readingist sinna kolisite?"

Adam niheles ebamugavusest. „Ee, mu isa suri. Emal oli Sevenoaksis sõpru ja ta vajas natuke abi minu ja mu noorema venna kasvatamisel. Readingisse jääda polnud mingit põhjust. Isa töötas aastaid Microsoftis, aga kui tema oli läinud ..." Lause jäi pooleli.

„Jaa, ma kaotasin ka oma isa," lausus Seb. „Sitt lugu, eks?" Adam nookas nukralt.

„Aga kas su ema on ikka üksi või leidis kellegi?" päris Seb ja lisas süüdlaslikult: „Vabandust, su ema on ju ikka elus, eks?"

Taas peanoogutus. „Jah, jumal tänatud. Ta elab ikka veel Seven-oaksis ja on ikka veel üksi."

„See on raske, kui nad on omapäi, kas pole?" küsis Seb. „Sa tunned, et vastutad nende eest rohkem, isegi kui sina oled laps ja nemad peaksid olema täiskasvanud."

Adam kergitas kulme ja noogutas nõustuvalt. Minul ei olnud sellesse vestlusesse midagi lisada, sest õnneks on minu mõlemad vanemad veel elus, niisiis pakkusin hoopis välja, et toon meile veel ühed joogid.

„Ei, ma lähen toon ise," ütles Adam, kahtlemata tundes kergendust, et pääseb Sebi urgitsevate küsimuste eest hetkeks kaugemale. „Veel kord sama?"

Seb ja mina noogutasime.

„Noh ...?" küsisin kohe, kui Adam oli selja pööranud.

„Väga kena," ütles Seb. „Väga kena."

„Aga?" Ma tundsin, et mingi „aga" on tulemas.

„Ma pole kindel," ütles ta, ja mu süda kukkus saapasäärde. „Midagi on, aga ma ei saa sellele veel päris täpselt pihta."

Samal ööl, pärast seda kui olime armatsenud ja lebasime külg külje kõrval, vedades sõrmega jooni teineteise rindkerel, tõstatasin uuesti tema vanemate teema.

„Mis sa arvad, kas ma meeldin su emale?" küsisin.

Ta keeras end küljele ja toetus küünarnukile. Tuli oli kustus, aga kardinaid polnud ees ja kuu säras tuppa. Ma nägin ta siluetti enda lähedal, tundsin ta hingeõhku oma näol. „Muidugi sa meeldiksid talle. Ta peaks sind täiuslikuks."

Ma ei suutnud jätta tähele panemata nüansimuutust: *meeldima* asemel *meeldiksid*. Neil sõnadel on suur vahe: kindel kõneviis viitab reaalsele sündmusele, tingiv aga hüpoteetilisele. Siit võis nii mõndagi välja lugeda.

„Nii et sul pole siis plaanis meid lähiajal tutvustada?" küsisin nii malbelt kui suutsin.

„Me oleme koos olnud kõigest kuu." Adam ohkas, tajudes küsimuse kaalu. „Võtame endale aega, vaatame, kuidas asjad lähevad."

„Nii et minuga magada kõlbab, aga emale tutvustada ei kõlba?"

„Sa kõlbad väga hästi mõlemaks." Ta naeris. „Lihtsalt võtame rahulikult. Ei mingit survet. Ei mingeid lubadusi."

Võitlesin pitsitava tundega kurgupõhjas ja pöörasin talle selja. *Ei mingit survet. Ei mingeid lubadusi.* Mida see tähendas? Ja miks oli see nii oluline? Ma võisin kahe käe sõrmedel üles lugeda, kui palju armsamaid mul oli olnud. Ja igaüks neist oli mulle midagi tähendanud, välja arvatud üks minule põrmugi mitte iseloomulik üheöösuhe ühe sõbranna kahekümne esimesel sünnipäeval.

Aga hoolimata sellest, et ma olin ennegi olnud armunud ja tundnud iha, ei meenunud mulle, et oleksin kunagi varem tundnud end kellegagi nii turvaliselt. Ja just nii ma end Adamiga tundsin. Ma tundsin kõike seda. Igas ruudukeses oli linnuke ja esimest korda oma täiskasvanuelus tundsin ma end tervikuna, nagu oleks kõik pusletükid õigele kohale sattunud.

„Okei," ütlesin ma, pahane selle peale, kui häda ma olin. Mina oleksin temaga suurima rõõmuga eputanud kas või kõikide oma ema lehma lellepoegade ees. Ilmselgelt tema nii ei tundnud ja kuigi püüdsin asjast üle olla, tegi see haiget.

3

A utosignaal pasundas.
Pippa, kes kõõlus aknal ja tegi suitsu, hüüdis: „Su kutt on siin, oma uhke autoga!"

„Tss," sisistasin vastu. „Ta võib sind kuulda."

„Ta on neli korrust allpool. Ja pool kuradi tänavat kuuleb *teda*, nii et ma ei muretseks selle pärast."

Pressisin oma ülakeha sama akna vahelt välja ja lehvitasin Adamile. Ta tuututas vastuseks ja Bill, meie naabrimees, kes pesi parajasti oma autot, vaatas üles. „Kõik on hästi, Bill," hõikas Pippa alla. „See on Emily peen peika."

Bill kehitas õlgu ja jätkas käsilolevat tööd. Ta oli parim naaber, keda tahta oskad: hoidis hoolega silmad lahti, kui vaja, ja pigistas silma kinni, kui polnud.

Pippa ja mina polnud selle piirkonna tüüpilised asukad: normiks olid noored abielupaarid 2,5 lapsega. Nad väitsid, et neile meeldib Lee väga, see mitmekesine enklaav Lewishami ja Blackheathi vahel, aga me kõik teadsime, et nad vaid ootasid oma aega ja võimalust, kuniks on suutelised astuma selle väga olulise sammu redelil üles viimase pulga peale. SE3 oli koht, kus kõik ihkasid elada: kogu see iseäralik külaõhkkond ja avarad maastikud. Räägitakse, et Blackheathi maeti seitsmeteistkümnendal sajandil katkuohvreid, sellest ka säärane nimi – „Must Nõmm" –, aga see ei häiri inimesi sedavõrd, et nad oma suveõhtustest grillipidudest loobuksid. Mitmeid kordi oleme Pippaga ühinenud sealse rahvaga, tehes näo, nagu oleksime samuti kohalikud, lootuses süüdata kiiruga bensukast ostetud ühekordselt kasutatav grillialus. Aga me jõuame sinna üles alati liiga hilja, et saada parimad kohad pubide läheduses, ja kuni oleme suutnud ära oodata hea inglismaise ilma, on kell juba neli läbi ning Sainsbury'se grillilett tühjaks krabatud.

„Oo, sa näed kena välja," märkis Pippa.

Silusin oma liibuva kleidi esiosa, ehkki polnud midagi siluda. „Arvad?"

Olin kulutanud oma tubli tunni valides, mida selga panna, heideldes kena pluusi ja valgete teksade argipära ning kehasse töödeldud kleidi pisut formaalsema väljanägemise vahel. Ma ei tahtnud jätta muljet, nagu oleksin liiga kõvasti vaeva näinud, aga mitte piisavalt vaeva näha olnuks ilmselt hullem, seega jäi peale tumesinine kleit. Kreppriie liibus tihkelt ümber piha, oli puusade kohal vabam ja langes veidi alla põlve. Dekolteed oli näha vaid õige pisut ja kangas vormis rindu ideaalselt. Nagu ütleks mu ema: „See kleit ripub just õigetest kohtadest."

„Oled närvis?" küsis Pippa.

„Tegelikult on kõik hästi," luiskasin. Ta ei pidanud teadma, et olin veetnud pea tund aega juukseid föönitades, üles sättides, siis alla, siis jälle üles. Mul polnud tükk aega nii pikki juukseid olnud ning need langesid nüüd õlgadest veidi allapoole ja ma olin lasknud oma loomulikku kastanpruuni värvi kiharatesse tõmmata mõned heledamad triibud, et lisada veidi lustakust. Otsustasin juuksepuhma klambritega üles panna ja tõmbasin kaks lokisalku soengust välja kummalegi poole nägu, et üldmuljet pehmendada. Prantsuse maniküür, mille olin lasknud teha paar päeva varem, püsis veel, ja meigi tegin õrna ning loomuliku. Sundimatult šikk oli välimus, mida soovisin – lõppude lõpuks läksin ma ju kõigest oma kallima emaga kohtuma –, kuigi tegelikult olin isegi hea sõbra pulmadeks vähem ettevalmistusi teinud.

„Edu sulle!" hõikas Pippa, kui jõudsin välisukse juurde. „Ta ema hakkab sind armastama."

Soovisin, et oleksin olnud selles sama kindel.

Nägin vilksamisi Adamit mind vaatamas, kui oma väljapeetud pidupäevakõnnakul tänavale astusin, lillekimp käes. „Vau, sa näed imekaunis välja," ütles ta, kui istusin autosse ning küünitasin teda suudlema. See kestis oodatust veidi kauem ja ma hurjutasin teda pisut, sest ta rikkus mu huulevärvi.

„Jaa, sa pead need vist üle võõpama," lausus ta naeratades ja pühkis huuli. „On sul paar sukkpükse ka varuks?" Ta käsi liikus mu jalge vahel üles. „Juhuks kui ma need katki teen."

Vaatasin Billi poole, kes poleeris oma auto kapotti, ja lükkasin Adami käe mänglevalt eemale. „Kas sa palun lõpetaksid? Vaesel mehel on üks südamerabandus juba olnud, ei tahaks talle veel teistki põhjustada."

„Ta pole ilmselt aastaid nii põnevat tegevust näinud." Adam naeris.

Turtsatasin ja asetasin lilled ettevaatlikult tagaistmele. „Kas me üritame siin kellelegi muljet avaldada, mis?" küsis ta naeratades.

„Ha-ha, väga naljakas," ütlesin ma.

„Kas oled närvis kah?" Ta võttis mu käe endale pihku.

„Natuke õõnes tunne on," vastasin ausalt. „Ma olen varem kohtunud vaid ühe emaga."

Adam naeris. „See ei saanud siis küll kuigi hästi minna, sest nüüd oled sa siin minuga."

Andsin talle tõgava müksu. „See on suur asi. Kui ma su emale ei meeldi, on mul kriips peal. Sa ilmselt ei sõiduta mind isegi tagasi."

„Sa meeldid talle," ütles Adam ja sirutas käe, et mu juukseid sasida.

Haarasin tal lennult randmest. „Ära isegi mõtle seda teha. Sul pole õrna aimugi, kui kaua selle soengu tegemine aega võttis."

„Pagan küll, sa ei näe nii palju vaeva isegi siis, kui *minuga* välja lähed. Võib-olla peaksin sind oma emale sagedamini tutvustama." Ta naeris.

„Sulle ei pea ma enam muljet avaldama," ütlesin ma. „Sa oled mul ümber väikese sõrme mässitud, just nii nagu ma tahan. Nüüd on mul vaja su ema ära võluda. Kui saan tema mesti, võin valitseda maailma." Itsitasin riuklikult.

„Ma olen talle öelnud, et sa oled normaalne. Võiksid niimoodi ka käituma hakata."

„Sa ütlesid talle, et ma olen normaalne?" karjatasin protestimist teeseldes. „No see mind nüüd küll eriti huvitavaks ei tee. Kas sa poleks võinud seda natuke vürtsitada?" Adam vaid muigas selle peale. „Mida sa veel minu kohta rääkinud oled?"

Ta mõtles hetke. „Et sa oled lõbus, tark, ja oskad teha tipu peal Inglise hommikusööki."

„Adam!" oigasin ma. „See ongi kõik? Kas see ongi kõik, mis ma sinu jaoks olen? Vorstimeister?"

Me mõlemad naersime. „Mis sa arvad, kas ma hakkan talle meeldima? Ausalt?"

„Ausalt, ma arvan, et ta hakkab sind armastama. Sinus pole midagi, mida mitte armastada."

Kui see oli tema viis öelda, et ta armastab mind, siis ma lepin sellega. See polnud täiuslik, aga käis kah. Ta polnud seda veel otsesõnu öelnud, aga me polnud ju kaht kuudki koos olnud, nii et ma otsustasin lugeda seda välja tema tegudest, näiteks kui ta lõunaajal mu kontorisse ilmus, kaasas võileib, mida saaksin töölaua taga süüa. Või kui ta tuli mu koju, kui olin külmetanud, ja lebas minu kõrval voodis, kuigi ma ta täis aevastasin ja tatistasin. Need asjad olid kindlasti väärt rohkem kui kolm trafaretset sõnakest? Igaüks võib neid öelda ja mitte tõsiselt mõelda. Teod kõnelevad rohkem, oli minu filosoofia, ja ma jäin sellele kindlaks, kuni ta muidugi ütleb selle suremaatu „Ma armastan sind" – siis ei tähendaks teod enam midagi.

Hakkasime sõitma A21 maantee suunas, kuulates Smooth Radiot – see olla ta ema lemmikjaam ning pidavat aitama viia mind õigesse meeleollu. Mulle oleks kulunud marjaks ära midagi, mis oleks mu mõtted eesootavalt kohtumiselt kõrvale juhtinud, selle asemel et potentsiaalse ämma meelislugusid ajju salvestada.

„Milline ta on?" küsisin.

Adam jäi hetkeks mõttesse ja hõõrus lühikest habet lõual. „Minu arvates on ta nagu iga teine ema. Koduhoidja, lepitaja, ääretult lojaalne ja oma lapsi kaitsev. Ma loodan, et pakun talle sama lojaalsust vastu. Ma ei taha kuulda tema kohta ühtegi halba sõna. Ta on hea naine."

Nagu ma poleks tundnud veel piisavat survet sellele naisele meeldida, Adami kommentaar keeras pinget vaid juurde. Ja jumal hoidku selle eest, kui *tema* mulle ei meeldi – siis oleksin ma üksi. Meie mõlema huvides pean andma endast parima, et meie vahel oleks vastastikune sümpaatia.

Tänasin õnne, kui raadiost tuli Will Smithi „Summertime", ja me laulsime seda kaasa, sõna-sõnalt, kuni reani *the smell from a grill could spark off nostalgia*.

„See pole *grill*." Ta hakkas naerma. „See on *girl*!"

„Ah, ära ole naeruväärne," vastasin ma. „*Girl*? Tüdruku lõhn sütitab nostalgiat? Nad grillivad, ja nad ei hakka ju kommenteerima mööduva tüdruku lõhna, kui vorstid särisevad võrel, mis?"

Ta heitis mulle sellise pilgu, nagu oleksin ma segane. „Missugune grillilõhn võiks sütitada nostalgiat?"

„Ma ei suuda uskuda, et me sellest üldse rääime. Kõik teavad, et see sõna on *grill*."

„Guugeldame seda, kui ema juurde jõuame."

Mulle meeldis, et ta ütles „*minu* ema juurde" asemel „ema juurde". See tekitas minus tunde, et olen nendega rohkem seotud. „Smooth Radio on hämmastav silmade avaja," märkisin. „Ma ei teadnud, et su ema on Will Smithi „Big Willie Style'i" fänn. Kes oleks osanud arvata?"

Adami ilme muutus ja autos tõmbus kõhedaks. „Sa räägid mu emast," ütles ta, hääles teravusenoot. „Minu meelest pole see eriti sobilik, või kuidas sulle tundub?"

Ma naersin, oletades, et ta mängib minuga kaasa. Aga kui nägin tema näojooni pingule tõmbumas, pidanuksin juba taipama, et naljast oli asi kaugel.

„Ah, ära mine nüüd puhevile, nagu kukk õrrel," kihistasin, oodates, et ta näole ilmuks naeruvine, aga pinges ilme ei lahtunud.

„Sa oled lugupidamatu."

Surusin itsituse alla. „Jessas, ma ainult …"

„Mis *ma ainult*?" nähvas ta. Ta näitas suunda ja sõitis aeglasele sõidureale ning mul hakkas rinnus pitsitama, kui mängisin peas läbi järgnevad paar minutit. Ma kujutasin ette, kuidas ta pöörab esimesele mahasõiduteele. Siis seisan ma mahajäetuna oma kodu ees kõnniteel, tema aga kihutab minema. Kuidas me olime jõudnud lihtsast naljast selleni, et tal niimoodi hari turri läks? Kuidas läks kõik nii jubedalt valesti nii lühikese ajaga?

Ta sõrmenukid olid valged, kui ta mõlema käega kramplikult roolist hoidis. Ma küünitusin tema poole ja asetasin peopesa õrnalt ta käele. „Anna andeks," ütlesin, kuigi ma tegelikult ei teadnud, mille eest peaksin andeks paluma.

„Kas sa tahad seda teha või mitte?" küsis ta, hääl juba pisut pehmem. „Me võime selle lihtsalt katki jätta, kui sa pole valmis …"

Tema suust kõlas see, nagu oleksin osalemas mingis testis. Võib-olla olingi.

„Anna andeks," kordasin tasakesi. Ma ei tahtnud, et mu hääl kõlaks nii järeleandlikult, aga ma olin niivõrd šokeeritud, et ei saanud sinna midagi parata.

Ta lülitas raadio Kiss FM-ile ja me sõitsime ülejäänud tee vaikides.

4

„Tõotasin alati, et minust ei saa sellist ema, kes midagi sää-rast teeks, aga las ma näitan sulle ainult seda üht."

Adam ohkas, kui ta ema sirvis suurt kastanpruunide nahk-kaantega fotoalbumit oma põlvedel.

„Oh, lõpeta see ohkimine," kutsus ema teda korrale. „Sa olid maailma kõige armsam titt."

Patsutas siis diivani lillelist katteriiet ja ma võtsin tema kõrval istet.

„Vaata seda," näitas ta näpuga. „Need on Adam ja James meie aias, kui elasime Readingis. Vanusevahet kolmteist kuud, aga neil on võimatu vahet teha, eks ole? Nad olid nii head beebid. Kõik naabrid kiitsid, kui kenakesed nad on, ja neid ei kuuldud kunagi nutmas. Nad olid täiuslikud."

Tõstsin pilgu ja vaatasin Adami poole, kes oli turtsatanud ning läinud, käed taskusse surutud, toanurgas seisva raamatu-riiuli juurde. Ta kallutas pea küljele, silmitsedes umbes kahe-kümne riiuleid kaunistava albumi selgi, kõik hoolikalt aastate järgi reastatud.

„Nii tore, kui on nii palju pilte," kommenteerisin. „Selliseid, mida saab päriselt vaadata."

„Jaa, sul on täiesti õigus, kullake. Kas keegi üldse enam näebki sellistega vaeva? Inimesed lihtsalt klõpsutavad pilte oma telefonivärgindusega ja tõenäoliselt ei vaata neid enam kunagi uuesti. Nii kahju. Vaat niimoodi peaks pilte vaatamiseks välja panema." Ta silitas kilet fotol, millel oli avalalt naeratav nelja-aastane Adam, hoidmas uhkelt kõrgel kala, kuigi see oli vaid maimuke. Tema selja taga naeratas kaamera objektiivi laialt üks mees.

„Kas see on Adami isa?" küsisin ettevaatlikult.

Adam oli varasema nähvamise pärast küll vabandanud, aga ma tundsin ikka veel ärevust – ma polnud kunagi varem tema seda külge näinud. Mõtlesin, kas tegin ta isa kohta küsides taas midagi „sobimatut", aga ta ei pööranud ringi, et mulle ninna karata. Seisis lihtsalt seal nagu post, õlad liikumatud.

Tekkis hetkeline paus, enne kui ta ema vastas. „Jah," ütles ta raskelt neelatades. „See on minu Jim. Ta oli nii hea mees, tõeline kogukonna tugisammas. „Ja siin ongi meie Pammie ja Jim," tavatseti öelda, kuhu iganes me läksime. Me olime täiuslik paar."

Ta hingas raskelt sisse ja tõmbas nobedalt kampsuni varrukast välja taskurätiku. „Vabandust, kullake," lausus ta nina nuusates. „See läheb mulle veel praegugi hinge, kõik need aastad hiljem. Nii rumal minust, aga ma ei saa sinna midagi parata."

Sirutasin käe tema käe peale ja pigistasin seda õrnalt. „Sugugi mitte. See on sulle kindlasti kohutavalt raske. Ma ei suuda seda ette kujutadagi. Su abikaasa oli nii noor ka, eks ju?"

„Jäta nüüd, emps, sinuga on kõik hästi," lohutas Adam, astudes meie juurde ja põlvitades ema ette. Pammie vabastas otsekohe oma käe ja võttis poja pea oma pihkude vahele ning paitas sõrmedega tema kahenädalast habet. Pisarad voolasid mööda ema põski, ja poeg pühkis need õrnalt ära. „Kõik on hästi, ema. Kõik on hästi."

„Ma tean, ma tean." Pammie ajas selja sirgu, justkui annaks see liigutus talle rohkem jõudu. „Ma ei tea, miks ma ikka veel nii härdaks muutun."

„Ma olen kindel, et see on täiesti normaalne," laususin ma, võttes oma käe ära tema põlvelt, kuhu see oli vajunud.

Torkasin lahtise juuksesalgu kõrva taha, ja Pammiet vaadates tulvas minust üle süütunne. Lõviosa kolmest viimasest päevast olin mõtteis kogu seda kohtumist plaaninud: mida ma selga panen, mis mulje tahan endast jätta, kuidas ma peaksin käituma ja mida ütlema. Kui isekas minust! See naine, ükskõik kui hästi ta ka enda eest hoolitseks, ei suuda iialgi peita aastatepikkust piina ja kurbust, mille raskus oli sõna otseses mõttes ta õlad kühmu vajutanud. Sulgjas soeng, näo ja kaela ümber lähedalt lõigatud, moekate hallide triipudega, mis on jaotunud nii ühtlaselt, et on ilmselgelt salongis tehtud, ei suuda kunagi varjata ta valu. Seda ei suuda teha ka portselansile nahk, mida ilmestasid sügavad kortsud ümber nukrate aukus silmade, millega ta mind vaatas, hambad alahuulde surutud. Armastatud abikaasa aastatetagusest kaotusest põhjustatud šokk ja kurbus, nii ruttu pärast laste sündi, oli endiselt tema näkku sööbinud. Oli tore paar, alustamas uut põnevat peatükki oma elus, kuid siis jäi ta leseks ja pidi kahe lapsega üksi hakkama saama. See, kuidas mina peaksin välja nägema ja mida seljas kandma, tundus nüüd nii haledalt tühine. Sama tühised tundusid ka Adami varem lausutud teravad sõnad. Siin on tegemist palju suurema pildiga, ja kui mina tahan samuti sellel pildil olla, oleks mul tark endale meenutada, mis on oluline ja mis mitte.

„Ja selle uue lisanduse eest peame vist tänama seda kena tüdrukut siin, on nii?" naeratas Pammie poole suuga, ikka veel Adami habet sasides.

Tõstsin naljatlevalt käed kahetsuse märgiks üles. „Tunnistan end süüdi," laususin ma, „aga mulle tõesti meeldib. Minu arvates sobib see talle väga hästi."

„Jaa, sobib, sobib tõesti," kordas ema. „Teeb su isegi veel nägusamaks." Ta tõmbas poja enda ligi ja surus end vastu tema õlga. „Mu ilus poiss. Sa jääd alati mu ilusaks poisiks."

Adam vabastas end kohmakalt ema haardest ja vaatas mulle otsa, kergelt punastades. „Kas hakkame lõunat sööma? Kas me saame sind kuidagi aidata?"

Pammie oli end kogunud. Ta tõmbas kampsunivarrukad alla ja silus oma šoti mustriga seeliku sirgeks.

„Sugugi mitte," ütles ta, viibutades sõrme. „Söök on valmis, vaaritasin terve tänase hommiku. Äkki sa, Adam, aitaksid mul selle köögist siia tuua?"

Hakkasin diivanilt tõusma. „Ei, ei," nõudis Pammie. „Sina jää siia."

Ta asetas fotoalbumi ettevaatlikult minu kõrvale diivanipadjale ja järgnes Adamile. „Oleme silmapilk tagasi."

Ma ei tahtnud pilte ilma Pammie või Adami juuresolekuta edasi vaadata – see tundus nina võõrastesse asjadesse toppimisena –, aga pilk langes siiski avatud leheküljele mu ees. Paremal ülanurgas oli foto Adamist, käed tugevalt põimitud ümber ühe neiu, huuled õrnalt puudutamas temakese põske. Mu süda jättis löögi vahele, kui tõstsin albumi üles, et lähemalt vaadata. Kaamera oli jäädvustanud siira hetke, mil paarike lausa kiirgas õnnest. See polnud poseeritud ega lavastatud, see oli spontaanne hetk, mis oli püütud filmilindile, ilma et noored oleksid piiluvat objektiivi tähele pannud. Ma tundsin rinnus justkui kruustangide pigistust ja kurku kerkis raske klomp.

Ma teadsin ju, et Adamil oli enne mind tüdrukuid olnud – muidugi oli –, aga sellest hoolimata puges mu hinge ebakindluse-ussike. Ta nägi välja nii vaba ja endaga harmoonias; ma arvasin, et ta on minuga olles õnnelik, aga see siin oli teistsugune ilme, selline, mida ma polnud varem näinud. Ta juuksed olid pikemad ja nägu pisut täidlasem, ent kõige rohkem jäi silma, et ta tundus nii muretu, naeratas elule. Neiu oli täpselt sama sundimatu, õrnad pruunid kiharad ümbritsesid ta nägu ja ta silmad naersid, kui Adami tugevad käed tema ümbert kinni hoidsid.

Ma küsisin endalt, kas meie näeksime samasugused välja, kui meid pildistataks. Kas meie nägudes oleks näha samasugust välja-lülitumist kõigest ümbritsevast? Kas meie tunded teineteise vastu oleksid kõigile selgelt näha?

Noomisin end mõttes, et olin lasknud kahtlusel ja väikesel armukadeduselgi ligi hiilida. Kui nad oleksid olnud väga õnne-likud, poleks nad ju lahku läinud, eks? Nad oleksid praegugi veel koos, ning minu ja Adami teed poleks kunagi ristunud.

„Elu on selline," ütles Adam, kui küsisin temalt meie suhte kolmandal nädalal, miks ta oma eelmisest tüdrukust lahku läks. „Vahel asjad lihtsalt juhtuvad ja sa ei suuda neist kuidagi aru saada. Sa püüad leida selle õigustamiseks põhjuse, aga alati pole sellele vastust. See on lihtsalt elu."

„Sa ütled seda nii, nagu sa poleks tahtnud lahku minna," lausu-sin ma. „Kas tema lõpetas teie suhte? Kas ta pettis sind?"

„Ei, see polnud üldse nii," vastas ta. „Ärme räägi sellest. See oli siis, praegu oleme meie." Ta pani käed mulle ümber ja surus mind kõvasti enda vastu. Ta hoidis minust kinni, nagu ei tahaks kunagi lahti lasta, hingas sisse mu juuste lõhna ja suudles mu pea-lage. Ma vaatasin üles talle otsa, uurides ta nägu: pähkelpruune silmi mõne rohelise täpikesega, mis läikisid Borough High Streeti tänavavalgustite all, ja seda tugevat lõuajoont, mille kohta olin kord märkinud, et see on justkui peitliga raiutud. Selle peale oli ta naernud ja lausunud: „Sind kuulates jääb mulje, nagu ma oleksin mingi tööriistakastis olev ese." Ta võttis mu näo oma käte vahele ja suudles mind, algul õrnalt, siis juba jõulisemalt, nagu ei laseks suudlus mitte millelgi meie vahele tulla. Mitte iialgi.

Sel ööl tundus armatsemine teistmoodi. Ta hoidis mul käest, kui ronisime trepist üles tema korterisse, mis asus poe peal. Harva olime jõudnud esikust kaugemale nii, et vähemalt kaks riideeset polnud selleks ajaks juba seljast lennanud, aga sel ööl ootasime, kuni jõudsime magamistuppa, kus ta mu aeglaselt lahti riietas. Ma sirutasin käe öökapil olevat lampi kustutama, soovides hoida mulle enda juures mitte meeldivad kehaosad pimeduses, aga ta haaras mul käest. „Pole vaja. Jäta tuli põlema, ma tahan sind näha."

Siiski, mu käsi jäi mõneks ajaks ootele, kuna ebakindlus minus võitles sooviga teha, mida ta oli palunud.

„Sa oled imeilus," sosistas ta, libistades pöidlaga üle mu huulte. Ta suudles mu kaela, samas kui ta sõrmed mööda mu paljast selga alla liikusid, sulgõrnad puudutused saatmas tukseid läbi kogu mu keha. Ta vaatas mulle armatsemise ajal ainiti otsa. Pilk puuris minusse, otsis midagi minu seest. Esimest korda pakkus Adam mulle midagi, mida polnud kunagi varem pakkunud. Mis see oli, ei oska ma selgitada, aga ma tundsin temaga sügavat sidet. Sõnadeta mõistmist, et see, mis meie vahel on, on päris.

Nüüd, vaadates uuesti seda fotot enda ees, mõtlesin, kas too oli see naine, kelle juurest ta oli tol ööl püüdnud eemale pääseda. Kas ta tahtis heita endalt ahelad, mis olid teda selle naisega sidunud? Kas ta oli valinud selle aja, et kõik sidemed lahti raiuda?

Pammie ja Adam tulid tagasi elutuppa, Adam pidi pisut kummarduma, et madala uksepiida alt läbi mahtuda.

„Olge lahked," ütles Pammie ja asetas kandiku aknaesisele lauale. „See teeb teid kenasti paksuks."

Ma sulgesin tõustes albumi, aga enne heitsin veel kord põgusa pilgu tekstile foto all: *Kallis Rebecca – igatsen sind iga päev.*

5

„K as see on mingi kuradi nali või?" turtsatas Pippa pitsa-
lõiku suhu toppides.

Raputasin pead.

„Ja sa oled kindel, et nad olid paar? Nagu päris paar, mitte liht-
salt head sõbrad? Võib-olla nad olid kambajõmmid, osa suuremast
pundist?"

Raputasin jälle pead. „Ma ei usu. Nad paistsid teineteisest väga
sisse võetud olevat. Nagu pruuti ja peikat võibki ette kujutada."

Pippa katkestas mälumise ja roosakat tooni tukasalk langes ta
vasakule silmale. „Ta ei pruugi surnud olla."

„Peab olema. Kuidas muidu seletada märkust *igatsen sind iga
päev?* Sa ei kirjutaks nii ju kellegi kohta, kes elab õnnelikult sinust
kilomeetri kaugusel."

„Võib-olla ta ema … Pammie on ta nimi, jah?"

Ma noogutasin.

„Äkki talle lihtsalt meeldis see tüdruk väga ja kui noored lahku
läksid, oli ta endast väljas ja tõesti igatseb teda?" Pippa teadis ise
kah, et otsis õlekõrsi, millest haarata.

Kehitasin õlgu. Tõtt-öelda väike osa minust lootis isekalt, et
see naine on pigem surnud, mitte keegi, keda Pammie nii väga

taga igatseb, et pidas vajalikuks selle foto alla kirja panna. Sellisele konkurendile oleks väga raske vastu seista.

„Miks sa Adamilt ei küsinud, kui te tagasi sõitsite?" päris Pippa.

„Ma ei tahtnud tüli üles kiskuda," vastasin. „Teel sinna oli meil veider sõnavahetus ja ta on ilmselgelt oma ema suhtes väga kaitsva hoiakuga, nii et ma pean oma samme astuma ettevaatlikult."

„Aga sa ei küsi ju tema ema kohta, sa küsid ääriveeri, kas tal oli kunagi tüdruk, kes on nüüd surnud. See on päris suur asi, Em. Ja kui lood on nii, siis võiks arvata, et see oleks pidanud tulema jutuks varem, mitte alles nüüd ... on nii?" Ta lisas kaks viimast sõna leebelt, justkui tahaks kergendada eelnenud lausega antud lööki.

Ma ei teadnud, mida arvata. Iga kord, kui püüdsin sellele küsimusele vastust leida, pidin endale meelde tuletama, et me olime olnud koos vaid veidi üle kahe kuu. See aeg tundus pikem, sest oli olnud väga intensiivne, ja ega saakski ju eeldada, et jõuad rääkida kümnetest aastatest oma elust kaheksa nädalaga? Muidugi me olime eksidest põgusalt rääkinud, aga käisime veel asjadest mõningal määral ringiga mööda, kuna ei soovinud asuda liiga raskete teemade juurde liiga ruttu. Alati, kui rääkisime oma minevikust, jäime mõlemad hoolega muretu tooni juurde. Me polnud seni puudutanud ebamugavaid teemasid, mida surnud tüdruksõber kindlasti oleks. Nagu oleks ebameeldivaks kujunenud ka vestlus minu eelmisest kallimast Tomist. Küll aga olin vabalt rääkinud oma ainsast väikesest üleannetust üheöösuhtest Grahami või Gilesiga – või mis iganes ta nimi oligi.

„See on šokeeriv!" naeris Adam, kui paar nädalat tagasi istusime Covent Gardenis ühes restoranis, jagades kausist Rocky Road Sundae jäätist. „Sa seksisid kutiga ja ei teadnud isegi ta nime?"

„Ah, nagu sinuga poleks seda kunagi juhtunud?" pareerisin.

„Tunnistan ausalt, et mul on olnud üks üheöösuhe, aga päris kindlasti küsisin ma enne ta nime ja mäletan seda veel praegugi."

„Ütle siis välja, vagatseja, mis ta nimi oli?"

Ta jäi hetkeks mõttesse ning kuulutas siis uhkelt: „Sophia!"

Ma lihtsalt pidin ironiseerima, kuna ta oli enesega niivõrd rahul.

„Ja siis olid veel Louisa, Isabelle, Natalie, Phoebe ..."

Ma imesin minivahukommi kõrre otsa ja puhusin tema suunas lendu.

„Mida sa kavatsed siis teha?" küsis Pippa, tuues mu olevikku tagasi. „Kas see on midagi, mida sa peaksid teadma, või oled valmis jätma loo sinnapaika?"

„Ta tõesti meeldib mulle, Pip. Ja kui see välja arvata, siis on meil kõik väga hästi. Ma pole kunagi varem niimoodi tundnud ja ma ei taha teha midagi, mis võiks selle ohtu seada. See on killuke suurest pildist. Ma olen kindel, et lõpuks loksub kõik paika."

Pippa noogutas nõustuvalt ja patsutas selle kinnituseks mu kätt.

„Ja milline ta ema oli? Mis sa arvad, kas sa meeldisid talle?"

„Oi, ta oli väga armas. Ta tegi rohkem kui vaja, et tunneksin end teretulnuna. Mul oli kohutav mõte, eriti pärast toda nähvamist sinna sõites, et ma olen kõige uuem tüdruk pärast nii mitmeid teisi, kelle ta viib oma emaga kohtuma. Aga tegelikult kutsus ta ema mu hetkeks nelja silma alla, enne kui lahkusime, ja ütles: „Sa oled esimene tüdruk, kelle ta on üle pika-pika aja koju toonud ...""

„Okei, see on nüüd küll üks suur plusspunkt," lausus Pippa asjalikult, püüdes juhtida mu mõtteid eemale mind närivast ekside teemast. „Sa meeldid ta emmele. Öeldakse, et mehe südamesse jõuab tema ema kaudu."

„Ma arvasin, et armastus käib kõhu kaudu?" naersin mina.

„Ah, selle kaudu ka, aga me kõik teame, et tegelikult käib see ikka peenise kaudu!"

Ma tõmbasin veini kurku ja tema vajus naerust kõverasse.

Pippaga pole kunagi igav. Tema võime jalaga takka anda, kui kõik ei laabu eriti hästi, oli see, mis mind tema poole tõmbas, kui kingapoes töötades tutvusime. Meie boss Eileen ei hinnanud Pippa söakust eriti kõrgelt ja oli ainult aja küsimus, millal tüli avalikult lahvatab.

„Kahjuks meil ei ole seda saabast suuruses 40," kuulis ta Pippat kliendile ütlemas, „aga meil on need baleriinad suuruses 34, kas need võiksid sobida?"

Mul voolasid naerupisarad mööda põski alla ja pidin paluma oma kliendil end vabandada, et laoruumi joosta. Pippa järgnes kohe, Eileen tihedalt kannul.

„Klientidega tegeledes tuleb säilitada teataval tasemel professionaalsus," ütles boss sõrmega vehkides. „Te mõlemad olete täna üle piiri läinud ja ma võtan selle teema juhataja juures üles."

„Oh, *Come On Eileen*," ütles Pippa poollauldes. *„I swear what you mean ..."*

Mul jäi hing kurku kinni, nägu tõmbus punaseks ja põis ähvardas lõhkeda nähes, millise pilguga Eileen, kel olid juhtumisi tumedad lokkis juuksed, Pippat jõllitas.* „Kui sa arvad, et oled naljakas ..." kokutas ta.

„Kas sa oled kunagi mõelnud teksatunkesid kanda?" päris Pippa viisakalt, enne kui minema kõndis. Minul õnnestus seal töötada vaid nädala võrra Pippast kauem, kuid enda lahkumisavalduse esitasin siiski mõistlikul viisil. Ma oleksin nii väga tahtnud, et mul oleks olnud natukenegi Pippa kuraasikust, kuid ma polnud nii vapper või siis mässumeelne kui tema. Pealegi arvasin, et mul on vaja soovitust, kuhu iganes ma tahaksin edasi minna, aga Pippa ei hoolinud tuhkagi, ja talle au andes pean ütlema, et ta tegi õigesti. Ta sai iga baaritöö, millele kandideeris, ja tal oli tervishoiukõrgkooli kaugõppes pool õpingutest juba läbitud.

---

* Sõnad ansambli Dexys Midnight Runners laulust „Come On Eileen"; vihjed juuste ja tunkede kohta viitavad laulja välimusele.

Me olime nii erinevad, ja samas nii sarnased. Mina ei osanud ette kujutada midagi hullemat kui öösiti tööl käimine ja oleksin pigem torkinud endal nõelaga silmi kui läinud uuesti kooli, aga sellest kujunes ideaalne elukorraldus. Mina töötasin terve päeva esmaspäevast laupäevani (kolmapäev oli vaba) ja tema töötas igal öösel Covent Gardenis All Bar One'is ning päeval õppis. Me polnud kunagi teineteisel jalus ja nii oli meil alati tore pühapäeviti koos istuda ning nädala juhtumisi arutada. Eranditult olin mina see, kes vajas nõu ja maandamist, kuna Pippale näis enamik elukatsumusi olevat kui hane selga vesi. Ta võttis elu palju muretumalt, heites mehi nagu muuseas üksteise järel kõrvale, ning ei lömitanud jäikade reeglite ees. Ma oleksin tahtnud, et minus oleks veidigi rohkem tema hoolimatust, et mitte ägada kurnava vajaduse all iga olukorda liigselt analüüsida. Aga neil harvadel kordadel, kui olin ettevaatlikkusele vilistanud, läks kõik alati untsu, nii et see võib-olla ei passikski mulle nii hästi, kui arvasin. Soov Pippaga sarnaneda oligi see, mis oli mind viinud nõnda kaugele, et olin Bethi kahekümne esimesel sünnipäeval löönud käega kõigile oma tõekspidamistele ja Granti või Gerryga – ma olen kindel ainult selles, et see nimi algas G-tähega – seksinud.

„Miks sa mind ei takistanud?" ägasin järgmisel päeval, kui lebasime minu voodil ja vaatasime Netflixi, meenutades, kuidas see sell mu üles korjas ning toast välja kandis, mu jalad ümber tema piha põimunud. „Oli ju täiesti ilmselge, et ma polnud mina ise. Igaüks pidi seda märkama."

„Aga see ongi kõige ägedam," ütles Pippa. „Vähemalt kordki elus oli sul suva. Sa lihtsalt tegid seda, mida tahtsid, ega hoolinud kellestki teisest muhvigi."

See oligi probleem.

„Ma ei lähe enam kunagi välja," oigasin, kattes näo kätega, ja sel hetkel mõtlesin ma seda tõsiselt.

6

Kuidas ma ka püüdsin, ei suutnud ma peast visata painavaid mõtteid Rebeccast. Ma tahtsin teada, kes ta oli ja mis oli nende vahel juhtunud, kuid pelgasin torkida herilasepesa, sest ma polnud täiesti kindel, kas ikka tahan riskida nõelata saamisega. Ka Adam polnud kaks nädalat pärast ema juures käimist olnud päris tema ise, nii et ma vingerdasin ikka veel selle „igatsen sind iga päev" keerdsõlme ümber, lootes, et kuidagi me komistame selle teema otsa.

Mu esimene võimalus avanes siis, kui ehtisime Adamiga minu korteris jõulukuuske. Ta oli mures, et võtab Pippa töö ära, ent Pippal nagunii ei jagunud selliseks pusimist nõudvaks tööks kannatust. Ma olin seda kolm aastat järjest üksi teinud, enamasti nii, et tema istus ja vaatas pealt, visates õhku ja püüdes suhu Maltesersi šokolaadikuulikesi. Ent ta oli mulle alati tänulik ja tasus mulle mu vaeva eest pudeli Advocaatiga. Sellest oli saanud lausa traditsioon, kuigi tema motiivis polnud kumbki meist päris kindel.

„Siin peab olema väga hea põhjus, miks me seda aasta ringi ei joo," ütlesin talle eelmistel jõuludel.

Meil oli juba kolm lumepallikokteili hinge all ja kumbki ei viitsinud enam joogile kirssi lisada.

„Ma tean," oli Pippa nõus. „Aga ta istub seal, supermarketi jõululetil, alati lootust täis, optimismist pakatav, anudes möödujaid: „Palun ostke mind, ma olen siin vaid lühikest aega. Te teate, et kahetsete, kui te seda ei tee.""

Ma naersin ja kiitsin takka: „Mis siis, kui keegi tuleb teile pühade ajal ette teatamata külla ja küsib munalikööri? Kuidas te ilma minuta hakkama saaksite?"

See oli nii pikka aega aus hoitud traditsioon, ent mitte kunagi polnud ükski külaline palunud Advocaati limonaadiga. Isegi mitte siis, kogu mu lapsepõlve jooksul, kui naabrid pühade ajal meie juurest korraks läbi astusid. Peaaegu kolmekümne aasta jooksul kordagi. Mitte kordagi.

Siiski, mitte miski muu poleks suutnud mind jõulumeeleollu viia paremini kui see, nii et võtsin köögikapi taganurgast pudeli ning loksutasin selles hangunud kollast segu.

„Kas ma võiksin sulle seda ahvatlevat jooki pakkuda?" küsisin pikendusjuhtmega sahkerdavalt Adamilt – tegelikult tema tagumikult, sest see oli ainus osa temast, mis puu alt välja paistis.

„Ma oletan, et see on eelmise aasta kingitus?" kostis ta, rabeles okste vahelt välja ja vaatas minu poole.

Noogutasin vabandustpaluvalt. „Aga see ei lähe kunagi pahaks."

„Aitäh, ma siiski ei soovi." Ta kirtsutas nägu. „Nii, mis arvad?"

Me astusime sammu tagasi, imetledes oma kätetööd. „Nüüd saab näha, kas oleksime pidanud tulesid enne puu külge riputamist testima," lausus ta.

Imekombel – esimest korda üle aastate – lõid need kohe särama ning me vajusime kergendust ja uhkust tundes diivanile.

Ma tõstsin ühe jala istmiku alla ja pöörasin end tema poole. Tal oli naeratus kõrvuni, nii erinev sellest tõsisest näost, millega ta oli paar viimast nädalat ringi käinud. „Kõik on hästi," oli kõik, mida Adam ütles iga kord, kui küsisin, miks ta nii vaikne on.

„Kuidas tööl läheb?" küsisin, silmitsedes kahtlaselt sogast vedelikku oma klaasis.

„Paremini." Ta ohkas. „Lõpuks ometi suutsin sel nädalal tööga järje peale saada."

Nii et tema pead olid vaevanud hoopis töömõtted. Kõik mu ajus tiirelnud aga-mis-siis-kui küsimused jäid nüüd vait. *Mis siis*, kui ta ei taha enam minuga olla? *Mis siis*, kui ta on leidnud kellegi teise? *Mis siis*, kui ta püüab leida õiget hetke mulle seda öelda? Ma õhkasin kergendatult, teades nüüd, et probleem oli töös. Sellega saame hakkama.

„Kuidas nii? Mis sul siis üle pea kasvas?" küsisin ma.

Ta ajas põsed punni ning puhus raskelt ja kuuldavalt välja. „Klient, kelle kontot ma haldan, on kasvanud suuremaks kui keegi oskas ette näha. Ma arvasin, et mul on olukord kontrolli all ja suudan sellega kenasti toime tulla, aga siis komistasime probleemi otsa."

„Mis see oli?" kergitasin kulmu.

„Lihtsalt üks IT-kala, midagi, mille ma suutnuks ise lahendada, kuid selleks oleks kulunud arvatust palju rohkem aega."

„Ja mis siis muutus?"

„Ülemused tulid lõpuks mõistusele ja tõid ühe inimese juurde. Sellest on tõesti palju abi, tänu jumalale."

„Suurepärane," ütlesin ma. „Kas sa saad selle mehega hästi läbi?"

„Tegelikult on ta naine," järgnes imepisike paus, „ja – jah, ta on tegelikult täitsa normaalne."

Kaks korda *tegelikult* ühes ja samas lauses? Ta on tavaliselt nii sõnaosav. Ma püüdsin pingsalt naeratust säilitada, et see isegi mitte ei vääratakse, nii et lihased pidid krampi minema.

„Lahe," kommenteerisin nii muuseas kui suutsin. „Mis ta nimi on?"

„Rebecca," kõlas asjalik vastus. Ma ootasin, et Adam lausuks midagi veel, aga mida oleks ta pidanud rohkemat ütlema? Ent miks ma siis arvasin, et tema napisõnalisus kõneles nii mõndagi? „See on küll veider." Ma ei osanud midagi muud öelda.

„Mis asi?" küsis ta ettevaatlikult, justkui juba aimates, mida kavatsesin öelda, kuigi ma polnud selles ka ise veel päris kindel.

„Et ta nimi on Rebecca."

Ta pööras end minu poole.

„Ma oletan, et ta pole see *sinu* Rebecca," ütlesin kergelt naeru kihistades, et poleks aru saada, kui oluline see küsimus minu jaoks oli.

Ta vaatas mind mõni hetk mõtlikult, vangutas siis aeglaselt pead ja pööras pilgu eemale.

Ma polnud kindel, kas tahtsin rohkem teada tolle Rebecca kohta töölt või „tema" Rebecca kohta. Oli raske otsustada, kumb tõotas suuremat peavalu.

„Aga see oleks olnud päris veider, eks?" jätkasin ma. „Kujuta ette, et sinu eks ilmub su töö juurde. Kuidas sa end siis tunneksid?"

Adam hõõrus pöidla ja nimetissõrmega silmi. „Seda ilmselt ei juhtu."

„Milline ta siis on? See Rebecca?" Otsustasin tegeleda kõige-pealt otsese ohuga. „Ilmselgelt on temast sulle palju abi olnud."

„Jah, ta on osav. Paistab, et ta jagab matsu ja tänu sellele pole mul vaja muretseda, et peaksin talle kõike otsast lõpuni selgitama. Tuleb välja, et ta on meie ettevõttes juba mõnda aega olnud, aga ma ei tea, kus nad teda seni peitsid."

Kas see tähendas, et Adam oleks teda tähele pannud, kui teda poleks „peidus hoitud"? Mind ei huvitanud, kui osav ta oma töös on – mind huvitasid ta kehatüüp ja juuksevärv. Ma teadsin väga hästi, et kui oma peas tiirlevad küsimused kuuldavale tooksin, jääks minust kontrollihimulise ja paranoilise tüdruksõbra mulje.

Aga kas ma seda polnudki? Kas Tom polnud mind selliseks muutnud? Ma ei saanud sinna midagi parata.

„Kas ta on ilus?" küsisin. Adami kulm läks kipra, justkui püüaks ta välja nuputada kõige diplomaatilisemat vastust. Kui ta ütleks liiga kiiresti „ei", tähendaks see, et ta valetab. Kui ta ütleks „jah", oleks ta hull. Me mõlemad teadsime, et ta ei saa sellest puhtalt välja tulla.

„Minu meelest on ta normaalne," oli kõik, mis ta suutis välja käia ja mis oli valikuvõimalusi arvestades tema parim vastus.

„Kas su eks Rebecca töötab kesklinnas?" küsisin.

Adam ajas selja sirgu. „Ei," ütles ta kõhklevalt.

Kas ma pidingi vaid sellega leppima?

„Ta siis ei tööta samal alal kui sina? Te ei tutvunud tööasjus?"

„Ma ei tea, et oleksin sulle Rebeccat maininud," lausus ta peaaegu järsult.

Kuumalaine levis üle kogu mu keha, kui mulle aeglaselt koitis, et ta polnud tõesti seda teinud. Ma olin tema tõrjuva „ärme räägi sellest" pannud kokku pildiga temast ja naisest, kelle nime arvasin olevat Rebecca, ning lasknud fantaasial lennata. Ma oleksin tahtnud kõik oma rumalad urgitsevad sõnad tagasi võtta.

„Mida see kõik peaks tähendama?" küsis ta, pöörates tõsise näoga minu poole.

Ma nihkusin talle lähemale, tõstsin ta käe endale ümber ning panin pea tema sülle. Pettemanööver, et mu põsed saaksid jahtuda.

„Ma lihtsalt tunnen, et ma ei tea sinu elust veel mitmeid olulisi asju," ütlesin, „ja ma tahan teada võimalikult kõike." Tõin kuuldavale väikese naeru, võtsin ta käe oma kõhult ning tõstsin huultele.

Mu süda tagus, kui ootasin vastust. Kas ma olin läinud liiga kaugele? Kas ta tõuseb nüüd ja kõnnib minema?

Sekundid möödusid aeglaselt nagu tunnid ja ma püüdsin aimata, mis suunas Adami mõtted tüürivad, kui tundsin põse vastas tema reie pulssi.

„Mida sa teada tahad?" küsis ta lõpuks.

Olin hinge kinni hoidnud ja sain nüüd lõpuks välja hingata. „Kõike!"

Ta hakkas naerma. „Ma kujutan ette, et selle all mõtled sa mu armuelu. Kas see pole mitte ainus asi, mida tüdrukud tegelikult teada tahavad?"

Ma kehitasin õlgu ja krimpsutasin nina. „Nii enesestmõistetav, jah?"

Ta langetas pea ja vaatas mulle otsa ning ma nägin jõulukuuse tulukesi tema silmades peegeldumas. Tundsin tohutut kergendust, kui ta naeratas. „Olgu, sina alustad ..." ütles ta. „Mis on kõige ebatavalisem koht, kus sa armatsenud oled?"

Mul jäi peaaegu hing kinni ja ma tõusin istukile. „See on lihtne ... Ma olin üheöö-vahekorras kriketiväljakul, aga sa juba tead seda."

„Räägi mulle uuesti ... aeglaselt," õrritas ta.

Kavatsesin talle padjaga vastu pead äsada, ent ta jõudis mul käest haarata.

„Olgu. Kas sa oled kunagi armunud olnud?" kõlas järgmine küsimus.

„Enam pole sinu kord," vastasin.

Ta kallutas pea küljele ja kergitas kulme. „Jah või ei?"

Hetk oli järsku ootusärevust täis. Kas pole kummaline, kuidas vägagi reaalsest füüsilisest seksuaalaktist, isegi nimetu võõraga, saab rääkida humoorikalt ja joviaalselt, aga kui rääkida nähtamatust tundest, mida nimetatakse armastuseks, on õhk pingest laetud?

„Üks kord," ütlesin ma, püüdes pingsalt hoida häält rahuliku ja kindlana.

„Kellesse?"

„Kutti, kelle nimi on Tom. Tutvusime tööl minu jaekaubandus-
perioodi ajal."

Adam vaatas mulle küsivalt otsa.

„Tead küll. Juuksuri- ja sisekujundusperioodi vahel." Ma olen
kindel, et olin talle kiire ülevaate oma kaootilisest CV-st mingil
hetkel andnud.

„Aa." Ta õhkas sarkastiliselt. „Need valgustusaastad."

Ma naeratasin, olles tänulik, et ta oli vestluse pinget leeven-
danud.

„Mis siis juhtus?" küsis ta.

Köhatasin kurgu puhtaks. „Me kohtusime, kui olin kaksküm-
mend, käisime peaaegu kolm aastat ja ma hakkasin uskuma, et
meil on ühine tulevik."

„Aga?"

„Aga hoolimata sellest, mida mina tema vastu tundsin ja mida
tema väitis minu vastu tundvat, suutis ta ikkagi kellegi teisega
magada."

„Oi," võttis Adam asja lühidalt kokku. „Kuidas sa teada said?"

„Ta tegi seda mu väga hea sõbrannaga, kalli Charlotte'iga, kes
otsustas, et talle on Tom tähtsam kui meie sõprus."

„Jessas. Ilmselt te pole enam sõbrad?"

Ma naersin irooniliselt. „Muidugi mitte. Ma pole temaga sel-
lest ajast saati rääkinud ja ei plaani ka temaga kunagi uuesti suht-
lema hakata."

„Aga kas tema oli su viimane … enne meie kohtumist?" jätkas
Adam.

„Tõsiselt, sina oled saanud küsida viissada küsimust ja mina
vaid ühe," ütlesin naerdes. „Ta oli mu ainus tõsiseltvõetav kallim.
Mul on olnud pärast teda kolme aasta jooksul teisigi suhteid, aga
mitte kedagi, kes oleks tegelikult midagi tähendanud, kuni koh-
tasin sind."

Adam naeratas.

„Nüüd *on* minu kord," laususin ma.

Ta toetus vastu diivani seljatuge ja vaatas otse enda ette, vältides mu pilku.

„Ja kuidas on sinuga lood? Kas oled kunagi armunud olnud?"

Ta nügis jalaga mu diivanilaua all oleva koobaltsinise vaiba serva. Ma ei tahtnud olla pealetükkiv, juhul kui haav on liiga värske. Ootasin veel hetke. „Hüva, pole oluline," ütlesin märksa reipamalt kui end tegelikult tundsin. „Kui see on …"

„Jah," vastas ta vaikselt.

Kasutasin juhust: „Rebeccasse?"

Ta noogutas. „Ma arvasin, et veedame kogu ülejäänud elu koos … aga sel polnud määratud nii minema."

Tema vastust kuuldes soovisin, et poleks seda küsinud.

„Aga mis siin ikka, aitab kõigest sellest," ütles ta, justkui raputades end välja kusagilt, kus ta mõtetes oli. „Ma tahtsin küsida, mis sa arvad, kui veedaksime mingi aja jõuludest koos. Ma mõistan, kui see on keeruline … tead küll, kui see on … ma lihtsalt mõtlesin …"

Panin sõrme ta huultele. Ta küsis naeratades: „Kas see tähendab jah?"

Ta surus mu enda vastu ja suudles mind. „Sa tuled siis jõuluõhtusöögile?" küsis ta õhinal.

Kortsutasin kulmu. „Esimesel pühal ma ei saa." Ta õlad vajusid norgu. „Aga sa võiksid minu vanemate juurde tulla. Nad tahaksid väga sinuga kohtuda," lisasin kiiresti.

„Sa ju tead, et ma ei saa," ütles ta siiralt kurvalt. „Ema on ihuüksi, kuna James lõunatab oma kallima Chloega, seega ma pean tema juures olema. Jõulud on tema jaoks raske aeg."

Ma noogutasin. Adam oli mulle juba rääkinud, et ta isa suri vahetult enne jõule.

„Aga tule siis teisel pühal," pakkus ta.

„Mu vend ja vennanaine tulevad lõunale, pealegi koos titega."
Kuid juba hetkel, mil seda ütlesin, teadsin, et minul tema juurde
minna pole nii palju palutud, kui et tema minu juurde tuleks.
Minu vanemate juurde lähevad ju Stuart, Laura ning beebi. Pam-
mie aga oleks õnnega koos, kui näeks mõnd naabritki.

„Ma arvan, et saaksin õhtupoole sinna sõita ..." pakkusin välja.

„Ja jääda ööseks? Me võiksime järgmisel päeval kuskile sõita,
otsida näiteks mõne kena pubi."

Olime nagu kaks ülipõnevil last, kes hauvad salaplaani.

Järgmisel päeval helistasin Pammiele, et küsida, kas see sobib
talle. Arvasin, et nii oleks viisakas teha.

„See tuli nüüd küll üllatusena," lausus ta, ja ma jahmusin.

„Anna andeks, Pammie. Ma arvasin, et Adam on sulle juba rää-
kinud. Ta ütles, et helistab kohe hommikul esimese asjana sulle."

„Ei, kullake," ütles ta. „Aga pole hullu. Sind oleks tore näha.
Kas ööbid siin?"

„Jah," vastasin ma. „Aga ma jõuan ilmselt alles õhtul hiljem."

„Kas sa õhtustad siis koos meiega?" küsis ta.

„Mu ema teeb lõunaks kalkuni, nii et natuke midagi kergemat
õhtul oleks kena," kostsin, et mitte näida ebaviisakas või tänamatu.

„Aga me ei jää sind ootama ..."

„Jumala pärast, ei, teie hakake aga pihta ja ma jõuan siis, kui
jõuan."

„Asi on lihtsalt selles, et Adamil läheb päeva jooksul kõht väga
tühjaks ja õhtupoolikuks on ta juba päris näljane," jätkas Pammie.

„Jaa, muidugi. Ma mõistan. Teie laske käia ja ma ühinen teiega
hiljem teeajal."

„Nii et me sööme siis kõik koos?" päris ta edasi, nagu poleks
mind kuulanudki.

„Hea küll, minugipoolest," vastasin, kuigi ma polnud enam
päris kindel, millega nõustusin.

7

Tol hetkel tundus Pammie juurde minek väga hea ideena, aga kui olin ema ja isa juures, tundsin, et oleksin hea meelega hoopis sinna jäänud. Seal oli soe ja hubane ning mulle meenusid kunagised lapsepõlve jõulud, mil ma elevil seitsmeaastase plikana äratasin oma väikevenna keset ööd üles. Me hiilisime allkorrusele, jubedalt kartes, ent tegelikult lootes jõuluvana näha.

„Ta saab teada, et me ei maga," sosistas Stuart. „Ja kui me ei maga, siis ei jäta ta meile kinke."

„Tss," vastasin ma, süda sees puperdamas. „Pane käed silmade ette ja piilu hästi natukene."

Me tatsasime käsipuud kobades trepist alla ja hiilisime vargsi elutoa nurgas seisva jõulupuu juurde, möödudes kaminast, mille simsile olime jätnud piimaklaasi ja puuviljapiruka. Ma piilusin sõrmede vahelt, ja kuu kuma valgustas tuba täpselt nii palju, et nägin taldrikul piruka jäänuseid. Ma ahmisin õhku.

„Mis on? Kas ta on juba käinud?" hüüdis Stuart õhinal.

Pilku läbi hämaruse puurides suutsin näha pakitud kingitusi puu all ja mu süda hüppas rõõmust.

„Ta on käinud," ütlesin ma erutusest hingeldades. „Ta on käinud."

Kakskümmend aastat hiljem, ja suurt midagi pole muutunud. Kuigi on teine jõulupüha, teeme kõike nii, nagu oleks tegemist esimese pühaga. Me kogunesime alati sama vana puu ümber. „Kuni see pole katki, pole seda vaja parandada," on isa korrutanud viimased kümme aastat, kuigi paar längus oksa vajaksid selgelt natuke kõpitsemist. Ema väidab endiselt järelejätmatult, et temal pole puu all olevate kinkidega midagi pistmist, ja meie Stuartiga vahetame pilke, justkui püüdes end sellesse uskuma panna.

„Kuidas su uus armulugu siis edeneb?" küsis mu vennanaine Laura ema kuulsa prae suutäite vahele.

Ma noogutasin, endal suu krõbedat Yorkshire'i pudingut täis. „Hästi," vastasin naeratades.

„Noh, tal on see sära silmis," ütles isa. „Kas ma ei öelnud sulle, Valerie? Ma ütlesin su emale paar nädalat tagasi, et sul on jälle see sära silmis."

„Jälle?" küsisin ma.

„Kas ma ei öelnud, Val?" hõikas isa kööki, kus ema parajasti juba teist korda kastmekannu täitis. „Kas ma ei öelnud sulle, et tal on jälle see sära silmis?"

„Mida sa selle all mõtled, et *jälle?"* küsisin naerdes. Stuart ja mina muigasime teineteisele otsa vaadates mõistvalt. Poleks õiged jõulud, kui isa šerriga ei liialdaks.

„Ta mõtleb, et pärast Tomi," kommenteeris ema kandikuga söögituppa tulles, traditsiooniline põll ees, kuigi miks ta kandis seda ainult jõulude ajal, kui tegelikult vaaritas ju pea iga päev, ei saa ma ilmselt kunagi teada. „Ausalt, Gerald, sinu taktitunne on ka nagu …"

Vaatasin äraootavalt ema poole.

„Lase tulla, ema," ütles Stuart. „Tema taktitunne on nagu mis?"

„Taktitunne on nagu …" kordas ema, kuid mida ta sellega öelda tahtis, oli võimatu ära arvata.

Ma turtsatasin.

„Meil on siin kolm erinevat vestlust korraga käsil," torises ema pahurust teeseldes. Ta püüab jätta muljet, nagu oleks seda kõike tema jaoks liiast, aga ma tean kindlalt, et talle ei meeldi mitte miski rohkem kui oma pere keskel olla. Ja nüüd, kus meil on väike Sophie, on ta veel eriti õnnelik.

„Aga kelle silmad siis särasid?" küsis isa justkui iseendalt.

„Sa ütlesid, et Emily omad," lausus ema silmi pööritades. „Sest tal on uus peigmees."

„Ja millal siis mina teda näost näkku näen?" päris isa valjult. „Ma loodan, et ta pole samasugune molkus nagu see eelmine sell."

„Gerald!" kiljatas ema. „Vali oma sõnu."

„Kui kaua te olete koos olnud?" küsis Laura siira huviga.

„Ah, mitte väga kaua, ainult kolm kuud," laususin pikemalt mõtlemata, kuid kahetsesin kohe, sest mu sõnadest võis jääda mulje, nagu poleks minu ja Adami vahel midagi tõsist. „Aga ma tahaksin teid omavahel tuttavaks teha."

„Vaata, et ta sinuga hästi ümber käib. Ära lase tal end …"

„Gerald!"

Me puhkesime naerma ja ma soovisin, et Adam oleks olnud meiega. Ma tahtsin, et ta kohtuks mu pisut põrunud perekonnaga – lihtsalt selleks, et ta teaks, mis teda minuga olles ees ootab.

Lahkusin vastutahtsi, teades, et jään ilma napsihõngulisest äraarvamismängust ja vaatepildist, kuidas ema ei suuda meenutada, mitu silpi on filmi „Tantsib koos huntidega" pealkirjas. Ja kuigi Stuart andis talle selle ülesande igal jõulul, sest vahva oli vaadata, kuidas ema seda käte ja jalgade abil kirjeldada püüab, kukkus see emal iga kord välja nii, nagu kuuleks ta sellest elus esimest korda.

„Hoia end, kullake," ütles ema mind uksel kallistades.

Kui ma poleks lubanud Adami juurde minna, oleksin jäänud sinnasamasse, ema sooja embusse. Ta lõhnas hõõgveini ja apelsinide järele.

„Aitäh, emps. Ma helistan sulle, kui kohale jõuan."

„Kas sooviksid enne lahkumist munalikööri?" pakkus isa uksele tulles, pabermüts viltu peas. „Ma ostsin spetsiaalselt ühe pudeli."

„Ta ei saa, Gerald," hurjutas ema. „Ta on roolis. Ja kes sellist kraami üldse joob?"

Naeratasin endamisi, suudlesin kõiki hüvastijätuks ja tegin beebi Sophiele eriti hella kalli, enne kui end õue külma õhu kätte vedasin. Polnud sugugi üllatav, et teed olid tühjad – ma kujutan ette, et enamik mõistusel inimesi olid end selleks õhtuks juba kus iganes sisse seadnud, ei raatsinud sooja kaminatule juurest lahkuda ega suutnud vastu panna kiusatusele võtta veel üks šerri.

Oli juba pime, kui parkisin auto Pammie maamaja ette, mis oli üks viiest kõrvu seisvast ränikiviseintega eramust. Valge puituks paiskus hooga lahti juba enne, kui jõudsin auto tuled kustutada, ja Adam seisis ukseesisel, pea mattunud soojast hingeõhust külma käes tekkinud pilve, mis moodustas efektse kontrasti koridorist välja voogava valguse soojusega.

„Tule juba." Ta viipas nagu elevil poisike. „Sa jäid hiljaks. Tee kiiremini."

Vaatasin käekella. 17.06, oodatust kuus minutit hiljem. Me suudlesime ukselävel ning mul oli tunne, nagu polnuks teda terve igaviku näinud. Tegelikult oli möödas vaid kolm päeva, aga kui tegemist on jõuludega, siis näib, nagu oleks toas istudes, telekat vaadates ja end haigeks süües läinud kaotsi mitte päevad, vaid nädalad.

„Ma igatsesin su järele," sosistas ta. „Tule sisse. Me ootasime su ära. Õhtusöök tuuakse kohe lauale."

„Õhtusöök?" küsisin kõhklevalt. „Aga ..."

Ta suudles mind uuesti, kui võtsin mantlit seljast. „Me oleme kõik väga näljased, aga ema käis peale, et ootaksime su ära."

„Kõik? Aga …" alustasin uuesti. Liiga hilja.

„Seal ta ongi!" hüüdis Pammie minu poole vudides ja sakutas mu põski. „Oh sa vaene mutukas, sa oled ju täitsa jääs. Tule edasi, anname sulle süüa. See soojendab su üles."

Vaatasin talle küsivalt otsa. „Ära minu pärast vaeva näe, ma just sõin …" alustasin, aga tema oli juba ringi pööranud ja tõttas köögi poole.

„Ma loodan, et sul on kõht tühi," hõikas ta. „Selle laariga võiks terve armee ära toita."

Adam ulatas mulle klaasi kihisevat ja kuna mul olid närvid krussis, oli külm surin keelel vägagi tänuväärne.

„Mida meile siis tee kõrvale pakutakse?" küsisin ma, püüdes öelda sõna „tee" võimalikult kergelt, justkui see *teekski* koosistumisest kerge teejoomise.

Naeratasin sunnitult, kui Adam kostis: „Lihtsam oleks öelda, mida *ei* pakuta."

„Adam, ma ei jaksa …" alustasin uuesti, kui suundusime söögituppa, aga nähes lauda, mis oli kaunilt kaetud neljale, säravate taldrikualustega, kargelt valged salvrätikud hoolikalt hõberõngastesse rullitud, ning punaste marjade ja männikäbidega lauakaunistust, polnud mul südant rohkem tõrkuda.

„Aga palun," ütles Pammie laulval häälel, kui tõi tuppa kaks taldrikut, mis mattusid täiemõõdulise jõuluprae ja kõige sinna juurde käiva alla. „See siin on sulle. Panin sulle rohkem, kuna teadsin, et oled siia jõudes näljane." Mul tuli ahastus peale. „Ma loodan, et sulle maitseb. Olen peaaegu terve päeva köögis veetnud."

Naeratasin läbi ristis hammaste. „See näeb imehea välja, Pammie."

„Sina istu siia," ütles ta. „Ja Adam, sinu koht on seal. Istuge, ma lähen toon ülejäänud kaks."

Vaatasin Adamile otsa, kui ta ema toast lahkus, ja nookasin peaga tühja tooli suunas, mille ees olid asjad lauale sätitud sama laitmatult nagu ülejäänud kolmel kohal.

„Aa, see on Jamesile, mu vennale," ütles ta vastuseks mu sõnatule küsimusele. „Ta ilmus ootamatult jõululaupäeval siia ja on siin olnud sellest ajast saati. Kas ma ei öelnud sulle telefonis?"

Raputasin pead.

„James!" hõikas Pammie. „Õhtusöök on valmis!"

Põrnitsesin enda ees olevat taldrikut. Isegi kui oleksin nädal aega näljas olnud, ei suudaks ma seda köögiviljamäge ära süüa. Paksude kalkuniviilude servad, mis piilusid kahe Yorkshire'i pudingu alt välja, olid vaevu näha. Lauanõude värvi polnud võimalik tuvastada.

Mu kõht ähvardas lõhkeda ja ma tegin kitsaste pükste kaks ülemist nööpi diskreetselt lahti, kui istet võtsin. Jumal tänatud, et mul oli seljas pikk pluus, sest kui James tuppa tuli, olin jälle krapsti püsti.

„Minu pärast pole vaja tõusta." Ta naeratas, sirutades ette terekäe. „Tore sinuga lõpuks kohtuda."

Lõpuks? See meeldis mulle. See jättis mulje, nagu oleksime olnud Adamiga koos kauem, kui tegelikult olime. Ja oli selge, et Adam oli minust rääkinud.

Naeratasin pingutatult, adudes äkki, kui kohmetu tunde see tekitas, kui sind on pandud istuma ühte lauda täiesti võõra inimesega, kes aga on tegelikult väga oluline.

Adam polnud Jamesist kuigi palju rääkinud, kui jätta kõrvale see, et nad on täielikud vastandid: Adam tegi stressirohket tööd linnas, James aga oli püsti pannud väikese maastikukujundusettevõtte Kenti ja Sussexi piiril. Adam pidi nõustuma väitega, et teda motiveerib eelkõige raha, ent James oli üsna rahul päev korraga elades, peaasi et saab teha värskes õhus seda, mis talle tõeliselt meeldib.

Ma silmitsesin Jamesi, kui ta võttis istet ning sirutus üle laua soola ja pipra järele samasuguste liigutustega nagu Adam. Nad olid ka välimuselt väga sarnased, ainult et Jamesi juuksed olid pikemad ja näojooned pisut teravamad, nägu täiesti siledaks raseeritud ja linnas töötamisest põhjustatud pingeta.

Võib-olla näeksime kõik sellised välja, kui me ei orjaks suurlinnas, võideldes iga tehingu eest ja kahtlemata end enneaegselt surnuks töötades. Samal ajal tema aga lihtsalt jalutab läbi elu, tehes seda, mida armastab, ja no kuulge – kui ta saab selle eest veel palka kah, on see vaid boonus.

„Jamesil on naistega väheke probleeme," sosistas Pammie vandeseltslaslikult.

„Ema," oigas James. „Ma olen kindel, et Emily ei taha sellest kuulda."

„Muidugi tahab," vaidles ema kindlalt vastu. „Maailmas pole ühtegi naist, kellele ei meeldiks kuulujutud."

Ma naeratasin ja noogutasin, kogudes ikka veel jõudu, et nuga ja kahvel haarata.

„Sulle teadmiseks, me pole päris kindlad, kas see tüdruk oligi tema jaoks see õige, on nii?" jätkas Pammie, pigistades poja kätt.

„Ema, palun!"

„Ma ainult räägin, muud midagi. Ainult räägin, mida kõik mõtlevad. Sel tüdrukul oli palju … kuidas neid nüüd nimetadagi? Probleeme. Ja kui te minu arvamust teada tahate, siis mu pojal on parem, kui ta on sellest plikast pääsenud."

Ma suutsin võtta väikese suutäie kõigest peale rooskapsaste, mida oli kaheksa ja mis ujusid rammusas kastmes.

„Oi, heldene aeg!" kiljatas Pammie, kui nägi, et panin noa ja kahvli kõrvale. „Kas sulle ei maitse? Kas ma tegin midagi valesti?"

„Sugugi mitte," vastasin ma, tundes poiste murelike nägude tõttu piinlikkust. „Mul lihtsalt on kõht …"

„Sa ütlesid ju, et oled siia jõudes näljane, oli nii?" jätkas ta. „Sa ütlesid, et tahaksid teeajal midagi."

Noogutasin tummalt. Seal, kust mina tulen, seda küll *teeks* ei kutsuta.

„Kas sa tunned end ikka hästi, Em?" küsis Adam.

„Ah, värskelt armunud," sädistas Pammie. „Ma mäletan, kui minu Jim mind veel poputas."

„Ema on palju vaeva näinud," ütles Adam vaikselt.

„Minuga on kõik hästi, ja toit on imehea, ausalt – ma vaid pean natuke vahet," ütlesin, pea norgus.

„Aga Em, sa pole toitu peaaegu puutunudki," ei jäänud Pammie vakka. See „Em" kõlas sarkastiliselt, nagu mänguplatsil kaaslasi pilkava lapse suust.

Siis vaatasin talle otsa, otse silma sisse, püüdes säilitada sõbralikku ilmet. Pammie vastas mu pilgule, aga ma võiksin vanduda, et nägin tema silmis vilksatamas salalikku rahuloluhelki.

„Kuidas siis värbamisäril ka läheb?" küsis James minult reipalt.

Veel üks linnuke kirjas. Adam pole kohe kindlasti käed rüpes istunud.

„Ma olen kindel, et Emily ei taha tööst rääkida." Pammie naeris.

„Anna andeks, ma ..." kogeles James.

„Mul pole selle vastu midagi," ütlesin ausalt. Tahtsin vaid, et miski viiks mu tähelepanu taldrikul olevast eemale. „Seal, kus mina töötan, läheb veel päris hästi, kuigi veebis värbamine ähvardab pidevalt meile kannule astuda."

James noogutas. „Ja IT-sektor on ilmselt kuumem kui kunagi varem?" lausus ta, patsutades Adamit õlale. „Kui selle kuti sõnu uskuda."

„Ah, ta on end jälle taevani kiitnud?" ütlesin naerdes. „Kõva IT-tegija."

„Midagi sinnakanti jah," kostis James naeratades.

„Ma räägin talle kogu aeg, et see on ajast ja arust," ütlesin naljatledes. „See tehnovärk ei jää kestma."

Pöörasin pilgu Adamile ja ta vastas naeratusega, kuid silmadesse ta naeratus ei jõudnud.

James naeris ja ma tundsin, et peaksin talle silma vaatama, ent tajudes endal ta pilku, vaatasin mujale.

„Võib-olla peaksin kummikud jalga tõmbama ja sinuga sõnnikut loopima hakkama, kallis vennaraas," ütles Adam, laksates omakorda Jamesile õlale, kuid see tundus mulle nüüd üleolevana. Veider – sellist muljet ei jäänud siis, kui James Adamit patsutas. Noomisin end mõttes, et olin õhutanud vendi rivaalitsema; kuna mul on endal ka vend, peaksin olema piisavalt kogenud, et seda mitte teha.

James ajas taldrikul kahvliga üksikut kapsast taga.

„Kas sa elad siin läheduses?" küsisin, püüdes meeleheitlikult hajutada tuppa siginenud paksu õhku.

Ta noogutas. „Mul on suusõnaline kokkulepe ühe mehega siit mõni küla eemal. Ta laseb mul oma majas elutseda ja vastutasuks hoian mina tema aiad kenad ja puhtad."

„Häda on selles, et see on selle plika isa," torkas Pammie vahele.

Mu nägu väljendas siirast üllatust, kui Jamesile otsa vaatasin. „Ah nii."

„See on keeruline lugu," ütles ta justkui end õigustades. „Järjekordne suurepärane sasipundar, millesse olen sattunud."

Naeratasin. „Kuidas siis aiandusäril läheb? Hoiab sind rakkes?" Minu arvates oleks siin minu asemel pidanud vestlust arendama teised, aga nii Pammie kui ka Adam olid häältul režiimil, eelistades hoopis õhtusööki mugida.

„Ma armastan seda, mida teen," ütles James täie veendumusega. „Ja nagu tavatsevad öelda inimesed, kes armastavad seda, mida nad teevad: see on kutsumus, mitte töö."

„Ah, mina tavatsesin nõnda öelda, kui töötasin kingapoes," laususin. „Kõik need vaesed jalakesed vajavad ju abi ja tuge. Ma oleksin seda teinud ka ilma rahata, nii suur oli mu kirg."

Jamesi näole ilmus lai naeratus ja ta vaatas mulle leebe pilguga ainiti silma. „Sa oled üks tõeline elusõdur. Tänan sind kogu südamest." Ta asetas käe rinnale ja hetkeks tundus mulle, nagu olnuks me seal vaid kahekesi. Pammie ja Adami taldrikuid puhtaks kraapivate nugade-kahvlite heli tõi mu tõelusse tagasi.

„Vabandage mind hetkeks," ütlesin, tõustes laua tagant ja lükates tooli tahapoole.

Olin söönud nii palju, kui suutsin, ja mu keha hakkas reageerima – sees valutas ning keeras. Ma polnud kindel, kas mind ajas paanikasse rohkem see või heitlik tunne, mille James oli minus tekitanud. Olin kindel, et keegi teine ei pannud midagi tähele – kas võis siis olla, et kujutasin seda vaid ette? Lootsin siiralt viimast.

Kui olime laua ära koristanud ja köögis kõik korda seadnud, ootasin, kuni Pammie ja James olid kuuldekaugusest väljas, ning nõjatusin siis Adami najale.

„Kas tahaksid veidi jalutada?" küsisin vaikselt.

„Muidugi," vastas ta. „Lähen toon oma mantli."

„Kuhu sa lähed?" küsis Pammie Adamilt esikus. „Ega sa ometi ära ei lähe?" Ta hääles oli tunda paanikat. „Ma arvasin, et jääd siia."

„Me jäämegi, ema. Me läheme lihtsalt jalutama, et seda maitsvat õhtusööki tõhusamalt seedida."

„Me?" küsis ta. „Mida, kas sa tahad öelda, et Emily jääb ka siia?"

„Muidugi. Me jääme ööseks ja sõidame homme pärast hommikusööki linna."

„Aga kus ta siin magama peaks?" küsis Pammie nüüd vaiksemalt.

„Minu juures," kuulutas Adam.

„Oh ei, seda ma küll ei usu, pojake. James on ka ju siin. Meil pole piisavalt ruumi."

„No sel juhul võib James magada diivanil ja me Emilyga oleme külalistetoas."

„Te ei või siin majas koos magada," lausus ema väriseval häälel. „See pole sünnis. See on lugupidamatu."

Adam naeris närviliselt. „Ema, ma olen kahekümne üheksa aastane. Me pole enam teismelised."

„Mul ükskõik, kui vana sa oled. Minu katuse all te koos ei maga. See poleks õige. Pealegi, Emily ütles, et ta peatub hotellis."

Mida? Hea, et olin ikka veel köögis, nii et nad mind ei näinud, sest ma pidin end kõigest väest tagasi hoidma, et mitte endale nõuderätikut suhu toppida ja seda puruks närida. Ja mis hetkel ma ütlesin, et peatun hotellis?

„Emily pole kavatsenudki hotellis ööbida, ema," ütles Adam. „See oleks ju mõttetu."

„Aga nii ta mulle telefonis ütles," kostis Pammie nördinult. „Kui ta kavatseb siia jääda, võib ta magada diivanil. Sina ja James lähete külalistetuppa."

„Aga ema ..." hakkas Adam protestima. Ma astusin koridori ja nägin Pammie tõstetud kätt, peopesa vaid mõne sentimeetri kaugusel poja näost.

„Ei mingeid agasid. Nii saab see olema, meeldigu see sulle või ei. Kui sa mind armastaksid ja austaksid, poleks sa midagi sellist isegi välja pakkunud." Siis hakkasid pisarad voolama, algul aeglaselt ja vaikselt, aga kui Adam tema juurde ei astunud, muutusid nuuksed ulgumiseks. Ma seisin tummaks löödduna vaikides ja soovides, et Adam jääks endale kindlaks. Kui ema õlad nutust vappuma hakkasid, võttis Adam tal ümbert kinni ja hoidis teda oma embuses. „Tasa, kõik on korras, ema. Anna andeks, ma ei tahtnud sind ärritada. Me teeme nii. Muidugi teeme."

„Ma pole kunagi öelnud ..." jõudsin poetada, kuid Adami pilk käskis mul vakka olla.

„Me teeme just nii, nagu sina tahad," lausus ta rahustavalt, kiigutades ema edasi-tagasi nagu last.

Vaatas siis mulle otsa ja kehitas vabandustpaluvalt õlgu, justkui öeldes: „Ma ei saa ju midagi muud teha." Ma pöörasin pea ära, kui ta trepist üles läks.

Minus hakkas kerkima pisukene vihavärin ja kui ma poleks liiga palju joonud, oleksin üsna tõenäoliselt lahkunud ja sõitnud koju. Kui oleksin teadnud, et James on siin ja et minult eeldatakse, et magan vanal diivanil, oleksin jäänud oma vanemate juurde. Ent ma tahtsin olla koos Adamiga ja arvasin, et tema tahab olla koos minuga ... ja siin ma nüüd olin, sunnitud alistuma tema ema halinale ja kaitsehoiaku võtma.

„Sul pole selle vastu midagi, ega ju?" küsis Pammie, nüüd veidi paremas tujus, kui tõi ülakorruselt teki ja padja.

Naeratasin tuimalt ja raputasin ükskõikselt pead.

„Oluline on mingid piirid paika panna. Meie ajal ei tulnud meil mõttessegi enne abiellumist kellegagi voodisse minna. Ma tean, et nüüd on teisiti, aga see ei tähenda, et mina peaksin niisuguse asjaga päri olema. Ma ei tea, kuidas teil noortel see käib, lihtsalt magate kellegagi, kes meeldima hakkab? See teeb mulle ja mu poistele nii suurt muret. Järgmiseks ilmub kuskilt välja mõni lehtsaba, kes väidab, et ootab mu poja last."

Kas ta pidas mind silmas? Hingasin paar korda sügavalt sisse ja siis natuke liiga valjult välja. Ohe polnud just suur, aga siiski piisav, et Pammie sellest kinni hakkaks.

„Oh heldus," jätkas ta. „Ma ei ütle, et sina võiksid midagi säärast teha, aga me ei tohi riskida, ega ju? Ja kui meil pole vaja rasedaks jäämise pärast muretseda, siis peame ikkagi olema valvsad, et mõnda haigust külge ei saa."

Miks ta kasutas sõna „meie", mitte „tema"?

„Nii, las ma võtan selle," ütles James, astudes tuppa ja haarates tekikoti nurkadest, mida tusaselt tema ema jaoks üleval hoidsin. James raputas teki sirgeks.

„Anna andeks, tore, et sa siin oled, aga kui ma oleksin teadnud, et ööseks jääd ..." seletas Pammie ikka edasi.

„Ema, kas sa tooksid pesukapist voodilina?" ütles James. „Me paneme selle ise diivanile."

Ma saatsin Pammiet silmadega, kui ta toast lahkus, ja pöörasin siis näoga Jamesi poole, püüdes kõigest väest oma ärritust mitte välja näidata.

„Ära pane pahaks," ütles James. Ilmselgelt ei suutnud ma oma tundeid kuigi hästi varjata. „Ta on lihtsalt vanamoodne."

Naeratasin, olles tänulik mõistva suhtumise eest.

„Sa võid minu voodis magada, kui tahad."

See oli süütu pakkumine, aga punastasin siiski ja hakkasin kloppima patja, mis oli juba piisavalt kohev ega vajanud soputamist.

„Ja mina ja Adam magame siin," jätkas ta. „See pole just kõige romantilisem jõulupüha teie kahe jaoks, ma tean, kuid kahjuks on see parim, mida saan pakkuda."

„Ma tänan," ütlesin siiralt, „aga kõik on kombes, päriselt ka." Silmitsesin mügarlikke diivanipatju. „Olen hullemateski kohtades maganud."

James kergitas kulme ja muheles, nii et ta põsele tekkis naerulohk, mida ma polnud varem märganud. „Täitsa usun."

Mõistsin järsku, et mu märkust võib tõlgendada valesti. „See tähendab, kui käisime perega telkimas," lisasin. „Me käisime Cornwallis ühes kohas, mis kaheksa-aastasele oli nagu Enid Blytoni romaani tegevuspaik. Vulisev oja; lehmad, kes heitsid murule, kui oli vihma oodata; kivikamakad, mida pidime otsima, et telk paigal püsiks; sääsed, kes olid haldjate sõbrad ..."

Ta vaatas mind, nagu oleksin napakas. „Ma lugesin lapsena palju ja kirjutasin ka ise jutukesi," ütlesin vabandavalt.

„See pole veel midagi," ütles ta, justkui oleks tegemist võistlusega. „Kui mina väike olin, võitlesin koletislike pterodaktüloste ja karvaste mammutitega ..."

„Ah nii, sa siis lugesid ka usinalt," nentisin.

„Ma olin üheksane, mis mul muud teha oli?" lausus ta justkui end õigustades.

Me naersime kergendust tundes. „Paistab, et meil mõlemal oli üliaktiivne kujutlusvõime," ütlesin. „Vahel soovin, et oleksin taas selles eas – elu oli palju lihtsam. Nüüd tuleks mulle igatahes peale maksta, et magaksin aasal, mille lähedal on kõrvulukustavalt mühisev oja, räpased lehmad, kõvad kivid ja verejanulised sääsed!"

„Selles valguses paistab see vana diivanilogu vägagi ahvatlev, on ju?" päris ta. Ma naeratasin.

„Kuhu te kaks turteltuvi plaanite siis minna?" küsis Pammie, kui kärmelt lina lahti voltides uuesti tuppa tuli.

„Emily on väga kena," ütles James, „aga ta on mu venna tüdruk, nii et ma ei tea, millele sa vihjad ja mida see minu kohta ütleb." Ta naeris kogu südamest.

„Oh sa heldene aeg!" kiljatas Pammie. „Ma arvasin, et sa oled Adam!" Ta pöördus minu poole. „Nad on nii sarnased – on alati olnud. Nagu kaks tilka vett."

Hoidsin ikka veel võltsnaeratust näol.

„Siit umbes pooleteise kilomeetri kaugusel on üks kena pubi," ütles Pammie. „Kui ma õigesti mäletan, siis neil on seal ka mõned toad. Ilmselt on küll kõik kohad täis, eriti kuna on ju jõuluaeg, aga küsida võib, sest sa ju ütlesid ..."

„Kas oled valmis?" hõikas Adam trepist alla tulles, käes müts ja kindad.

Ma olin täiesti tummaks löödud ega suutnud kohe vastata, niisiis tegi Pammie seda minu eest. Seda näis ta hästi oskavat.

„Jah, ta on siin. Toredat jalutuskäiku teile. Ma teen värske poti teed selleks ajaks, kui te tagasi tulete."

Mässisin salli kõvasti ümber kaela ja katsin ka suu, et mõtteis pulbitsevad sõnad keelelt ei lipsaks.

„Palun selle pärast vabandust," ütles Adam ning võttis mul käest, kui kõndisime hämaralt valgustatud teel.

Tundsin suurt kergendust. Ma polnudki hulluks minemas. Tema oli seda samuti märganud.

„Ma tean, et see kõik pole täiuslik, aga see on *tema* maja," jätkas Adam.

Ma jäin tikksirgelt keset teed seisma ja vaatasin talle otsa. „Kas see on kõik, mille eest sa vabandust palud?" küsisin.

„Mida? Ma tean, et see on üks paras piin, aga see on vaid üheks ööks, me ärkame hommikul vara ja lahkume. Ma tahan su tagasi minu juurde viia." Ta astus mulle lähemale ja ta huuled puudutasid minu omi, ent ma tõmbusin krampi ja pöörasin pea ära.

„Mis sul viga on?" küsis ta muutunud hääletooniga.

„Sa ei saa aru, on nii?" ütlesin valjemalt kui oleksin tahtnud. „Sa oled selle suhtes täiesti pime."

„Millest sa räägid? Mille suhtes pime?"

Ma turtsatasin halvakspanevalt ja oleksin peaaegu naerma purskunud. „Sina jalutad oma väikeses mugavas maailmas ringi, ei lase millelgi end häirida, aga tead mis? Päris elu ei ole selline. Ja kogu selle aja, kui sina pead liiva all peidus hoiad ja mitte midagi ei kuule, pean mina siin kogu seda sitta taluma."

„Tõsiselt räägid või?" küsis ta, valmis kannapealt ringi pöörama ja majja tagasi minema.

„Kas sa ei näe, mis siin toimub?" karjatasin ma. „Mida ta püüab teha?"

„Kes? Mida?"

„Ma ütlesin su emale, et tahaksin natuke teed, aga tema sundis mulle peale terve jõuluõhtusöögi, ja ma ütlesin talle sedagi, et jään siia ööseks, ja tema kinnitas mulle, et see pole probleem. Ma poleks iial siia tulnud, kui oleksin teadnud …"

„Kui oleksid teadnud mida?" küsis Adam, ninasõõrmed pisut laienenud. „Meie peres tähendab teejoomine õhtusööki. Ja kas sa oled ikka täiesti kindel, et ta oli nõus, et sa minuga siia ööseks jääd? Sest ta on lubanud seda teha vaid ühel tüdrukul, ja temaga olime koos olnud kaks aastat. Meie sinuga oleme koos olnud – kui kaua? Kaks kuud?"

Need sõnad mõjusid kui hoop vastu rinda. „Tegelikult kolm," nähvasin vastu.

Adam tõstis käed taeva poole ja ta kannatus katkes, nii et ta pööras ringi ja hakkas mööda teed tagasi astuma.

Kas Pammie *oli* küsinud, kas ma jään ööseks? Kas ma *olin* talle öelnud, et jään küll? Ma tean, et ma kohe kindlasti ei öelnud talle, et peatun hotellis, aga kas tema võis arvata, et ma mõtlesin seda nii? Ma ei suutnud enam selgelt mõelda.

Adami selg kaugenes ja sündmusi mõttes kiiresti edasi kerides nägin, kuidas ta uuesti Pammie majja sisse marsib, hale mina kakskümmend sekundit hiljem tema sabas. Ma ei saanud lasta sel juhtuda.

Siis hakkasin ma nutma, tõelisi pettumusepisaraid. Jumal, kuula mind! Mida ma teinud olen? Tegin kaitsetust vanast naisest mingi emakoletise. See on arulage. *Mina* olen arulage.

Seisin keset teed nagu töinav hädahunnik. „Anna andeks," ütlesin. Adam peatus, pööras ringi ja tuli tagasi minu juurde.

„Mis viga, Em?" Ta võttis mul ümbert kinni ja surus mu enda vastu. Tundsin tema sooja hingeõhku oma pealael ja mu rind vappus nutust.

„Kõik on korras. Minuga on kõik korras," laususin nuuksete vahele. „Ma ei tea, mis mul hakkas."

„Kas sa muretsed uuesti tööle minemise pärast?" küsis ta malbelt.

Noogutasin. „Jah, ma arvan, et mul on vist stress," valetasin.

Ma tahtnuks öelda, mis mind tegelikult endast välja oli viinud. Ma ei tahtnud, et meie vahel oleks saladusi, aga mida oleksin ma pidanud ütlema? „Minu arvates võib su ema olla kättemaksu-himuline nõid?" See kõlaks naeruväärselt, ja mis tõendeid oleks mul selle teooria toetamiseks? Vanadaami valikuline mälu ja kal-duvus inimesi üle toita? Ei, kõik arvamused, mis mul tema ema kohta olid, et see naine on segane või vähemalt midagi sinnapoole, pidid jääma esialgu mu enda teada.

8

Kavatsesin mõnda aega Pammiest eemale hoida, et saaksin maha rahuneda ja tema veidra käitumise üle põhjalikult järele mõelda. Lõppude lõpuks olin kindel, et muud selles polnudki, lihtsalt ema muretses oma poja pärast. Kui suudaksin püsida sellel mõtteliinil, võiksin hakata seda isegi mõistma. Aga kolm nädalat pärast jõule, kaks päeva enne mu sünnipäeva, helistas Pammie Adamile, et küsida, kas ta võiks meid kuhugi tähistama viia.

Ma püüdsin igal võimalikul moel sellest välja vingerdada, aga ettekäänded hakkasid otsa saama. „Ma pean Pippa ja Sebiga midagi korraldama," seletasin Adamile. „Ja kontoris öeldi, et nad tahavad mu välja viia."

„Nendega võid sa igal ajal välja minna," ütles Adam tõredalt. „Ema tahab meid kostitada."

Meid kostitada tähendas minekut tema valitud restorani tema kodulinnas – Sevenoaksis. Seega, kuigi tegemist oli *minu* sünnipäevaga, pidime ikka tantsima *tema* pilli järgi.

„Oi, Emily, nii tore sind näha," lausus ta ülevoolavalt rõõmsalt, kui jõudis lauda, kus olime teda juba üle kahekümne minuti oodanud. Ta pilk rändas hindavalt üles-alla. „Sa näed ... hea välja."

Eelroa ajal jättis Pammie sõbraliku ja lõbusa mulje ning pinge minus hakkas alanema, kuid siis küsis ta, mis Adam mulle sünnipäevaks kinkis. Vaatasin üle laua Adamile otsa ja ta noogutas, justkui annaks mulle loa Pammiele öelda.

„Ta viib mu Šotimaale," ütlesin õhinal. Nägin, kuidas Pammie näos välkusid vaheldumisi segadus ja pahameel. Ta suu vormus O-kujuliseks, aga kuuldavale ei tulnud piiksugi.

„Ma pole seal põhjas juba aastaid käinud," ütles Adam.

„Ja mina mitte kunagi," lisasin.

„Hä-hästi … millal te plaanite minna?" kokutas Pammie.

„Homme!" hüüatasime ühel häälel.

Näis, nagu oleks mingi nähtamatu jõud teda lükanud, sest ta prantsatas vastu tooli seljatuge ja ahmis õhku.

„Kas sinuga on kõik hästi, ema?" küsis Adam. „Sa näed välja, nagu oleksid kummitust näinud."

Pammie raputas end ja kulus mitu sekundit, enne kui ta suutis uuesti rääkima hakata. „Ja kus te seal peatute?" küsis ta viimaks.

„Broneerisin paariks ööks toa ühes väga kenas hotellis," kostis Adam. „Tädi Linda ütles küll, et võime tema juures ööbida, aga ma ei tahtnud tüli teha."

Tundsin end naeruväärselt võidurõõmsana. „Tädi Linda ütles, et võime *tema* juures ööbida," kordasin mõttes lauluhäälel. „Näed siis!" Hurjutasin end mõttes selle lapsikuse pärast.

„Oh, jah, see on nüüd küll paras šokk," ütles Pammie. „Mul polnud aimugi."

Mõtlesin, miks ta arvas, et tal oleks pidanud sellest aimu olema.

„Linda kutsus meid enda juurde lõunale," lausus Adam. „Fraser ja Ewan tulevad ka. Ma tahan, et Emily nende kõigiga tutvuks."

„Heldeke, on see vast üllatus," ütles Pammie, patsutades Adami kätt. „See on ju tore, tõesti tore."

Põhirooga oodates oli vestlus kramplik. Ma tervitasin oma huntahvenat nagu vana sõpra ja olin tänulik, et sain sellele keskenduda. Ent kui Adam palus end vabandada ja tualetti läks, oleksin tahtnud temaga sinna kaasa joosta.

„Nii et asjad arenevad üpris kiiresti?" nentis Pammie juba enne, kui meeste tualettruumi uks jõudis sulguda.

„Mhmh," naeratasin pingutatult.

„Kui kaua te oletegi koos olnud?" küsis ta, ajades huuled prunti, et võtta lonks valge veini kokteili.

„Neli kuud."

„Heldeke, see pole ju mingi aeg," irvitas ta.

„Aga aeg ei ole ju alati kõige tähtsam, või mis?" Püüdsin hoida hääletooni reipana. „Oluline on see, mida sa tunned."

„Tõepoolest, nii see on," kostis ta aeglaselt noogutades. „Ja sina tunned, et Adam on see üks ja õige?"

„Ma loodan." Ma ei tahtnud öelda rohkem kui vaja.

„Ja sa arvad, et tema tunneb sama?" Pammie ilme oli üleolev, nagu räägiks naiivse lapsega.

„Ma loodan küll. Me põhimõtteliselt elame juba koos, nii et ..." Jätsin lause meelega pooleli, justkui oodates, et ta ütleks midagi vastu, samas teades, et ma ei tahaks ta kommentaari kuulda.

„Ma soovitan sul pisut tagasi tõmmata," märkis Pammie. „Mu poeg vajab ruumi, ja kui sa end liiga peale surud, peletad ta minema."

„Kas ta on midagi maininud?" ei suutnud ma end tagasi hoida. Pammie huultele ilmus lai rahulolev irve, nii et ma oleksin tahtnud endal keele otsast hammustada.

„Üht-teist," ütles ta ükskõikselt, teades väga hästi, et ma ei saa asja sinnapaika jätta.

„Näiteks mida?" pärisin. „Mis üht-teist?"

„Oh, tead küll, tavalisi asju. Kuidas ta tunneb, et on lõksus. Kuidas ta peab sulle aru andma iga kord, kui tahab koduuksest välja astuda."

Tundsin, et südame alt tõmbus õõnsaks. Kas ma tõesti tekitan temas sellise tunde? *Ära ole naeruväärne*, vaidlesin iseendale vastu. *Me oleme suhtes võrdsed partnerid. Me pole sellised. Meie ei tee nii.* Aga siis kerkis mu silme ette järsku pilt sellest, kuidas ma kargasin Adamile ninna, kui ta eelmisel neljapäeval hilja koju tuli. Ja pühapäeval küsisin, kui kaua ta kavatseb jõusaalis olla. Kas ma olengi selline? Kas ta on mu pärimistest niivõrd tüdinud, et pidi oma emale kurtma?

Vaatasin Pammiele otsa, pea mõtetest huugamas, ja mõtlesin – mitte esimest korda –, kas ta teeb seda teadlikult. Või sain ma taas kõigest valesti aru?

Tajudes, et Adam läheneb, manas Pammie näole laia naeratuse ja pani käe minu käele.

„Ma olen kindel, et see pole midagi, mille pärast peaks muretsema," ütles ta rõõmsal ilmel ning suhkrumagusal häälel, mängides vaga tallekest.

„Kas ta on siis mingi ogar mutt, kes tunneb end üksikuna ja vaevleb igavuse käes?" küsis Pippa hiljem, kui Adam mu pärast sööki tagasi tõi. Ta soovis küll, et jääksin tema juurde, aga Pammie oli mu mentaalselt nii ära kurnanud, et ma tahtsin koju.

Raputasin pead ja kehitasin õlgu.

„Või on tegemist millegi veel õelamaga?" jätkas Pippa oma kõige kurjakuulutavamal häälel. „Kas ta mängib mingit mängu?"

„Ma tõesti ei tea," ütlesin ausalt. „Vahel tundub see mulle vaid tobeda väiklusena, aga siis hakkab ikkagi mingi kahtluseuss närima, tükk tüki haaval, kuni olen veendunud, et ta on kibestunud, armukade psühhopaat."

„Oot-oot, pea kinni, rahuneme nüüd maha," ütles Pippa ja tegi käega tõrjuva liigutuse. „Ta on kuuskümmend kolm, on nii?"

„Jah, mis siis?"

„Noh, ma lihtsalt ei tea eriti palju psühhootilisi penskareid, muud midagi."

Ma lausa pidin naerma. Välja öelduna kõlas see kõik naeruväärselt ja ma panin selle endale kõrva taha juhuks, kui Pammie peaks mind taas endast välja ajama.

9

S õnumis oli kirjas: Muidugi sobib. Oleks tore sind näha, pojake. Mis sa arvad, mis kell sa jõuad? Ma tõesti loodan, et see plika ringi ei tõmba. Seda juhtub tänapäeval nii sageli. Ema x

Mida? Lugesin uuesti. Mida paganat see Pammie seletab? Sirvisin oma varasemaid sõnumeid. Viimane temale saadetud sõnum sisaldas vaid kuiva tänu mu sünnipäevalõuna eest eelmisel nädalal.

Lugesin sõnumit veel kord. *Ma tõesti loodan, et see plika ringi ei tõmba.* Ilmselgelt polnud see mulle mõeldud, küllap tahtis ta sõnumi saata Jamesile. James oli oma tüdrukuga jälle koos ja Pammie polnud sellega kuigi rahul. See aitaks asja kuidagi selgitada. Vaene tüdruk. Tundus, et teda koheldakse veel karmimalt kui mind.

Kuulatasin, kas dušivesi ikka jookseb, ja küünitasin üle voodi Adami telefoni võtma. Sirvisin kiiresti ta sõnumid läbi. Ühes, mis saadetud kakskümmend minutit tagasi, oli kirjas: Tere, ema, Emily on sel nädalavahetusel koolitusel, mõtlesin, et hüppan sinu juurest läbi. Kas laupäeval sobib? x

Mu läks vihast peaaegu silme eest mustaks. Jutt *oligi* minust. Ta saatis vastuse mulle, mitte oma pojale! Oleksin tahtnud raevunult karjuda, surusin käed rusikasse ning nägin kurja vaeva, et mitte viskuda voodile ja hakata patju taguma. Vannitoa ukselink liikus ja ma samahästi kui viskasin Adami telefoni ta öökapile.

„Hei, mis toimub?" küsis ta, ise alasti, vaid rätik ümber piha. Ma polnud kindel, kas ta nägi mu silmis süütunnet või viha, mis minus kees.

„Ei midagi," nähvasin ja pöördusin riidekapi ust avama. Enamik mu riideid olid nüüdseks tema juures, sest suurema osa ajast veetsin ma siin. Maksin küll ikka veel üüri korteri eest, mida Pippaga jagasin, aga ööbisin seal kõige rohkem korra nädalas, nii et me olime Adamiga seda teemat arutanud.

„Kas sa ei tahaks päriselt siia kolida ja oma korterist loobuda?" küsis ta eelmisel õhtul, kui lamasime voodis.

Püüdsin elevusest mitte kiljatada. „Meie praegune elukorraldus ei tundu loogiline, ega ju?" märkisin nii neutraalselt kui suutsin, ehkki olin kindel, et ta kuulis mu hääles kerget erutusevärinat.

Ta raputas pead.

„Aga ma arvan, et see pole siiski koht, kus ma tahaksin alaliselt elada."

Adam elavnes ja ajas end küünarnuki najale.

„Kuidas nii? Kas sulle siis ei meeldi, kuidas tänavakaupmehed sind kell viis hommikul äratavad?" küsis ta naeratades. „Kõik see kisa ja kära laupäeval üle mõistuse varajasel hommikutunnil? Mis sul viga on?"

Laksasin tögavalt ta käsivart.

„Kas sa tahaksid mõlemast korterist vabaneda ja otsida midagi meile kahe peale?"

Ma naeratasin, ja me armatsesime kokkuleppele jõudmise märgiks.

Hommikul ärgates olime elevust täis ja valmistusime väisama mitmeid Blackheathi maaklereid. Pidime otsima küll vaid üürikaid, aga kes oleks osanud arvata, et minusugune võiks üldse nii kaugele jõuda, et asub elama SE3 piirkonda? Ma olin terve hommikupoole olnud rõõmuärevas meeleolus, kuni mu telefoni potsatas see neetud sõnum, ja nüüd tundsin rinnus ebameeldivat pitsitust, justkui oleks selle naise käsi mu südant pigistanud, ihates mind laiaks litsuda.

Muidugi – ma võiksin Adamile täpselt öelda, milles on probleem ja lugeda talle Pammie sõnumi ette, et ta näeks, kuidas ta ema võib haiget teha. Aga siis peaksin ma lootma ka tema aususele. Ta peaks tunnistama, et sõnum oli mõeldud talle ja käis minu kohta. Ma pole kindel, kas ta seda teeks. Kindlasti püüaks ta teemat vältida ja ütleks: „Ah, sa ju tead mu ema, ta ei mõtle selle all midagi." Aga kas ta mõtleb selle all midagi või ei, polegi oluline. Kui see viib mind endast välja, ootaksin Adamilt, et ta seisaks kindlalt mu kõrval ja toetaks mind, mitte ei oleks ema poolt.

Ehkki, kui iseenda vastu aus olla, oli mul juba kahtlusi, keda Adam tähtsamaks peab – seda pärast mõningaid kommentaare, mis ta oli teinud varem sel nädalal, kui Šotimaal olime.

„Noh, kas varsti võib ka pulmi oodata?" tögas Armas Linda kerge Šoti aktsendiga. Olin talle andnud selle hellitava hüüdnime, sest ta oli nii … nii armas, noh. Asi polnud perekondlikus sarnasuses: väike terav nina ja kitsad huuled. Linda võitis mu poolehoiu, sest tema silmis oli soojust, mis ta õe Pammie omades puudus.

„Oot-oot, võtkem nüüd hoogu maha," lausus Adam naerdes. „Me alles tutvusime."

Naeratasin ta märkuse peale, aga ikkagi tegi see natuke haiget, kui põgusana ta meie suhet kirjeldas.

„Jah, aga kui sa tead, et tema on see õige, siis sa lihtsalt tead, kas pole nii?" ütles tädi silma ripsates.

„Eks me näe," kostis Adam ja võttis mul käest.

„Kuidas te seda teeksite?" ei jätnud tädi järele. „Kas tahaksite pidada suured traditsioonilised pulmad?"

„*Kui* ma kunagi abielluma peaksin," laususin itsitades, rõhutades sõna „kui", „tahaksin minna kuskile soojale maale, ainult kõige lähedasemate inimestega, ja lasta meid paari panna kuskil rannas."

„Ooh, kujutad sa ette!" kiljatas Linda. „Milline suurepärane mõte."

„Seda me küll teha ei saaks!" hüüatas Adam, vaadates mind, nagu oleksin peast põrunud. „Meie pered saaksid maruvihaseks."

„Minu omadel poleks selle vastu midagi," ütlesin.

„Ja ärge meie pärast üldse muretsege," lisas Linda oma sõna sekka. „Tehke nii, nagu *teie* tahate."

„Emale see ei meeldiks," lausus Adam. „Ma olen kindel, et tema tahaks suurt pidu siin põhjas, nii et kogu pere oleks kohal."

„See on *teie* päev," ütles Linda. „See ei ole kellegi teise asi."

„Te võite ju ka iga kell Gretna Greenist läbi käia," tegi Adami tädipoeg Ewan suu lahti. „See on kohe siin lähedal ja isegi tunnistajat pole tarvis."

Me naersime, aga naerupahvakute vahele kuulsin, kuidas Adam ütles: „Sellest ma küll terve nahaga ei pääseks!"

Niisiis – ma teadsin oma kohta ning seni, kuni olen tähtsuselt teine, pean hoolikalt kaaluma, mille pärast tasub tülitseda ja mille pärast mitte. Ma tahtsin tänast päeva nautida sellisena, nagu see on, nagu see võiks olla. Tahtsin jalutada läbi Blackheath Village'i nagu teised paarid, keda olin seal näinud. Vaadata elevil pilgul maaklerite akendesse, enne kui astume sisse ja loeme vurinal ette oma soovid. Jah, oleme otsustanud, et meile kuluks ära kaks magamistuba. Jah, kui me ei peaks asukoha suhtes kompromisse tegema, oleks väike aiake suur pluss. Ei, meil pole lemmikloomi. Võtsime kogu soovinimekirja lapsiku õhinaga juba eelmisel õhtul läbi, kuni see muutus lõpuks täiesti jaburaks. Ei, me ei kaaluks maa-alust akendeta keldrit. Jah, meile meeldiks vaade nõmmele, kui on mingigi võimalus, et see maksab vähem kui meile mõlemale kätte jääv palk.

Sellest võiks tulla suurepärane päev – kas ma peaksin siis talle ütlema, mida ta ema oli teinud ja mis tundeid see minus tekitas? Või oleks targem olla vait nagu sukk? Kas mul tegelikult ongi mingit valikut?

Adam astus mu selja taha, pani käed ümber mu piha ja lasi rätikul põrandale kukkuda. Ma ei suutnud enam keskenduda sellele, mida otsisin. Ma isegi ei näinud enam särke ja pluuse, mida riidepuutorul ühest servast teise lükkasin. Nägin vaid erinevaid värvilaike silme ees tantsimas ega suutnud rõivaesemeid üksteisest eristada, ja iga liigutusega mu viha vaid võimendus.

„Oled kindel, et kõik on hästi?" küsis ta ninaga mu kaela silitades. *Ütle midagi. Ära riku seda ära. Ütle midagi. Ära riku seda ära.* See võib väga lihtsalt halvasti lõppeda.

„Jah, ausalt," ütlesin ma, pöörasin ringi ning vastasin ta suudlusele. „Ma lihtsalt muretsen töö pärast. Nii palju on teha."

„Mul on pakkuda midagi, mis sind lõdvestab," pomises ta. „See aitab sul muremõtted unustada." Ta langetas pea, võttis ära mu õhulise pitsrinnahoidja ning tegi keelega ringe ümber mu nibu.

Tundsin, kuidas mu viha hajus, kui ta sõrmed mööda mu keha alla liikusid ja ta mul püksikud jalast lükkas.

Püüdsin jõuetult teda tõrjuda. „Me ei saa. Meil on vaja asju ajada."

„See võib oodata. Las ma kõigepealt vaatan, kas saan su kõigist neist muredest ja stressist vabastada."

Polnud mingit mõtet teda peatada. Me mõlemad teadsime, et ma isegi ei üritaks. Ma vajasin teda sama palju nagu tema mind, vahel rohkemgi. Enne kui kohtasin Adamit, olin alati arvanud, et seks on ületähtsustatud. Muidugi mulle meeldis see, aga ma ei osanud kuidagi reageerida nendele alailma naisteajakirjades ilmuvatele artiklitele, kus väideti, et kui me ei seksi viis korda nädalas ega tee vähemalt kahel korral neist midagi täiesti pöörast, siis peab meiega midagi valesti olema.

Isegi Tomiga, kellega olin olnud kõige seikluslikum, ei tundnud ma seda ülimat naudingut. Me armatsesime kaks korda nädalas, tema minu peal, kuni ta lõpetas, ja siis rahuldas ta mind muul viisil. Seks oli seks ja ma olin sellega rahul. Aga Adamiga oli see täiesti teistmoodi. Lõpuks ometi sain ma tunda, millest kõik teised olid vaimustunult rääkinud. Me teadsime, mis kummalegi meeldib. Me klappisime ideaalselt. Ja me vajasime mõlemad teineteist üsna sageli. See mõjutas ka meie tujusid. Seks, mis seniajani oli mu silmis olnud suhte kõige väheolulisem osa, oli nüüd tõusnud prioriteetide nimekirjas väga kõrgele kohale.

Ma oigasin mõnust, kui ta pea langes veel rohkem alla, ja mul jäi korraks vapustusest hing kinni.

Järsku nägin vaimusilmas pilti kohkunud Pammiest, kuid sundisin seda haihtuma. *Sinuga tegelen ma hiljem*, mõtlesin endamisi, tundes Adami keelt. *Aga kõigepealt armatseb su poeg minuga.* Mind valdas veider rahuldustunne, mida ei suutnud üle trumbata isegi Adam.

Me olime veel ühte põimunud, hingamine sügav ja raske, kui tema telefonist kostis saabunud sõnumi kile heli. Adam tõmbas end minust välja, keeras ümber ja küünitas öökapi poole.

„Kes sind taga otsib?" küsisin nagu muuseas, tegelikult aga mõeldes, kas Pammie saatis nüüd selle sõnumi ka talle.

„Töökaaslane Pete, ja ema."

„Ahsoo, kas su emaga on kõik hästi?" teesklesin, nagu tunneksin vaid tavalist huvi.

„Jah, kõik on hästi. Ma küsisin, kas ta on järgmisel nädalavahetusel kodus. Mõtlesin, et käiks tema juurest läbi, kui sa koolitusel oled."

„Hea mõte. Kas see sobib talle?" pinnisin edasi.

Adam toksis vastust, mina ootasin. „Jah, kõik on kombes."

Ma lootsin, et ta sõnumi ette loeks, et saaksime selle üle naerda ja nimetada Pammiet tobedaks kanaemaks, kuid ta ei teinud seda.

„Ma lähen teda laupäeval vaatama," ütles Adam. Neetud! Adam, miks sa ei või minuga aus olla?

10

O lin tööl, kui telefon andis märku sõnumi saabumisest.
Kas sa oled hull?

Kuna number polnud mulle tuttav, viskasin telefoni kotti, käeulatusest eemale, et ei tekiks kiusatust seda näppida. Aga ma suutsin selle sinna jätta vaid mõneks minutiks. Kuidas saaks sellist sõnumit ignoreerida?

Kuidas palun? tippisin vastu.

Kas piinamine pakub sulle mõnu? tuli vastuseks.

Sattusin pisut segadusse. See pidi olema keegi, keda ma väga hästi tunnen, või oli tegemist mingi kahtlase sadomasourka pakkumisega.

Ei kumbagi, teil on ilmselt vale number, kirjutasin ma.

Sa oled nupust nikastanud, kui arvad, et mu põrunud perega kohtumine väärib enda tööl vabaks võtmist.

Naaldusin vastu tooli seljatuge ja jäin hetkeks mõttesse, siis ilmus mu näole lai naeratus. See ei saanud olla mitte keegi teine.

James?

Jepp ... kes muu?

Mina: Hei, kuidas läheb?

J: Hästi. Kuidas oli paar päeva maakatega koos olla?

Hakkasin kõva häälega naerma ja Tess, mu kolleeg vastaslauast, naeratas ning kergitas selle peale kulme.

Mina: Väga tore! Aga ma ei halvustaks neid, te olete üllatavalt sarnased.

J: Mida? Kuidas nii?

Mina: Fraser ja Ewan on täpselt samasugused nagu sina ja Adam. Käbid ei kuku selles peres küll kännust eriti kaugele.

J: Oi, sellega on nüüd natuke täbar lugu, sest nad on mõlemad lapsendatud.

Mina: Issand jumal – palun vabandust, ma ei teadnud.

J: Sa ei teinud ju ometi mingeid märkusi nende sarnasuse kohta? Nad on selle suhtes väga tundlikud.

Murdsin pead, püüdes meeleheitlikult meenutada, kas olin seda teinud või mitte. Minu puhul oleks sellise asja mainimine üsna tavaline, niisama jutu jätkuks.

Mina: Loodetavasti mitte. Ma tunnen end praegu nii halvasti.

J: Kui sa oleksid seda teinud, siis teaksid seda kohe kindlasti, sest Fraser oleks sulle näkku karanud. Ta läheb meil väga kergesti endast välja.

Pidin seega uskuma, et ma polnud midagi kohatut öelnud, aga see ei teinud mu enesetunnet sugugi paremaks.

Oled veel seal? küsis James, kui olin mõne minuti vaikinud.

Mina: Jah.

J: Ja sa ei öelnud ju ometi midagi selle kohta, et tädi Linda on abielus oma vennaga?

Misasja? Sa pagana kaabakas!

Mina: Väga naljakas!

J: Nüüd tõmbasin su küll haneks, mis?

Mina: Ei! Ma ei saa aru, kuidas see pool sinu suguvõsast nii tore on?!? Sa peaksid neil sagedamini külas käima, võiksid neilt paljugi õppida!

J: Ma ei saa. Iga kord, kui Thamesi jõest põhja poole jõuan, hakkab mul ninast verd jooksma.

Panin käe suu ette, et naeru summutada.

J: Kas oled Adami peoks valmis? Kas sul on kleit olemas?

Mina: Jah. Aga sul?

J: Hea nali ... võta teadmiseks, minu oma on punane. Ma ei taha, et meie riiete värvid kokku ei sobiks.

Mina: Kas sa jätad juuksed lahti või paned üles?

J: Kindlasti putitan üles. Ülesputitamine on praegu väga moes.

Mina: Juukseid ei putitata üles, need pannakse üles!

J: See on üks ja sama.

Mina: Kas Chloe tuleb ka? Ma ei teadnud, miks ma seda küsisin ja tahtnuks otsekohe sõnumi tagasi võtta, aga oli juba hilja.

J: Jah, tuleb. Ma arvan, et ta kannab sinist, nii et kõik peaks OK olema.

Vestluse toon oli muutunud ja ma tundsin end järsku justkui pirtsakas laps, kes tahtis, et kõik oleks nii nagu enne.

Väga hea, tippisin. Ma tahan talle kindlasti tere öelda.

Tema tüdruku mainimine lülitas meid ilmselt samalt lainelt välja, kuna ta saatis seepeale vaid silmategeva emotikoni ja musi.

Ma ei vastanud.

11

„Palju õnne, kallis Adam, õnne soovime sul!" Lauljad hakkasid aplodeerima ja üle kogu ragbiklubi kaikusid hõiked: „Kõne! Kõne!"

Adam tõstis käe kõrgele õhku ja kõndis üle tantsupõranda mikrofoni juurde. „Okei, okei. Tss, palun vaikust. Tänan. Tänan."

„Lase käia!" karjatas Adami parim sõber ja tugimängijast meeskonnakaaslane Mike. „Kurat küll, ta jutt on sama kiire kui väljakul liikumine ... Aeeeeeglane."

Kõik ragbikutid kiitsid valjult takka ja lajatasid üksteisele vastu selga, justkui neandertallased ümber koopatule.

Naeratasin koos ülejäänud seltskonnaga, aga pidin nagu kõik teisedki kohal viibivad tüdruksõbrad leppima teadmisega, et ühel hetkel pidustuste käigus on kõigil meie poistel, viimsel kui ühel, aluspüksid pahkluudeni maas, nad kulistavad suurte sõõmudega õlut kõrist alla ning laulavad ragbihümni „Swing Low, Sweet Chariot". Olin siin klubis käinud vaid kolm korda, ja iga jumala kord oli Adam oma meheau paljastanud. Vaatasin Mike'i tüdruku Amy poole ja me pööritasime vastamisi silmi. Olin temaga varem korra või paar kohtunud, ent polnud teda kunagi enne peoriietes näinud. Ta andis korraliku vaatemängu, kui lükkas pikad pruunid juuksed üle õlgade seljale, demonstree-rides nii rinnapartiid, mis pungitas välja musta kleidi kahest pal-jastavast kolmnurgakujulisest riidetükist koosneva rinnaosa alt. Silmitsesin ta spagettpeeneid õlapaelu, mis nägid kurja vaeva, et kleiti paigal hoida, ega suutnud otsustada, kas oleksin taht-nud, et need läheksid prõksti katki ja paljastaksid ta kehavõlud või jääksid siiski püsima, et kõik ruumis viibivad meesisendid südamerabandust ei saaks.

„Su emal on kuumahood," sosistas Pippa mulle kõrva, katkes-tades mu armukadedad mõtted. „Kas ma võin ühe akna avada?"

Pöörasin pilgu kõige pimedamas saalinurgas oleva laua poole, mille olid hõivanud minu omad. Neil oli seal käravast massist eemal hea konutada. Isa silitas pihkudega oma tumeda õlle klaasi, teist ja viimast, nagu ema oli talle meenutanud, valvates samal ajal ise hõbedase jää-ämbri kõrval, milles oli Prosecco pudel.

„Tähistamaks seda, et me lõpuks kohtusime," teatas Adam, kui ta selle uhke, ümbritseva lihtsusega toreda kontrasti moodustava kingituse emale üle andis.

Jälgisin Adamit, kes käitus nii sundimatult, ja mõtlesin, miks oli nende tutvumine pidanud nii kaua viibima. Juba kolmel korral olime plaaninud kokku saada, ent kahel juhul kutsuti Adam oota-matult tööle ja kolmandal pidi ta minema oma ema rahustama.

„Em, mina siin," lausus ta tol korral hingeldades telefonis, kui istusin ja ootasin teda Blackheathis Côte Brasserie kohvikus. Ema ja isa olid parasjagu sinna teel.

„Hei," ütlesin rõõmsameelselt. „Kus sa oled?"

„Kallis, ma kardan, et ma kahjuks ei jõua."

Arvasin, et ta teeb nalja. Ta teadis, kui väga ma tahtsin, et ta mu vanematega kohtuks. Olin kindel, et ta vaid mängib minuga, aga samas võttis halb aimus mul südame alt külmaks.

„Lugu on nii, et ema on jälle selles seisundis."

„Kui kahju," kostsin ma, püüdes meeleheitlikult mitte kõlada vihaselt ning üritades naeratada läbi ristis hammaste.

„Jah, kahju."

„Mida see tähendab, et su ema on seisundis?" Mu pahameelepurse jahmatas kõrvallauas istuvat paari, kes alul mulle ja siis teineteisele otsa vaadates üllatunult kulme kergitasid.

„Ta läks ühe linnavalitsuselt saadud kirja pärast endast välja."

Mulle meenus eelmise õhtu telefonivestlus, mida olin pealt kuulnud ja mille käigus Adam rääkis Pammiele meie plaanidest.

„Kas see on mingi nali või?" sisisesin.

„Ee... ei. Ja sellise suhtumise võiksid sa nüüd küll lõpetada," ütles ta.

Võtsin hääle vaiksemaks. „Sa võid selle kuradi kirjaga, mis ta linnavalitsuselt sai, homme tegeleda. Ma vajan sind täna õhtul siin."

„Ma jõuan just praegu Sevenoaksi," lausus ta. „Tulen läbi, kui piisavalt ruttu tagasi saan."

Katkestasin kõne. Ta on juba seal? Kuidas ta sai sõita oma ema juurde, kui mina teda siin ootan? *Meie* ootame?

Nüüd, kuu aega hiljem, emmates mu ema, käitus ta ülimalt šarmantselt.

„Oh, ta tõesti *meeldib* mulle," teatas ema vaimustunult ja kergelt punastades. „Tõeline härrasmees."

„On ju?" olin elevil. „Sa tõesti arvad nii?"

„Oi, temast saaks väga hea väimees, kindlasti kohe."

Emale on suhteliselt lihtne meele järele olla; isa on see, keda potentsiaalne kosilane veenma peab.

„Noh, mis mulje on?" küsisin isalt kohe, kui Adam oli kuuldekaugusest eemal.

„Ta peab oma väärilisuse tõestamiseks veel palju vaeva nägema," torises isa.

„Su isale *meeldib* ta küll väga," ütles isa kõrval istuv Seb sarkastiliselt.

Mulle meenus Pippa, kes nüüd mu juures seisis. „Kas emaga on kõik korras?" küsisin. Märkasin, et nende laua taga olevad aknad olid uduseks tõmbunud ja tilkusid kondensatsiooniveest.

„Jah," noogutas ta. „See on üks neist tema tavalistest, aga ta muretseb avatud akna pärast, sest väljas on jube jahe."

Polnud veel märtski, ja õhk oli kibekülm. „Keegi hakkab kindlasti nurisema," nentisin. „Aga nad peavad sellega leppima."

Pippa nookas peaga. „Ole mureta. Muide, kes see kutt seal üle mu parema õla on? See roosas särgis."

Vaatasin vilksamisi ja mu süda värahtas korraks, kuigi ma ei teadnud, miks. „Aa, see on Adami vend James," ütlesin palju ükskõiksemalt kui sisimas tundsin.

„Oh sa issand! Ta on tõeline kompu," lausus Pippa.

Ma naeratasin. „Kahjuks on ta juba võetud."

„Aah, ei või olla! Kes võttis?"

Lasksin pilgul teatraalselt ringi käia ja otsisin tüdrukut sinises kleidis, aga olin juba päris kindel, et teda pole seal. Olin püüdnud teda juba varem leida. Niisiis, ta kas ei tulnud või kannab teist värvi riideid.

Poisid hakkasid taas lärmitsema ja oli vaid aja küsimus, millal üks neist paljastab oma meheau pundile sama teha soovivatele kehkenpüksidele.

Ainus õnnis päästja selles olukorras oli Printsess Pammie kohalviibimine, mis aitas mingil määral poisid meestest eristada. Ehkki, kui valik oleks minu, vahiksin pigem kuutteist lotendavat peenist, millega nende palju-uhkemad-kui-peaks-omanikud kiitlevad, kui Adami ema. See tõdemus pidanuks mind kurvastama, aga pool pudelit Proseccot hinge all, tundus see mulle päris lõbus. Juba ainuüksi mõte sellest tõi mulle naeratuse suule. Ma ei kavatse lasta tal mind endast välja viia, kui väga ta seda ka püüaks.

„Üks hetk!" kiljatas järsku Pammie, vudides üle puitpõranda Adami poole. Pikk kitsas seelik ei lasknud tal kuigi pikki samme astuda, mistõttu jäi mulje, et ta ülakeha liikus ülejäänud kerest kiiremini. Ta manas näole naeratuse ning noogutas külalistele, keda polnud veel oma tähelepanuga kostitanud, justkui oleks olnud tegemist temale pühendatud peoga. „Oh, Gemma, nii tore sind näha," hõikas ta, saates teele õhusuudluse.

Meenutasin endale oma mantrat, vaadates teda lipitsemas ja end esile upitamas. *Ma ei lase tal mind endast välja viia, kui väga ta seda ka püüaks.*

„Siis, kui sina valmis oled, ema," kostis Adami hääl kõlarist.

„Jaa, jaa!" kamandas Pammie. „Ma tahan vaid ühe foto teha."

„Mis, *praegu?*" küsis Adam.

„Jah, praegu," turtsatas Pammie teatraalselt. Publik kõkutas naerda. Ta tundis end rahva ees suurepäraselt, ent tegi näo, nagu ei salliks seda sugugi. „Vaid üks kiire klõps, kuniks veel on võimalust ja enne kui teil kõigil napsust silmad krillis. Niisiis, kus kõik on? Kus meie pere on? Ma tahan pilti kogu me perest."

Adam pööritas silmi, ent jälgis kannatlikult, kuidas mesilasema ringi sumises, juhatades sugulasi kolme kaheksasesse ritta. James tuli mu selja tagant ja asetas möödudes hetkeks käe mu seljale.

„Nii, Lucy ja Brad, teie lapsekesed siia põlvili maha," juhatas Pammie. „Teie emme ja issi lähevad teie taha, ja Albert, sina seisa viimasesse ritta. Me ei saa sind pärast enam püsti, kui sa maha kükitad."

Saalist kostis kohustuslik naer.

„Nii, kas nüüd on kõik olemas? Emily? Kus on Emily?" hõikas ta.

Astusin ligemale, Prosecco klaas käes, ja olin vägagi teadlik kõrvalseisjatest, keda poldud kutsutud Bankside perekonnaalbumit kaunistama.

„Adam, anna mulle oma telefon," nõudis Pammie. „Minu oma on kehvem. Teeme sinu omaga."

Adam tegi kometit, nagu ulataks telefoni vastutahtsi.

„Nonii. Nüüd, Emily, anna mulle oma klaas."

Tegin nagu kästud ja jäin ootama, et mindki kohale juhatataks, tundes piinlikkust vaikuse pärast, mis selle pikaleveniva toimetuse ajal maad võttis.

Pammie astus sammu tagasi, et kontrollida, kas kõik on kenasti seal, kus tarvis. „Nii, Toby, mine natuke sinnapoole, et ma mahuksin siia keskele. Nüüd on hästi."

Ta pööras ringi, ulatas mulle telefoni, öeldes kiiruga „Aitäh, Emily", ja lippas kaadrisse, manades näole oma parima naeratuse. „Hernesupp!"

Kuumalaine sööstis nagu vulkaanist purskuv laava mu varbaotstest mööda keha üles. Iga sentimeeter mu ihust surises ja mul hakkas halb. Kibelev tõmblus kurgupõhjas andis märku, et kohe hakkavad pisarad voolama, ent ma suutsin nende tulva ägedalt silmi pilgutades tagasi hoida. Pöörasin kiiresti teiste külaliste poole selja, et nad ei näeks, kuidas mu kael alandusest õhetab. Püüdsin naeratada ning teha näo, et ma poleks iial eeldanudki „pere" pildile pääseda. Pealegi, ütlesin iseendale, ma ei ole ju pereliige, nii et see pole suur asi … Ent see oli suur asi, ja tegi väga haiget.

Vaatasin Adamit, kes seisis tagareas, kõrvuni naeratus näol, muretu nagu linnuke oksal, kui tegin klõpsu, ja tundsin, kuidas mu süda murdus.

„Okei, kuhu ma jäingi?" küsis Adam, võttes uuesti sisse koha mikrofoni taga.

Kadusin kiiresti rahva sekka.

„Nonii," jätkas Adam jutukõminast üle rääkides. „Palun vaikust! Mul on midagi tähtsat öelda."

Rahvas jäi vait.

„Nii, nüüd olen ma kolmkümmend, pean käituma nagu küps täismees."

„Seda ei juhtu kunagi," hüüdis kusagilt tagant Deano, veel üks tiimikaaslane.

„Haa-haa, küll sa veel näed, sõbrake! Nii, kõigepealt tahaksin kõiki tänada, et te tulite, see tähendab mulle väga palju. Mul on eriti hea meel, et mu nõbu Frank lendas ainuüksi selleks Kanadast kohale, et täna õhtul siin olla."

Rahvas hõiskas, ja järgnes veel toetavaid õlalepatsutusi.

„Tahaksin veel tänada oma imeilusat tüdrukut Emilyt, kes peab mind taluma ja kes on lihtsalt imeline. Em, kus sa oled?"

Tundsin, kuidas kellegi käsi mu seljal nügis mind ettepoole, ent hoidsin pilgu maas ja tõstsin vaevu-vaevu käe, et näidata, kus ma olen.

„Tule, Em, tule siia."

Raputasin pead, aga surve seljal aina kasvas ning mind tõugati edasi, kuigi ma ise oleksin tahtnud taanduda hoopiski kaugemale tahapoole, varju, kus Pammie meelest ilmselgelt oligi mu koht.

Kartsin, et mu põsed võivad kuumusest lõhkeda, kui Adami poole kõndisin. Inimestest oli moodustunud poolring, mille kaugemas otsas nägin Jamesi. Pippa seisis tema kõrval. Sinises kleidis tüdrukust polnud ikka märkigi.

Iga poor mu keres tundus blokeeritud, mu sisemus oleks nagu keenud ja puudus ventilaator, mis mind jahutaks. Vaatasin Pippa murelikku nägu, kui ta maigutas aeglaselt suud: „Kaaasss kõikkk ooonnn kooorrraaas?"

Vastasin kerge noogutusega, võtsin Adamil käest ja manasin näole sunnitud naeratuse.

„See naine siin on nüüd minu elu mõte. Ta teeb head päevad veel paremaks ja aitab halvad unustada."

Mul läks silme eest uduseks, kõik muutus häguseks, aga suutsin siiski tuvastada oma ema, kes jõllitas mulle rahva seast otsa, silmad üllatusest pärani.

Adam pöördus minu poole. „Ausalt, ma jumaldan sind. Ma ei suudaks ilma sinuta elada. Sa oled parim, mis minuga eales juhtunud on."

Tundes kimbatust, sasisin ta juukseid, et püüda olukorda pingevabamaks teha ning rambivalgusest pääseda. Aga siis laskus ta ühele põlvele.

Heldimusest ohanud ahmisid nüüd jahmatusest õhku ja mul oleks peaaegu pilt eest kadunud. Mida põrgut? Kas ta tõesti teeb seda, mida ma arvan, et ta teeb, või on see mingi halb nali? Vaatasin meie ümber kõiki neid inimesi, kes püüdsid asjast sotti saada. Kõik toimus nagu aegluubis ja ma justkui oleksin jälginud iseennast kaugelt eemalt. Adami hääl kostis kui vee alt ja tühjade irvete ning uudishimulike silmadega näod nihkusid aina lähemale ja lähemale. Kuid siiski mitte kõik – üks vapustusest moondunud nägu tundus liuglevat aina kaugemale ja kaugemale.

„Kas sa teed mulle seda au ja tuled mulle naiseks?" küsis Adam, ikka veel ühel põlvel.

Ma ei mäleta täpselt, millal said rõõmuhõisetest ehmatuskarjed. Aga ma tean, et kui paitasin õllest kleepuval põrandal lamava Pammie pead, oli mul teemandiga kihlasõrmus sõrmes.

Adam põlvitas meie kõrval, hoides ema kätt, ja James tammus rahutult ringi, seletades kiirabile, kuhu täpselt tulla.

„Palun kiirustage!" kuulsin teda hüüdmas. „Ta on teadvuseta."

Kõik juhtus nii kiiresti, et mu mõistus ei suutnud sellega sammu pidada. Ma polnud enam võimeline sündmusi nende toimumise järjekorda seadma, ma ei suutnud enam otsustada, mis oli päris ja mida olin lihtsalt ette kujutanud. Kas Adam palus mind äsja endale naiseks? Kas Pammie tõesti kukkus kokku?

Reaalsuse ja kujutelma vahelised piirid muutusid iga sekundiga üha hägusemaks.

„Ema, ema!" kordas Adam üha uuesti ja ta hääl muutus aina meeleheitlikumaks.

Ema liigutas pisut pead ja pomises midagi segast.

„Ema!" hüüatas Adam uuesti. „Oh, jumal tänatud. Ema, kas sa kuuled mind?"

Pammie ei vastanud, ta võbelevad silmad avanesid hetkeks, kuid sulgusid siis taas.

„Ema, James siin. Kas sa kuuled mind?"

Lamaja pomises midagi arusaamatut.

Valgusvihk tungis läbi inimsumma ja rahvas meie ümber tõmbus kahte lehte, et lasta kiirabitöötajad läbi. Nad asetasid kanderaami Pammie kõrvale.

„Kõik on korras, ema," lausus James, põlvitades minu kõrvale. „Sinuga saab kõik korda."

Ta vaatas mulle otsa, täiesti verest väljas, justkui ootaks, et ütleksin midagi, mis võtaks ta valu ära. Oleksin tahtnud talle pakkuda, mida ta vajas, aga kui pöörasin pilgu alla Pammiele, mõistsin, et ei saanud midagi teha.

„Oh, Jeesus Kristus, palun päästa ta!" halas Adam ja ta õlad hakkasid vappuma.

Mike asetas toetava käe ta seljale. „Kõik saab korda, semu. Temaga saab kõik korda."

Jälgisin tuimalt, kuidas parameedikud hüüdsid Pammiet nimepidi ja saamata mingit vastust, tõstsid ta kanderaamile.

Minul poleks sobinud kiirabiautosse minna. Adam ja James läksid koos emaga, mind aga jäeti sürreaalsesse tühjusse, mis neist maha jäi: pidu oli järsku läbi. Muusika oli vait jäänud, tuled põlesid, ja südamekujuline õhupall, mille küljes oli rippunud mu sõrmus, vedeles nüüd kasutute krimpsus kummiribadena põrandal.

Šokeeritud külalised möödusid minust hanereas ja naeratasid osavõtlikult, poetades hüvastijätusõnu ning paludes edasi anda head soovid Pammiele ja ta poistele. Mäletan ähmaselt, kuidas üks või kaks inimest soovisid mulle kihlumise puhul kohmetult õnne, aga nende õnnesoove varjutasid kiirelt järgnenud kaastunde-avaldused.

„Mul on nii kahju, Em," ütles Seb, sirutades mu embamiseks käed. „Temaga saab kindlasti kõik korda. Mida sa nüüd teed? Kas viin su koju või tahad siia jääda?"

Vaatasin ringi saalis, mis vaid viisteist minutit varem oli olnud sõpru ja pereliikmeid täis. Siin oli Adam tähistanud oma kolme-kümnendat sünnipäeva ja siin oli ta palunud mind endale naiseks. Kummalgi neist ei tundunud enam olevat mingit tähtsust.

„Peaksin vist paluma kõigil lahkuda?" küsisin, teadmata isegi kindlalt õiget vastust.

„Me võime neist üsna kiiresti vabaneda," kostis Seb rahusta-valt. „Sa võta ennast kokku ja ma kamandan veel siia jäänud välja. Okei?"

Ei. Mitte miski polnud okei. Mulle tehti mõni hetk tagasi abieluettepanek, aga ma suutsin seda nüüd vaid hädavaevu mee-nutada – mälestus sellest oli tuhm ja sündmus igaveseks rikutud.

„Kullake, ma ei tea, mida öelda," lausus mu ema ja tõmbas mu oma käte vahele. „Tule siia."

Siis langes esimene pisar, ja kui värav oli juba valla, ei suutnud ma enam lõpetada. Ulgusin haledalt täiel rinnal nutta, samal ajal kui mu ema püüdis mind lohutada.

„Tss, pole viga, kõik saab korda." Ema hääles on midagi, mida ei suuda keegi teine järele teha. See viib mu mõttes tagasi kooli-aega, kui olin väike ja ootasin medõe kabinetis, et ta mulle järele tuleks. Mäletan, kuidas üks kiusupunn nimega Fiona tõukas mu pigikattega mänguväljakul pikali, nii et ma lõin pea ära. Muhk,

pirakas nagu „Tomi ja Jerry" multikas, tuikas täpselt silma kohal ja
õde viis mu ruttu oma kabinetti, mis kujutas endast tegelikult vaid
väikest voodit ja lauda kardina taga pikas koridoris.

Olen kindel, et minuga oleks kõik kõige paremas korras
olnud, kui oleksin lihtsalt mõne minuti rahulikult istunud ning
seejärel klassikaaslastega koos muusikatundi läinud. Aga kui ma
juba istusin sellel toolikesel vaheseina taga, tahtsin ainult oma
ema: et ta võtaks ära nii füüsilise kui ka emotsionaalse valu. Mu
muhk oleks kindlasti mõne tunni jooksul kadunud, aga mällu
oleks arm alles jäänud. Mis siis, kui Fiona on vihane, et läksin
medõe juurde? Kas ta võib seda homme jälle teha? Kas ta jääbki
mind igavesti kiusama? Nendele keerdküsimustele osanuks vas-
tata vaid mu ema ... noh, igatahes oma üheksa-aastase aruga
arvasin ma nii. Ma tundsin end süüdi, et ta pidi minu pärast
töölt ära tulema, aga mitte nii süüdi, et oleksin öelnud medõele
„ei", kui too küsis, kas tahaksin koju minna. Olin natuke mures,
et äkki ema on mu peale pahane. Kas mu vigastus on piisavalt
tõsine, et õigustada ema kohalekutsumist? Aga ma vajasin nii
väga turvatunnet, et olin valmis riskima. Tundus, et tema kohale-
jõudmiseni kulus tunde, ent kui ta kohal oli, teadsin seda juba
enne tema nägemist. Ma lihtsalt tajusin ta lähedust, ja kui ta siis
sealt kardina vahelt sisse piilus, tundsin, nagu tahaks mu süda
rõõmu pärast rinnust välja hüpata. See tunne, et ainult ema suu-
dab aidata, ei kao tegelikult kunagi. Ja kui ema sosistas mulle
nüüd sel õnnetul õhtul kõrva, et kõik saab korda, lõi mu süda-
messe terav valu Adami pärast, kellel on kindlasti samuti selliseid
mälestusi, ainult et temal on nüüd oht kaotada see ainus inimene,
kes suudab kõik paremaks teha.

12

Kell oli kuus hommikul, kui Adam helistas. Ema ja isa olid minuga koju tulnud, aga kuna nad leidsid, et ma peaksin magama, siis lahkusid peagi, paludes mul tungivalt neile teatada kohe, kui midagi kuulen. Ma poleks suutnud isegi raske raha eest magama jääda. Mu peas keerlevad mõtted ei andnud rahu ja ma tammusin köögis ringi, suur punase veini pokaal käes. Edasi-tagasi, kuni võpatasin telefoni kileda helina peale.

„Em?" Ta hääl kõlas väsinult.

„Jah, kuidas tal on?" küsisin ma. „Mis toimub?"

„Temaga on kõik korras." Hääl murdus.

„Kas kõik saab korda?"

Kuulsin telefoni teises otsas vaikseid nuukseid.

„Adam ... Adam?"

„Mul langes kohe nagu kivi südamelt." Ta luristas nina. „Ma ei suudaks seda üle elada, kui temaga peaks midagi juhtuma, Em. Ausalt, ma ei tea, mis ma siis teeksin."

„Aga kas temaga saab ikka kõik korda?" küsisin uuesti, lootes meeleheitlikult saada sellele kinnitust.

„Jah. Jah. Ta on voodis istukil, joob teed, ja paistab, nagu midagi poleks juhtunudki." Adam naeris pingutatult.

Mul jäi hääl kurku kinni. „Aga mis siis õieti juhtus? Mida arstid ütlesid?"

„Nad tegid igasuguseid analüüse – vererõhk, süda, uriin – ja kõik on kõige paremas korras."

Olin vait.

„Em?"

„Noh, aga millest see võis siis olla?" küsisin, püüdes mitte kõlada teravalt.

Kui Adam ka märkas mu intonatsioonimuutust, siis ei näidanud ta seda välja. „Arstide arvates oli tegu vedelikupuudusega. Ema tunnistas, et pole enda eest viimastel päevadel eriti hoolitsenud, oli peo pärast stressis ja unustas süüa ning juua. No ja siis ajas ta päkad silma paarile veiniklaasile ning oligi kööga."

„Vau, nii tühine asi siis oligi?" märkisin.

„Noh, mitte päris, vedelikupuudus on iseenesest üsna tõsine probleem, aga nad panid ta soolalahuse tilguti alla ja ütlevad, et ta võib haiglast koju minna kohe, kui tilgutikott tühjaks saab. Ma toon ta paariks päevaks meile, et ta saaks puhata ja ma saaksin tal silma peal hoida."

Tundsin, kuidas pettumuspisarad kurgupõhjas torkisid. „Miks James tema eest hoolitseda ei või?" pahvatasin, enne kui jõudsin järele mõelda.

„James?" küsis Adam pisut pahasema häälega. „Sest tal on kiire ja niigi piisavalt muresid. See tema tüdruk jooksutab teda muudkui ringi ja tööga on vist kah probleeme. Aga see selleks, meil on nüüd üks vaba magamistuba, jumal tänatud, no kasutame seda siis."

„Ma eeldan, et ta laseb meil meie enda kodus ikka koos magada?" küsisin keerutamata, püüdes mitte kõlada isekana.

Ta naeris rõõmutult. „Ma arvan, et ta peab sellega leppima, või kuidas sulle tundub? Nüüd, kui sinust saab peagi proua Banks."

Naeratasin läbi pisarate, püüdes meeleheitlikult meenutada hetke, mil ta oli mulle abieluettepaneku teinud; hetke, millest olin aastaid unistanud. Lapsena kujutasin ette, kuidas mu prints laskub ühele põlvele ja palub mind naiseks tuhandete linnaväljakule kogunenud inimeste ees. Kujutasin ette romantilisi pulmi suures kirikus, minul seljas *vintage* pitskleit ja loor sama pikk nagu printsess Dianal – ema oli tema suur fänn ja mul on hästi meeles see pühapäeva hommik, mil ta mu pisarate voolates üles äratas ja ütles, et printsess on surnud. Me istusime terve päev teleri ees, koos miljonite teistega paludes, et see oleks kellegi eksitus. Ma olin liiga noor, et mõista, kes ta oli ja kui suure tragöödiaga oli tegemist, aga mäletan, kuidas mind lummasid kaadrid tema ja prints Charlesi pulmadest – kui ilus ta oli, ja kui maagiline oli tema eriline päev. Ma kõndisin nädalaid trepist üles-alla, seljas karnevalikostüümide karbi põhjast välja otsitud valge Disney kleit, millele oli voodilina taha kinnitatud. Ja sellal kui mina viibisin oma õhulossis, kurtis mu isa kellele aga sai, et ma kujutan endast tõsist tuleohtu ning Stuart püüdis igal võimalusel pääseda peapruutneitsi rolli etendamisest, milleks teda sundisin.

Arvasin alati, et kui minu hetk kord saabub, sööbib see igaveseks mu mällu, et see on midagi sellist, millest saan rääkida oma lastele ja lapselastele. Jutustaksin neile, kuidas ma näitasin uhkusega oma sõrmes sätendavat kihlasõrmust. Kuidas ma vaatasin oma kihlatule sügavalt silma, enne kui sosistasin „Jah". Kui elevil olid pereliikmed ja sõbrad, kes tõttasid meid õnnitlema ja uurima, millal pulmad peame.

Aga siin ma nüüd olen, vaid mõni tund hiljem, ja suudan vaevu meenutada, kas see üldse juhtuski. Ma pidin olema öelnud „Jah" – mul oli seda tõestav sõrmus. Aga kuna Pammie kukkus kokku täpselt samal ajal, ei kerkinud mu silme ette midagi peale inimeste nägudesse sööbinud šoki ja õuduse ning selle tagajärjel tekkinud paanika. Nagu meie erilist hetke poleks olnudki.

„Kas sa võiksid üleval olla? Oodata, kuni me koju jõuame?" küsis Adam.

Heitsin hajevil pilgu käekellale ja võtsin teadmiseks, et eelmisest kella vaatamisest oli möödunud vaid kolm minutit. Sel polnud tähtsust. Kuigi oli laupäev, mis mul on tavaliselt tööpäev, olin selle juba vabaks võtnud. Ehkki ma eeldasin, et magan nüüd välja rämedat pohmelli, mitte ei ole üksi varaste hommikutundideni ärkvel, muretsedes, kas mu tulevane ämm elab öö üle.

„Püüan," mühatasin, „aga ma ei saa midagi lubada."

„Põrgulikult raske öö on olnud." Adam ohkas sügavalt. „Ma lootsin, et saame oma kihlumise intiimselt lõpule viia."

See oli pigem teadustus kui küsimus. Imestasin, kuidas ta suutis sellisel ajal üldse seksist mõelda. Muidugi – igas muus olukorras oleks see olnud kindel värk. Kindlasti oleksime veetnud öö ja kogu järgmise päeva voodis, vaheldumisi armatsedes ja uurides iPad'idest pulmapeopaiku. Aga praegu ei suutnud ma kumbagi tegevust ette kujutada. See on ilmselt üks põhilisi erinevusi mehe ja naise aju töötamises.

„Eks paistab," laususin ma.

Panin telefoni käest, kallasin endale veel ühe klaasi veini ja valasin jõuetuid pisaraid. Enesehaletsus polnud minu puhul sage emotsioon, kuid praegu oli see ainus, millega suutsin suhestuda. Ma polnud õnnelik ega kurb, mul oli endast lihtsalt uskumatult kahju ning mu peas tiirlevad küsimused olid halvanud kõik muud mõtted ja tunded. Millega ma olen selle ära teeninud? Kas ma olen tõesti parim, mis Adamiga kunagi juhtunud on? Miks Pammie mind nii väga vihkab?

Aga küsimus, mis kõige enam kummitas ja mida ma kõigest väest tõrjuda püüdsin, oli: kas see naine tegi seda meelega?

13

Nagu oligi oodata, hakkas Pammie oma saabumise hetkest
kogu meie elu juhtima, alates sellest, et kurtis toatempera-
tuuri üle kuni selleni, et tegi mossis näo, kui Adam ütles, et ma
sättisin tema jaoks külalistetoa valmis.

„Aga see on üheinimesevoodi," virises ta. „Pealegi kokkupan-
dav. Ma ei saa seal sõbagi silmale."

Teadsin juba enne, kui Adam jõudis suugi avada, mis nüüd
tuleb.

„Olgu, äkki sa lähed siis meie voodisse ja Em magab ise siin?"
Tundsin, kuidas Adam vaatas mind, et mu reaktsiooni hinnata.

„Oh ei, ma ei taha teile tüli teha. Miks sa ei või mind koju viia?
Ma saan seal väga hästi hakkama."

Kloppisin patju, püüdes mõtteid mujale juhtida. Mul oli vaja
hingamisruumi. Pidin sealt minema saama.

„Ära ole rumal," ütles Adam. „See pole mingi probleem, ega
ju, Em?"

Raputasin pead, hoidudes tema poole vaatamast. Ma ei taht-
nud näha, kui haledalt mu tulevane oma ema ees lömitab.

„Aga kus siis *sina* magad?" küsis Pammie.

„Ma võin mõne öö diivanil magada. Ausalt, see pole mingi
probleem."

„Kui sa just nii arvad,"jätkas Pammie. „Ma tõesti ei taha kelle-legi tüli teha." Kui irooniline, sest see paistis olevat just see, milleks ta oli siia ilma loodud.

Kolm päeva hiljem, kui ta tühjendas minu asjad peeglilaualt kasti ja asendas mu potsikud-mötsikud enda kraamiga, koputasin Sebi uksele. „Ma ei suuda seda enam välja kannatada. Kas ma võin paar ööd sinu juures veeta, ainult seni, kuni Pammie oma koju tagasi läheb?"

„Muidugi võid," lausus Seb, „aga kas sa oled kindel, et see on ikka õige tegu? Te olete nüüd päriselt paar, see pole enam nalja asi. Te abiellute, jumala pärast, seega peate selle probleemi koos lahendama."

„Kui asi puudutab tema ema, siis ei tule mingi *koos* kõne allagi," kurtsin. „Siis olen mina üksi nende kahe vastu. Nemad moodustavad paari. Ta lihtsalt ei näe, mida ta ema teeb ja kuidas käitub."

Seb ohkas raskelt. „Võib-olla ta teab täpselt, milline ta ema on, ja ignoreerib seda teadlikult."

Viskusin ta oranži polstriga diivanile lösakile ning meenutasin eelmist õhtut. „Ma loodan, et sa kasutad ikka mahehakkliha," nuuskis Pammie nipsakalt, kui vaatas mind Bologna kastet segamas. „Adam eelistab seda, ja see on ka palju tervislikum."

„See on ka kolm korda kallim," märkisin, mõeldes, kas „mahe" oli üldse leiutatudki, kui Adam veel kodus elas.

„Ma olen Adamiga täna kaks korda vestelnud, aga unustasin küsida, mis kell ta koju jõuab." Sellele järgnes naer, rõhutamaks, kui lähedased nad on. Pidin nentima, et kui mina olin Adamile lõuna ajal helistanud, siis oli tal liiga kiire, et minuga rääkida, aga paistab, et ema jaoks oli tal aega küll. Kahel korral.

„Ta on täna kauem tööl," ütlesin järsult. „Ta jõuab kella kümne paiku."

„Kas sind ei pane muretsema, et tal on nii pikad tööpäevad?" küsis Pammie.

Ma teadsin, et ei tohi lasta end libedale jääle meelitada ja oli liigagi selge, et just seda ta tahabki, kuid ma tahtnuks justkui testida, kui palju ta teab. Et näha, kas ta tõesti teab Adamist rohkem kui mina.

„Miks ma peaksin muretsema?" küsisin.

„Noh, et kas ta ikka teeb seda, mida väidab tegevat." Pammie irvitas. „Ei või iial teada, millega noored mehed võivad hakkama saada, eriti kui tegemist on nii ilusa poisiga nagu minu Adam."

Matkisin suud maigutades ta sõnu „minu Adam", segades kastet edasi tormilisemalt kui enne.

Mida oleksin ma pidanud selle peale kostma? Mida ta tahtis, et ma ütleksin? Kas seda, et kuni praeguseni polnud see mulle mõttessegi tulnud? *Aga kuule, nüüd, kus sa seda mainid, võib sul õigus olla. Võib-olla ta tõesti kepib oma kahekümneaastast blondiinist kolleegi.*

Ütlesin hoopis: „Tal on lihtsalt praegu palju tööd, tavaliselt on ta selleks kellaajaks juba kodus." Oli ebameeldiv tunda, nagu peaksin Adamit, tema tööd ja meie suhet miskipärast kuidagi õigustama. Tooma vabandusi millelegi, mida ta tegi üsna sageli ja mida ma polnud kuni praeguseni kahtluse alla seadnud. Enamalt jaolt.

„Võib-olla tõesti," kostis Pammie. „Aga sa pead olema ettevaatlik, kui tal on stress. Piisab sellest, kui keegi tööl ta tähelepanu köidab, ja ta ongi läinud. Seda juhtub praegusel ajal nii kergesti."

Vajusin veel sügavamale Sebi diivanisse, katsin näo kätega ja röökisin vihast.

„Pammie teeb mind kogu aeg tema ees maha. Aga kas tema pöörab sellele tähelepanu? Kas ta ütleb midagi oma emale vastu? Muidugi mitte!"

„Ta tahab lihtsalt hõlpsat elu, Em," lausus Seb. „See on ilmselt tema viis oma emale meele järele olla. Ta tunneb oma ema ju kaua, küllap ta siis ka teab, mis ta ema puhul töötab ja mis mitte."

„Aga asi pole *tema* meele järele olemises. Asi on *minu* eest seismises, naise eest, kellega ta väidetavalt tahab abielluda. Ausalt, Seb, ma tõesti ei tea, kas ma suudan jätkata, kui kõik jääbki nii nagu praegu."

„No sel juhul pead sa temaga rääkima. Ütlema täpselt, mida sa tunned ja kuidas sa vajad selles küsimuses tema abi ja tuge."

Noogutasin mõtlikult.

„See on oluline, Em. Praegu peaks olema su elu kõige õnnelikum aeg. Teil on ilus uus korter, te olete kihlatud ja peaksite plaanima pulmi. Praegu on sinu õnneaeg."

„Ma tean," laususin ohates. „Ma räägin temaga. Ma pean seda tegema. Aga kas ma võin siia jääda? Ainult täna ööseks?"

Seb noogutas ja läks kööki veel üht veinipudelit tooma, mina aga helistasin Adamile.

„Mida see peaks tähendama, et sa jääd sinna?" haukus ta telefoni.

„Ma ei taha sinuga vaielda," ütlesin väsinult. „Meil on palju rääkida ja on juba päris hilja. Ma tulen hommikul läbi, et end tööleminekuks valmis seada."

„See on absurdne," ütles Adam. „Sul pole mingit põhjust sinna jääda."

„Adam, ma olen väsinud, ja kui aus olla, siis mul on vaja natuke hingetõmbeaega, ainult täna õhtuks. Kell on juba kümme läbi, sa ei hakka ju mind igatsema."

„Vea end kohe koju," käskis ta ning lõpetas kõne.

Tundsin, kuidas kurgupõhjas kõrvetas ja silmad tõmbusid veekalkvele. Püüdsin kõigest väest pisaraid tagasi hoida, aga niipea kui Seb uuesti tuppa tuli, hakkasid need ojadena mööda põski voolama.

„Noo, mis nüüd lahti on?" küsis ta mind emmates, pudel veel käes. „Mis juhtus?"

„Ta lihtsalt … ei saa aru," pomisesin katkendlikult nuuksete vahel.

„Ole nüüd,"lohutas Seb. „Jää täna ööseks siia, ja homme hommikul tundub kõik parem. Ma luban."

„Ma ei saa … Ma pean koju minema …" kogelesin. Oleksin andnud kõik, et Sebi embusesse jääda – see tundus nii turvaline –, aga ma pidin koju minema. Adamil oli õigus.

Sellest on möödunud kaks päeva, ja ma pole ikka veel söandanud midagi öelda. Mitte sellepärast, et ma muretseksin, et võin eksida või et ma kardaksin, et Pammie saab teada, aga ma lihtsalt ei suuda ennustada, kuidas Adam sellesse suhtuda võib. Kas pole mitte jabur? Et ma ausalt ka ei tea, kuidas mees, keda ma armastan rohkem kui oma elu, sellele reageerida võiks. Ja probleem on selles: kui tahes kaua ma olen teda tundnud ja kui väga ma teda ka armastan – ma ei suuda iial konkureerida tema emaga. Nende vahel on eriline side, selline, mida pole võimalik murda ega isegi mõjutada.

„Emily, Emily!" Ma küll kuulsin teda hüüdmas, aga pidin enne vastamist veel kord sügavalt sisse hingama.

„Jah, Pammie?"

„Ole armas, pane teepott tulele. Mul kurk nii kuivab."

Olin sõna otseses mõttes just uksest sisse saanud. Mul oli mantel veel seljas ja ma olin läbimärg, kuna täpselt siis, kui ma rongist väljusin, oli hakanud paduvihma sadama. Pammie ilmselt kuulis, kuidas ma ukselukuga jändasin. Peab laskma korteriomanikul see korda teha, enne kui ukse taha jääme.

Lugesin kümneni ja sammusin kööki. Oleksin tahtnud kõik need kuramuse sööginõud kapist välja tõmmata ja põrandale puruks peksta. Kuid selle asemel asetasin ta lemmiktassi ettevaatlikult graniidist lauapinnale ja lõbustasin end mõttega, kui lihtne oleks manustada tsüaniidi.

„Oh, nii armas sinust," poetas Pammie, lohistades end vaevaliselt kööki, kuigi ma olin kindel, et ta oli tegelikult märksa kõbusam.

„Kuidas su päev läks?" küsis ta, kuid ei jätnud mulle aega vastata. „Näe, ma pesin eilsest õhtust jäänud nõud puhtaks." Ta võttis kätte lapi ja hõõrus sellega niigi säravpuhtaid pindu. „Kui sa jätad seesuguse asja liiga kauaks vedelema, on kõik kohad varsti igasuguseid kahjureid täis ja vaevalt see ka su korteriomanikule meeldiks. Tal on ilmselt selle Itaalia restoranigagi allkorrusel tükk tegemist. See segadus ja prügi, mida nad maja taha välja jätavad, on lausa šokeeriv. Varsti jooksevad neil rotid igal pool amokki."

Manasin näole sunnitud naeratuse. Mul oli pikk päev seljataga ja ma tahtsin vaid käia vannis, panna pidžaama selga ja vaadata diivanil logeledes telekat. Seks kihlatuga, esimest korda pärast pea nädala pikkust pausi – õigupoolest sellest ajast, kui ta oli mulle abieluettepaneku teinud – oleks samuti olnud mu soovitud tegevuste nimekirjas kõrgel kohal, aga kuna Adam oli töökaaslastega välja läinud ja meie voodis magas saatana kehastus, oli võimalus mingikski intiimsusehetkeks äärmiselt ebatõenäoline.

„Oi, su juuksed on teistmoodi," lausus Pammie, nagu näeks mind alles nüüd. „Mis sa nendega teinud oled? Oh ei, mulle see soeng küll ei meeldi. Ma eelistan seda teist varianti. Nagu su juuksed tavaliselt on."

„Ma jäin vihma kätte," ütlesin väsinult. „Märjalt lähevad need palju rohkem krässu."

Ta kihistas naerda. „Vaata, et Adam sind sellisena ei näe. Ta mõtleks, et millesse ta küll end mässinud on."

Mantel ikka veel seljas, kallasin endale külmikust pokaalitäie veini ja suundusin vannituppa.

„Kas selleks natuke vara ei ole?" oli viimane, mida kuulsin, enne kui ukse pauguga kinni lõin.

14

O otasin ärkvel, millal Adam koju jõuab. Olin tema emaga
terve õhtu pidanud võimuvõitlust tühiste pisiasjade üle.
Alates sellest, mida süüa õhtuooteks tee kõrvale kuni selleni,
kelle käes on televiisori pult – iga väikseimgi otsustamist vajav
olukord pani meid kontrolli pärast võistlema. See oli haletsus-
väärne ning meenutas mulle aega, kui olin puberteediea lävel tüd-
ruk ja sõdisin oma kümneaastase vennaga, kel oli raudne tahte-
jõud.

„Aga sa ju lubasid," vingus Stuart, kui vahetasin kanali „Blue
Peteri" peale. „Sa ütlesid, et ma võin täna õhtul „Byker Grove'i"
vaadata. Sa andsid oma ausõna."

„Ma pole midagi lubanud," urisesin vastu.

„Jah, lubasid küll. Sa vaatasid eile „Blue Peterit". Täna on minu
kord."

Ma vaid põrnitsesin teda. Noil aastail põrnitsesin ma üldse
palju. Mossis ilme näis saavutavat palju paremat tulemust kui mu
suust sageli segaselt välja kukkunud sõnad. Mu mõtted ja see, kui-
das need kõnes väljendusid, olid harva kuidagi omavahel seotud.

Täna õhtul olen ma taas halvas tujus ja tusatsen Pammiega,
keda olen otsustanud nüüd kutsuda Pamelaks, kuna see sobib talle

113

paremini: see ei kõla kaugeltki nii sõbralikult ja südamlikult. Ja ma juhtumisi tean, et ta vihkab, kui teda niimoodi hüütakse.

„Ma tahtsin täna õhtul üht saadet vaadata," lausus ta.

„Oh, mina ka," vastasin, sirutades salamahti käe meie vahel diivanil oleva puldi poole. „Mis saade see on?"

„„Briti suurimad pettused" või midagi sellist."

„Ahsoo, mul on üks draama." Sirvisin palavikuliselt kanaleid, otsides midagi, mis kõlaks või näiks vähegigi dramaatilisena. Vastumeelselt jäin pidama „Uhkuse ja eelarvamuse" kordusel, mis oli mu soovitust nii erinev, et kui Adam oleks seal olnud, oleks ta seda nimetanud oma „halvimaks unenäoks". Aga kuna me vedasime vägikaigast kõiges, oleksin ma hea meelega vaadanud ükskõik mida, peaasi et tema oma tahtmist ei saa.

„Kas sa ei tahaks magama minna?" küsis ta pool tundi hiljem, kui mu silmad hakkasid kinni vajuma ja haare puldi ümber lõdvenema, nii et ma tundsin, kuidas see aegamisi käest libises.

Ta hääl lõikas mul luust ja lihast läbi, äratades mu poolunest.

„Mida? Miks?"

Ta naeris. „Ilmselgelt oled sa väsinud. Mine magama, ma ootan Adami ära."

„Ta on kolmekümneaastane, Pamela," – nägin rõõmuga, et ta krimpsutas nägu – „kumbki meist ei pea tema pärast üleval olema, eriti tema ema."

„Mina ootasin oma Jimi alati ära," lausus ta.

„Ta oli su abikaasa."

„Ja varsti on Adam sinu abikaasa. See on abielunaise kohus. Ma ei läinud ühelgi ööl ilma temata magama."

„Ma oletan, et sa lõid end siis ka korralikult üles, oli nii?" pomisesin.

„Mida?"

„Sa pole vist märganud, aga ajad on sestpeale muutunud, kui sina abielus olid."

„Võta teadmiseks, noor daam, ma olen ikka veel abielus. Ja kui sa tahad, et su abielu pikalt kestma jääks, peaksid minu eeskuju järgima. Sa peaksid olema kuulekas. Sa ei tohiks üldse nii palju aega tööl veeta nagu praegu. Naise koht on kodus."

Hirnusin kõva häälega naerda. „Rääkides kodust, millal sina oma koju tagasi kavatsed minna? Homme saab sul siin juba nädal täis."

Ta püüdis mu põlvelt pulti kahmata. Aga ma jõudsin temast ette. See oli naeruväärne.

„Siis, kui Adam arvab, et see on hea mõte," nähvas ta.

„Adam? See pole tema otsustada."

„Me vestlesime sellest paar päeva tagasi." Ta hääletoon oli salakaval, ilmselgelt eesmärgiga anda mulle teada, et neil oli olnud jutuajamine, milles mina ei osalenud. „Ja ta ütles, et tal on kindlam tunne, kui teab, et ma olen siin, kus ta saab minu eest hoolitseda."

Aga ta ju ei hoolitse sinu eest, seda teen mina, mõtlesin sapiselt.

„Nii et kui Adam ja mina arvame, et mu tervis on piisavalt hea, siis lähengi koju." Ta haigutas ja vaatas oma käekella.

„Muidugi, Pamela. Lahku ainult siis, kui tunned, et oled selleks valmis. Ma ei taha mõeldagi, et sinuga võiks midagi juhtuda, kui sa üksi oled. Tähendab, sa võid ju igal ajal jälle meie seast lahkuda, nii et me peame olema ettevaatlikud." Sõna „lahkuda" juures imiteerisin sõrmedega jutumärke. Ma ei tea, kas ma ajasin tal harja punaseks *sellega* või kuna kutsusin teda jälle Pamelaks.

„On juba hilja. Mine voodisse. Ma ootan Adami ära," jätkasin.

„Sul on õigus. Ma peaksin tema kojutulekuni ärkvel olema. Ei või iial teada, mida ta võib vajada või tahta."

Pammie nägu seda küll ei reetnud, aga me mõlemad teadsime, et see punkt tuli mulle.

„Tubli tüdruk," lausus ta, krapsates diivanilt püsti.

Vaatasin, kuidas ta tõusis ja ringutas laialt. Adami ees poleks ta iial midagi sellist teinud, kartes näidata, kui ärgas ta tegelikult oli. Temast oli saanud meisterlik pettur, kes poja läheduses märkamatult muutis oma käitumist, olekut ja isegi häält – seda olin ma tähele pannud.

„Sa siis vaatad, et ta saab ilusti magama?"

Noogutasin.

„Ja kui ta on joonud, ära hakka jälle näägutama. Ta tohib vahetevahel end lõdvaks lasta."

Vaatasin teda ja raputasin uskmatusest pead. Juurdlesin, kas tema abielu Jimiga oli tõepoolest olnud selline, nagu ta kirjeldas. Ma ei suutnud teda kuidagi ette kujutada tuhvlialuse naisena, kes on kogu aeg valmis oma abikaasa iga soovi ja kapriisi täitma. Ta oli selleks liiga tugev karakter. Aga teisest küljest – võib-olla oli hoopis mehe kaotus ta nii tugevaks teinud? Ta pidi endast rohkem andma, et üksipäini kahe poja eest hoolt kanda. Ma ei kujuta ette, et saaksin ise samaga hakkama. Mõtlesin, et äkki sellest oligi tingitud see ebanormaalne side nende vahel. Side, mis tundus talle nüüd ohus olevat, kuna mõlemad ta pojad olid normaalses suhtes. Mul hakkas temast isegi natuke hale ja mingi osa minust soovinuks temaga rääkimiseks maha istuda ja öelda, et ma ei võta temalt ta poega ära. Et tal võib endiselt oma poja elus, *meie* elus, oma roll olla. See ei pea olema nagu köievedu, kus kumbki meist paistab püüdvat tõestada, keda Adam rohkem armastab. Kuid siis meenusid mulle kõik ta teod ja öeldud sõnad, see tarbetu valu, mida ta oli mulle põhjustanud. Meist oleks võinud saada sõbrad. Jeesus, ta oleks võinud saada endale ka tütre, kellegi, keda ta oli enda sõnul väga tahtnud. Aga see võimalus oli nüüd läinud – ainult tema enda süül – ja kui ta soovis, et asjad oleksid nii, siis olgu pealegi – ent ma ei kavatsegi lasta tal mind murda, eriti veel omaenda kodus. Ta peab lahkuma.

DVD-mängijal oli helendanud kellaaeg 12.24, kui seda viimati vaatasin, aga jumal teab, mis kell siis oli, kui Adam mulle järsku otsa kukkus, püüdes saamatult kingi jalast võtta.

„Jeesus Kristus," ütles ta vastuseks mu kiljatusele. „Mida sina siin teed?"

Tõusin diivanil istukile, pilk hägune, kael pinges ja kange. „Sind ootan, nagu tubli naisuke," laususin sosinal, ikka veel unesegane.

Ta oli kingad jalast saanud ja seisis mu ees pisut tuikudes. „Oi, see on sinust nii armas," suutis ta öelda. „Millega ma selle ära teeninud olen?"

„Küsimus pole niivõrd selles, mille sina ära teeninud oled, vaid mida mina vajan," ütlesin naljatlevalt, tirides teda püksirihmast enda poole. „Sellest on nii kaua aega möödas." Ta püksilukk oli mu näo kõrgusel ja hakkasin seda lahti tõmbama.

„Me ei saa," pomises ta loiult. „Ema võib siia tulla."

Kehitasin õlgu ja jätkasin.

„Tss, ei, Em. Tõsiselt, me ei saa." Ta kihistas nüüd naerda ja ma olin kindel, et saan oma tahtmise, sest teadsin, et temagi tahab seda.

„Sellest on peaaegu nädal," sosistasin ma, käed ikka ametis. „Kui kaua me peaksime veel ootama?"

Järsku kahmas ta mu kohmitsevatest kätest kinni ja hoidis neid paigal. „Ainult natuke veel. Kuni ema on korralikult jalule saanud."

„*Kui* kaua veel?" jätkasin ma, lükates ta käe eemale. „Ma tahan teada kuupäeva, midagi, mille nimel pingutada, tahan teada, millal me lõpuks oma korteri tagasi saame."

„Ma tean, et see on raske, Em, aga anna veel mõni päev aega."

„Kas siis pühapäeval?" käisin peale.

Ta kõhkles.

„Luba mulle, et pühapäeval, või ma jätkan."

„Ma ei saa sellele kõiki rahuldavat vastust anda." Ta naeris.

Võtsin ta peenise ümbert kinni ja tundsin, kuidas kogu ta keha tõmbus pingule.

„Issake," õhkas ta.

„Millal siis?" õrritasin ma. „Ütle, et pühapäeval, ja ma lõpetan." Lisasin tempot.

„Jeesus, Em."

„Pühapäeval ja ma lõpetan, või pühapäeval ja ma jätkan?" Tal oli õigus: kumbki tema vastus poleks kõiki rahuldanud.

Ta oigas mõnust, ja ma teadsin, et nüüd pole enam mingit võimalust, et ta palub mul lõpetada. „Tee edasi," sosistas ta. „Ära lõpeta."

Nii ma arvasingi. Selle kolmepoolse suhte dünaamikas peab toimuma mingi muutus ja kallis Pammie peab mõistma, et mina ja Adam võitleme koos kogu maailma vastu, koos võrdsetena ja nagu paar, kes me tegelikult oleme – mitte kaks eraldi isikut, kelleks tema meid oma moondunud, väärastunud mõtteis peab.

Ma poleks iial osanud arvata, et oma ingelliku poja nägemine minu suus võiks selle mure lahendada.

15

Pärast seda, kui Adami ema meile peale sattus, ei kuulnud me temast kolm nädalat midagi. Nähtavasti sai ta meid niivõrd häbiväärses poosis nähes šoki, mis põhjustas närvivapustuse ja emotsionaalseid kannatusi.

„Ükski ema ei peaks iialgi midagi seesugust nägema," olla ta dramaatiliselt pihtinud Jamesile, kes ütles seda meile, kui astus läbi, et arutada meie peatsete pulmade ettevalmistusi. Järsku olid hakanud asjad liikuma, sest Adam leidis Tunbridge Wellsis ühe kauni hotelli, mille juures oli ka kabel, ja kuna enne suve oli seal vaba veel vaid üks laupäev, otsustasime selle broneerida. Nüüd, kus kõige korraldamiseks oli jäänud vaid paar kuud, hakkas maad võtma paanika ja asju tuli lahendada minutitega, kuigi ma kujutasin ette, et poissmeesteõhtu plaanimine võtaks Jamesil ja Adamil kindlasti rohkem aega.

„Ma ei soovi seda teemat arutada," nähvas Adam, kui seisime kolmekesi köögis, kuulates Jamesi oma ema ülepakutud tundepuhangut ümber jutustamas. Püüdsin Adamile läheneda, aga ta tõrjus mu eemale ja suundus vihaselt magamistoa poole, jättes Jamesi ja minu sinnapaika.

Tegime nägusid ja püüdsime naeru tagasi hoida. Ta vasakusse põske tekkis naerulohk. „Mul on halb tunne, et naeran, aga kui ma ma ei naeraks, siis hakkaksin nutma," laususin.

James piidles mind üle kohvikruusi, naeratus silmis. „Oleks võinud hulleminigi minna."

Vaatasin talle otsa, nagu oleks ta segane. „Ee, kuidas täpsemalt?"

„Noh, ma ei tea," pomises ta. „Aga kindlasti on keegi kuskil olnud veel täbaramas olukorras."

„Ah nii, ja see peaks minu enesetunnet parandama, jah?" Ma naersin.

Ta tõstis sõrme suule. „Tss, vaata, et ta meid naermas ei kuule. See ajaks ta marru."

„Ta on juba piisavalt vihane," laususin vaikselt. „Ta on olnud kuri sellest ajast peale, kui see juhtus. Ta süüdistab mind, et mina alustasin."

„Nalja teed või?"

Raputasin pead.

„Noh, võib-olla peaks talle meenutama, et tangot tantsitakse ikka kahekesi?" James kergitas kulme.

Taipasin, et kõneleme sosinal ning ei tahtnud, et Adam arvaks, et me räägime teda taga, kuigi just seda me tegime.

„Nonii …" ütlesin valjult. „Veel kohvi?" Ma ei osanud midagi muud öelda. Ta tõstis oma pooltäis kruusi ja raputas pead. Tegin endale veel ühe tassi, paugutades sahtleid ja kapiukse.

„Kas sa oskad soovitada, mida teie emaga peale hakata?" küsisin siis, teades, et võisin minna üle piiri. Pigistasin silmad vidukile ja ootasin vastust.

„Ta saab sellest üle," lausus James tasaselt.

Ma naeratasin. „Ma ei usu, et see niipea juhtub. Sa ju tead, milline te ema on. Ta venitab sellega nii kaua, kui saab." Kahtlesin, kas oleksin ikka pidanud seda ütlema.

„Ta haugub kõvemini kui hammustab," kostis James pärast pikka pausi. „Küll ta võtab aru pähe."

Olin ärevusest hinge kinni hoidnud, kuid sain nüüd kergendatult hingata ja pinge õlgades taandus. Kui Adam poleks kõrvaltoas olnud, oleksin Jamesile kõik ära rääkinud. Keel sügeles ja mul oli kange tahtmine hingelt kõik välja laduda. Soovisin, et Adam oleks rohkem Jamesi moodi, siis oleks temaga lihtsam ta emast rääkida. James mõistaks, kuidas ma end tunnen, mis tundeid *see naine* minus tekitab. Ta toetaks mind ja oleks minu poolel, kui ta ema mind nurka üritab suruda. Ma tean, et James teeks seda.

Tal oli jälle see naeratus näol, justkui loeks mu mõtteid. „Emal on vaid veidi aega vaja, ei muud."

Mul polnud selle vastu midagi. Ärgu kiirustagu. Võtku nii palju aega, kui tal tarvis. Ega ma hakka ju temast puudust tundma. Kui aus olla, siis olin salamisi isegi rõõmus, et tema ja meie vahele oli mõningane distants tekkinud. Aga ma pean olema oma soovidega ettevaatlik, kuna sellest ajast peale, kui see kõik juhtus, oli Adami seksiisu täiesti kadunud. Teda oli pea võimatu ahvatleda millekski enamaks kui üheks kombeliseks musiks enne tööleminekut. Püüdsin end veenda, et see on vaid kokkusattumus, et ta on töö pärast pinges ja väsinud. Aga iga kord, kui meenutasin vaimusilmas Pammiet meid nägemas ja šokki, mida tundsin Adami keha halvavat, teadsin, et sel oli talle suurem mõju, kui oleksin osanud ette kujutada.

„Anna andeks, mul pole selleks tuju," lausus ta hiljem tol õhtul, kui kõndisin õõtsuval sammul uues pitsilises Victoria's Secretist ostetud aluspesus magamistuppa.

„Ja mis sa arvad, millal sul võiks selleks tuju olla?" küsisin tusaselt. „Kas lähiajal millalgi?"

„Mitte täna."

„Aga ma võin kõik su mured minema pühkida," õrritasin teda, pugedes voodisse ja püüdes teda puudutada.

„Lõpeta ära," nähvas ta, pööras mulle selja ja kustutas tule.

Mu tuju ei läinud sugugi paremaks, kui järgmisel hommikul andsid mu kaks praktikanti teada, et on haiged ja ei tule tööle. Teadsin, et üks neist pole just kõige usaldusväärsem, aga Ryan küll üllatas mind ja valmistas pettumuse. Ta päevakava oli kohtumisi täis, mistõttu pidin mina meie mõlema graafikutega žongleerima ja kuidagi imeväel viibima kahes kohas korraga.

Keskpäevaks tundsin, et pea suitses otsas. Mu boss Nathan tahtis, et osaleksin ühe uue äripakkumise esitlusel, ja klient, keda olin püüdnud nädalaid ära rääkida, oli sõlmimas lepingut konkureeriva agentuuriga. Paratamatult pidin needki oma päevakavva mahutama.

Mu mobiil oli helisenud vähemalt kolmkümmend korda ja mu stressitase tõusis iga kõnega.

„Jah, Emily Havistock," haugatasin kavatsetust veidi agressiivsemalt.

„Kas asi on tõesti nii halb?" lausus mehehääl.

„Kuidas palun? Kes helistab?" Number oli tundmatu ja ma hakkasin juba kahetsema, et vastasin. Mul polnud aega mingi suvalise helistajaga tegeleda.

„James," kõlas vastuseks.

Ootasin, et midagi koidaks. „Vabandust, James ...?"

„Adami vend," lausus ta kõhklevalt.

„Oih," ütlesin ma, „anna andeks, ma püüdsin töölt mõnda Jamesi meenutada. Tere, kuidas sul läheb? Olen tööl ja Adam pole praegu minuga, kui tahad temaga rääkida. Kas Pammiega on midagi? Kas temaga on kõik korras?" Mu jutt oli seosetu, sest peast käis läbi miljon eri stsenaariumi.

„Jah, emaga on kõik korras. Kõik on okei."

Ootasin midagi enamat, aga ta pani mind selle nimel pingutama. „Kuidas siis läheb?" küsisin. „Kas sul on kõik hästi?"

Jamesiga telefoni teel vestelda tundus veider. Sõnumeid saates oli see kuidagi teistmoodi. Meie senine lihtne sõprus tundus nüüd minevat üle piiri.

„Jah, minuga on kõik hästi." Ta venitas jutuajamist. Ja ma ootasin, teadmata, mida järgmiseks öelda.

„Lihtsalt et … ee … Ma olen siin sinu kandis ja mõtlesin, et äkki sul on natuke vaba aega üheks kiireks kohviks?"

„Mida?" Ma pole kindel, kas ütlesin või mõtlesin seda.

„Halloo?"

„Ee, jah, tere."

„Ma ei saanud aru. Kas see oli jah või ei?"

„Aa … Kahjuks ma olen praegu Canary Wharfis. See oleks mulle väga meeldinud, aga täna ma lausa upun töösse. Kohtumine kohtumise otsa. Meid piitsutatakse siin päris korralikult." Kuulsin, kuidas ma tehtult naersin, püüdes meeleolu tõsta. Kahtlesin, kas ta tunneb mind piisavalt hästi, et sellest aru saada.

Mõtlesin mehest liini teises otsas. Olin teda ikka ette kujutanud jalgupidi mullas, rehitsemas lillepeenart ja pühkimas käsi määrdunud halli T-särki, mis oli kunagi olnud valge. Näojooned nii Adami moodi, aga nooremad, teravamad, rohkem välja joonistatud. Sõrmeküüned kaetud paakunud mullakihiga, kui ta laubalt juukseid eemale lükkab.

Nüüd aga oli ta siin, kohas, mida ta oli nimetanud betoonist metropoliks. Arvasin, et ta pole eriline linna fänn – mida ta siis nüüd siin teeb? Ja kas ta on ülikonnas, kõndides läbi pilvelõhkujatest labürindi ja ihaldades üha enam naasta rohelistele karjamaadele, mida tegelikult jumaldab?

Taibates, et olin temast fantaseerinud, ja ilmselgelt mitte esimest korda, punastasin.

Kogelesin haigutavasse vaikusse: „Ee… äkki mõni teine kord?"

„Jah, muidugi, pole probleemi," lausus ta kiiresti, ent hääletoon reetis piinlikkust ja meeleheitlikku soovi kõne lõpetada.

Ütlesin temast jäänud vaikusse head aega ja seisin nagu soolasammas Cabot Square'i nurgal külma vihiseva tuule käes, jõllitades segaduses oma telefoni.

Püüdsin keskenduda tööle, kuid ei suutnud peast heita üht mõtet, mis pani mind kukalt kratsima. *Ma olen siin sinu kandis …?* Kas ta on siin juhuslikult või on see pigem plaanitud? Ja kui see on plaanitud, siis miks?

16

Ma ei tea, miks ma ei öelnud Adamile, et James oli mulle helistanud. Tundsin, et peaksin seda mainima, aga kas olnukski tegelikult midagi öelda? Nagu James ütles – „pole probleemi". Ent siiski: kui Adam oleks helistanud Jamesi kallimale, niisama ehku peale, lihtsalt sellepärast, et sattus tema kanti, oleksin arvanud, et see tähendab nii mõndagi. Sain väga hästi aru, et siin oli tegu kaksikmoraaliga.

Sama täiskasvanulikult olin püüdnud kolm nädalat alates „juhtunust" suhtuda ka sellesse surnud seisu, mis ikka veel minu ja Pammie vahel valitses. See, mis juhtus, oli muidugi kahetsusväärne, aga kui ma selle üle põhjalikumalt järele mõtlesin, siis mõistsin, et Adami ja ta ema jaoks oli asi palju tõsisem kui minu jaoks. Jah, mul oli häbi, aga ma olin kõigest ettur kahe tule vahel. Kui, jumal hoidku selle eest, olukord oleks olnud vastupidine ja *minu* ema oleks näinud seda, mida Pammie nägi, oleksin täiesti murtud. Niisiis, kuigi ma kahtlesin sügavalt, et temast võiks kunagigi saada mu lemmikinimene, otsustasin, et püüan anda oma parima ja üleelatu talle heastada, kui on õige aeg. Aga ma poleks osanud arvata, et saan oma äsja loodud filosoofiateooriat juba nii ruttu katsetada.

Leppisime kokku, et läheme järgmisel pühapäeval ühte Seven-oaksi kalarestorani lõunat sööma. „Minu arvates oleks parem, kui kohtuksime neutraalsel territooriumil," ütles Pammie. Tema suust kõlas see nii, nagu oleks tegemist kahe riigipea kohtumisega, kes püüavad ära hoida kolmandat maailmasõda. Niisiis tegime, nagu kästud – nagu me alati teeme – ning läksime kohtuma Loch Fyne'i, mis asub High Streeti kõrvaltänaval. Parkisime auto Marks & Spenceri taha parklasse ning kui sõidukite vahelt läbi kõndisime, pani Adam mulle käe piha ümber. See oli üsna tavaline žest ja ta oli seda varem sadu kordi teinud, aga kuna me polnud juba pea kuu aega intiimelu elanud, jooksid mul tema puudutusest erutusvärinad üle keha. *Ma proovin uuesti, kui koju jõuame*, mõtlesin endamisi. Aga sa ei saa ju lõputult end pakkuma jääda, kui tead, et sulle korvi antakse. Manan küll näole sunnitud naeratuse ja teen näo, nagu poleks see oluline, kui surun ta kaisutuseks enda vastu neil harvadel juhtudel, mil ta seda teha laseb. Aga see on oluline. See teeb päriselt haiget, ja taas on kõik selle naise süü.

Ümber nurga minnes tabas mind ootamatult jahe tuuleiil ja ma tõmbasin mantlihõlmad tihedalt koomale, olles tänulik nii mantli kui ka selle all oleva paksu kootud kampsuni eest. Mu väljanägemine polnud nüüd just kõige glamuursem, aga ma ka ei tundnud end karvavõrdki glamuursena. Ma polnud vaevunud hommikul isegi pead pesema. See olnuks samahästi šampooni ja palsami raiskamine, sest Pammie poetaks niikuinii mõne naeruvääristava kommentaari, olgu mu juuksed rasuses hobusesabas või langegu säravad vetruvad lokid kaskaadina õlgadele.

Kuigi me jäime viis minutit hiljaks, teadsin ma, et teda pole kohal. Ta ei tule kunagi õigeks ajaks. Talle meeldib oma saabumisega tubli viisteist minutit viivitada, et ühelt poolt tagada endale

kõikide tähelepanu ja teisalt säästa end piinlikkustundest üksi-
päini oodates. Pammiel on palju trikke varrukast võtta ja ma olen
neist nii mõnelegi juba pihta saanud, ent kujutan ette, et oleksin
siiski šokeeritud, kui kunagi kõik need teada saaks.

„Kas me kavatseme juhtunust ka rääkida?" küsisin Adamilt,
kui ülemkelner ta mantli võttis. Enda oma jätsin esialgu selga, et
pisut üles soojeneda.

„Ei," oli ainus sõna, mis ma vastuseks sain.

„Aga kas sa ei arva, et sellest peaks ..."

„Issand jumal, Em. Jäta see rahule. Ema on juba piisavalt läbi
elanud. Ma olen kindel, et talle pole seda surkimist vaja. Ja ma
tean, et minul pole seda kohe kuradi kindlasti vaja."

Oh seda rõõmu! Mind ootas ees kaks, võib-olla koguni kolm
tundi vangistust nende kahe vahel – ühel pool naine, kes ei salli
mind silmaotsaski, ja teisel pool kihlatu, kes ei talu mu lähedust.
Alles siis, kui veidi eraldatud laua taga istet võtsime, torkas mulle
pähe, et võib-olla ühineb meiega ka James, et oma vaest kannata-
vat ema toetada. Suurepärane – kas saaks veel hullemaks minna?

Nagu kellavärk, veerand tundi kokkulepitud ajast hiljem, astuski
sisse Pammie, näoilmes peegeldumas keeruline segu armastusest
ja vihast. Adam sai temalt tervituseks ülevoolava kallistuse.

„Oh, kullake, nii tore sind näha, ma hakkasin juba mõtlema ..."
Pammie jättis lause pooleli ning vaatas maksimaalse efekti saavu-
tamiseks kurbade silmadega põrandale.

„Ja Emily?" lausus ta mulle, justkui üllatunud faktist, et ka mina
seal olin. „Pole ammu näinud." Ta hääletoon oli kalk ja ta oli pea
minust juba eemale pööranud, kui nentis: „Aga sa näed hea välja.
Oled pisut juurde võtnud, ent seda oligi tõesti tarvis."

Andsin Adamile kehakeeles märku, lootes, et ta märkab mu
kimbatust ja aitab mind kuidagi, kuid ta raputas vaid peaaegu
märkamatult pead ja vaatas uuesti emale otsa.

„Tegelikult ei ole, ilmselt see lohmakas mantel ja kampsun jätavad niisuguse mulje," laususin kampsunit rinna eest sakutades, justkui tõestamaks, et see on mulle suur, aga need kaks rääkisid juba millestki muust.

Kolm pokaali Pinot Grigiot hinge all, ja asi läks ainult hullemaks. Tundus, nagu kuulunuks nad mingisse kinnisesse klubisse, mille liige mina polnud.

„Oh, kas sa mäletad, kui te Jamesiga leidsite Whitstable'i rannas need krabid?" Pammie naeris.

Adamil oli suu kõrvuni. „Me kirjutasime oma nimed krabide seljale ja lasime neil võidu joosta."

„Just nii," lausus Pammie ülepakutud naeruhoos.

„Minu oma ei võitnud kordagi," ütles Adam.

„Kas teil ei olnud seal mitte üks ilmatuma suur nagin millegi pärast?" küsis Pammie. „Mäletan, et James nuttis terve kodutee."

Adam pööritas silmi. „Kas sa siis ei mäleta? Ta oli täiesti endast väljas, sest me läksime mere äärde ämbreid täitma ja kui tagasi jõudsime, oli tema krabi täiesti sodi."

Pammie noogutas aeglaselt. „Tuleb meelde jah. Aga ma ei saa siiamaani sotti, mis seal võis juhtuda."

Adam naeris. „Ilmselt tõi tõusulaine mõne kivi randa ja lömastas ta. Vastasel juhul oli tegemist täiusliku mõrvaga …"

Adam vaatas minu poole. „Ja ma pole sellest ajast peale ühtegi krabi söönud."

Naeratasin sunnitult.

Püüdsin endale sisendada, et ta tegi seda teatrit selleks, et suhe emaga taas rööpasse saada – aga kuidas on lood *meie* suhtega? Kas ka see ei vajanud päästmist? Sellest ajast, kui ta ema meile peale sattus, polnud me omavahel peaaegu üldse rääkinud, liiatigi veel intiimselt koos olnud, ja see kõik hakkas mul hinge närima ... näks-näks, näks-näks. Meie vahel oleks kõik täiuslik, kui vaid see naine käituks normaalselt, nagu ühele emale kohane.

Neljanda pokaali juures, umbes siis, kui Pammie hakkas Adamiga arutama, mida Linda pojale Ewanile kahekümne esimeseks sünnipäevaks kinkida, hakkasin juba tigedaks saama.

„Mis sa arvad, kas üks kena rahakott võiks talle meeldida?" päris ta Adamilt, mitte minult. Ta polnud minu poole pärast mu kaalu kommenteerimist kordagi vaadanud, ja isegi siis, ma arvan, ta tegelikult ei näinudki mind. Kui oleks näinud, oleks ta ehk märganud, et ma olin hoopiski alla võtnud – aga selle üle ei saaks ta ju ilkuda.

„Ma arvan, et tal oleks selle üle väga hea meel. Kui igaüks panustab viiskümmend naela, siis, ma usun, võime talle osta midagi korralikku, näiteks Paul Smithi," lausus Adam.

„Hea küll," ütles Pammie elevusest õhku ahmides. „Ma panen viiskümmend naela, sa pane viiskümmend ja Jamesi osa me veel vaatame, sa ju tead, et ta ei teeni nii palju nagu sina."

Ta rääkis demonstratiivselt ainult Adamiga.

„Loomulikult mina panen ka kakskümmend viis," sekkusin. „Pool Adami osast, sest et, noh, see on meie mõlema poolt."

Pammie vaatas mind tõelise põlgusega. „Aitäh, kallis, aga see pole vajalik. See kingitus on meie perelt." Ta naeris lühidalt ja pööras taas pea Adami poole.

„Mina kuulun samuti perekonda," sisistasin. Teadsin, et olin joogiga liiale läinud, sest mu suu justkui polnud enam minu oma. Mu huuled liikusid, aga ma ei suutnud kontrollida, mis nende vahelt välja tuli.

„Las olla, Em. Ma panen meie mõlema eest," lausus Adam.

„Ma ei taha, et sa minu eest paned," laususin seepeale, rõhutades sõnu „minu eest". „Kui minu nimi tuleb kaardile, siis ma tahan ikkagi oma panuse anda."

Pammie turtsatas ja vaatas kõrgilt minu poole. Ta raamideta prilliklaasid istusid päris nina otsas, nii et ta nägi välja nagu koolidirektriss.

„Okei." Adam ohkas. „Tee, nagu tahad."

„Minu meelest on see naeruväärne," torkas Pammie. „Sa vaevu tunned teda, niisiis ei peaks sa oma kukrut kergitama, kuna tegemist pole isegi sinu pereliikmega."

„Kuid Adami pere *on* ka minu pere." Paistis, et mul polnud oma hääletugevuse üle mingit kontrolli. „Me abiellume kahe kuu pärast ja minust saab proua Banks." Pammie võpatas järsult. „Järelikult me oleme kõik üks pere."

„Ema, kui ta tahab seda teha, siis olgu pealegi," ütles Adam. *Just! Aitäh, Adam!*

„Noh, ma lihtsalt arvan ..." alustas Pammie, ent ma tõstsin tõrjuvalt käe, andes märku, et ta vait jääks.

„Ja kui me juba alustasime," laususin, „siis kas kellelgi meist pole julgust rääkida elevandist toas?"

„Nüüd aitab, Emily," ütles Adam karmilt.

„Millest nüüd aitab, Adam?" Üritasin nii väga jääda tasakaalukaks, end kontrollida, aga tundsin, kuidas minusse nädalaid kuhjunud viha tahtis välja purskuda. „Kas su emal on õrna aimu, milline meie suhe need paar viimast nädalat olnud on? Sellest peale, kui ta „avastas" meid tegemas seda, mida enamik normaalseid paare teeb." Varem ma vihkasin seda, kui inimesed rääkimise ajal sõrmi jõnksutades jutumärke imiteerisid, aga praegu ei suutnud ma sellele vastu panna.

Pammie turtsatas vastikusest, ja Adam haaras mul küünarnukist. „Vabanda, ema," ütles ta ning lausa tiris mu püsti ja laua tagant välja. „Ma ei tea, mis tal hakkas. Ma tõesti palun vabandust."

„Armunud paarid teevadki seda," laususin mõnitavalt, raputades käe Adami haardest lahti. „Äkki mäletad ka ise ..."

„Emily!" röögatas Adam. „Aitab."

Ta pigistas mu kätt. „Anna andeks, ema," kuulsin teda pugejalikult kordamas – ta ju püüab alati oma emale meele järele olla. „Kas saad ise koju?"

„Muidugi," vastas Pammie, ajades meid käeviipega laua juurest minema. „Ma saan hakkama, sul on piisavalt õiendamist. Ära minu pärast muretse, vaata, et saad ta turvaliselt koju viidud."

Adam naeratas emale pingutatult, nügides mind ukse suunas. „Ma helistan sulle, kui koju jõuame," lausus ta. Ahvisin teda grimassitades järele ja pöörasin pea sinna, kus istus mu tulevane ämm. Eeldasin, et näen haledat ilmet, sellist, mis tal Adami jaoks alati varuks oli, et anda pojale märku, kui haavunud ja haavatav ta on. Aga *poeg* ei vaadanud tema poole, *mina* vaatasin. Seega manas ta aeglaselt näole hoopis laia irve ja kergitas pooltäis punaveiniklaasi.

Mulle ei meenu, et oleksime sõnagi lausunud, enne kui koju jõudsime ja Adam välisukse avas ning ütles: „Sa oled purjus. Mine üles ja rahune maha."

Jah, ma olin kergelt vintis, olin joonud ühe või kaks klaasi rohkem kui oleksin pidanud, aga ma polnud öelnud midagi, mida poleks tahtnud öelda. Kui oleksin olnud kainem, oleksin võib-olla olukorrale lähenenud pisut teisiti, aga nüüd oli kõik nii, nagu oli, ja ma ei kahetsenud mitte üks raas. Ainus, mis mulle juhtunu juures tuska tegi, oli see, et taas jäi minust õela tülinorija mulje, samas kui Pammiet ei kõigutanud tema troonil miski.

17

A dam ei rääkinud minuga kolm päeva ühtegi sõna, kui välja arvata vabanduse ühmamine vannitoauksel kokku põrgates. Ja kui jää lõpuks murdus, ei toimunud meie vahel olulist avameelset jutuajamist, ehkki just seda olnuks meil meeletult tarvis, vaid hoopis: „Mida sa täna õhtusöögiks tahaksid?"

„Mul ükskõik. Tahad, tellime midagi kuskilt kaasa?"

„No olgu. India või Hiina toitu?"

Nii me vähemalt suhtlesime jälle. Mul ei olnud plaaniski tema ees millegi pärast vabandada ja tundus, et ka tema polnud valmis minult andestust paluma, seega olime päris alguses tagasi.

Vahetasime söögi ajal viisakusi, aga kogu olemine tundus kohmetu, olime nagu kaks võõrast pimekohtingul. Ta ei pööranud oma kanaga *chow mein*'ilt hetkekski silmi, kartes, et me pilgud võivad kohtuda.

„Kuidas Jasonil ka tööl läheb?" küsisin. Olin küll rohkem huvitatud tollest uuest neiust Rebeccast, aga selle teema tõstatamine tundus ohtlik, niisiis jäin turvalise valiku juurde.

„Ma arvan, et hästi," lausus Adam. „Paistab, et ta on end käsile võtnud, nii et eks näis. Ja Ryanil? Kuidas temal?"

„Paremini, õnneks. Ta on tubli poiss ja minu arvates on tal päris palju potentsiaali, aga ta on noor ning ei saa sellest veel hästi aru. Kahju muidugi, sest ma kardan, et ta võidakse üle parda heita veel enne, kui on näha, milleks ta võimeline on."

Meie vahel võttis maad sügav vaikus, kuna me mõlemad juurdlesime, mida järgmiseks öelda.

„No ja mida me siis mu ema asjas ette võtame?" küsis ta.

See tabas mind kui välk selgest taevast. Ma ei oodanud, et ta selle teema üles võtab ja mul vajus suu lahti, kuigi püüdsin kõigest väest oma jahmatust mitte välja näidata.

„On ju täiesti selge, et midagi peab muutuma. Ma ei saa enam niimoodi jätkata, nagu teie vahel asjad on. Ilmselgelt on sul temaga mingi probleem – või on sul probleem iseendaga? Äkki tema ainult toob su halvimad küljed esile?"

Ohkasin raskelt.

„Sa ei saa ju eitada, et midagi on viltu," jätkas ta. „Sa lähed tema juuresolekul või isegi siis, kui temast ainult juttu tehakse, alati nii pingesse. Iga kord, kui mainitakse tema nime, on mul tunne, nagu kõnniksin ohtlikult õhukesel jääl. Sinu hoiaku pärast tunnen end halvasti, kui tahan teda näha või temaga üksnes rääkidagi."

„Sa ei näe, milline ta on," laususin vaikselt.

„Nii palju kui mina näinud ja kuulnud olen, on ta sinu vastu alati olnud väga kena. Miks ta ei peakski olema? Tema arvates oled sa suurepärane. Ta on seda kogu aeg arvanud."

„Sa lihtsalt ei saa aru."

Adam lükkas oma taldriku eemale ja pani käed laual risti. „Noh, aga selgita siis mulle. Ta on alati sinuga arvestanud, kas pole? Kas ta pole teinud kõik, et tunneksid end nagu meie pere liige?"

Turtsatasin naerda. Ma ei tahtnud kõlada sarkastiliselt, aga nii see välja kukkus.

Ta mühatas tõredalt. „Näe, jälle hakkad pihta. Milles siis täpselt probleem on?"

Ma ei osanud seda endalegi selgitada, liiatigi siis talle nii, et see poleks kõlanud tühisena.

„Olgu, ma toon sulle ühe näite." Ragistasin ajusid, et meenutada mõnd lihtsamat juhtumit, ent midagi ei tulnud pähe. „Ee ..."

Ta vaikis viisakalt kogu selle aja, mil ma mõtlesin, kuid ma hakkasin juba ise ka kahtlema, kas mul ongi midagi tõsiseltvõetavat öelda.

„Hüva, no näiteks eelmisel pühapäeval seal kalarestoranis lõunal."

„Jeesus, kuidas ma suudaks seda unustada? Sa tegid meil margi täitsa täis."

Hingasin sügavalt sisse. Pidin säilitama külma närvi. Pidin oma käitumist põhjendama ladusalt ja tabavalt, et mul oleks mingitki lootust panna teda mõistma, mida ma öelda tahan.

„Noh, kohe kui ta sinna jõudis, tegi ta ebameeldiva märkuse mu kehakaalu kohta." Tõmbusin seda öeldes piinlikkusest kössi. Mu jutt kõlas nagu mõnel kooliplikal.

„Oh, jumala pärast, Em. Sa ei mõtle seda ometi tõsiselt? Enamik emasid ju teebki nii? Kas sellise suurusjärgu probleemist me siin räägimegi?"

Naeratasin, mõeldes oma emale, kes manitses mind, kui tahtsin teist toiduportsu lisaks, ja surus seda mulle peale, kui ma ei tahtnud. Aga siis võtsin end kokku. Pammie pole *minu* ema.

„Sinu peol käsutas ta kõik perekonnafoto jaoks rivvi ja palus minul pilti teha." Tegelikult tahtnuks ma Adamile öelda, et minu arust oli ta ema minestamist suurepäraselt teeselnud, aga kui ma eksiksin, ei räägiks ta minuga enam iial. Pealegi polnud mul vähimatki võimalust tõestada, et ma *ei* eksinud.

Ta vaatas mulle tühja pilguga otsa. „No ja siis?"

„Mind ta sellele pildile ei kutsunud."

„See oli ainult üks pilt." Adam vaatas mulle uskmatul pilgul otsa. „Seal oli palju sagimist, palju inimesi ... Kindlasti oli peol teisigi pereliikmeid, kes jäid pildilt välja, aga selles polnud midagi tahtlikku."

„Aga ta palus mul pildistada," kurtsin, tundes end juba lüüasaanuna.

„Sa oled sellest ju üle, eks?" lausus ta küsivalt. „Isegi kui emal on oma väiksed vead – ja usu mind, ma tean, neid tal on –, siis kas sina ei võiks paremini käituda? Et me saaksime oma eluga edasi minna, ilma et sa teeksid igast tema sõnast või teost suure numbri. Ja ma ei tee nalja, Em, aga sinu suust kõlab see kõik nii, nagu hauks ta sinu vastu mingit suurt vandenõud. Jumala pärast, ta on üle kuuekümne aasta vana. Mida ta sinu arvates teha kavatseb? Sind jälitada ja vihmavarjuga surnuks peksta?"

Ma lihtsalt pidin naerma. Tal oli õigus, mu jutt jättis minust haletsusväärselt ebakindla ja ebaküpse inimese mulje, ja selline ma ometi pole. Ma olen naine, kes suudab igas olukorras ise hakkama saada, enda eest seista, vastasele söakalt vastu hakata. On ju nii?

„Kas lubad, et annad talle võimaluse?" küsis Adam. „Minu pärast?"

Tõstsin pea ja noogutasin talle silma vaadates.

„Adam?" ütlesin malbelt. Seepeale vaatas ta mulle otsa, vaatas päriselt. Tundsin, kuidas ta terased silmad minusse puurisid. Mul hakkas kõhus keerama ja ma tundsin, et lõin õhetama – see meenutas mulle meie esimest vahekorda, mil mu meeli valdas ärevus ja ma olin nagu üks suur puperdava südamega närvipundar. Mul käis tol korral peast läbi mustmiljon stsenaariumi, mis kõik võib juhtuda, ja igaüks neist oli eelmisega vastuolus.

Mõtlesin taas neidsamu mõtteid, kui ta mind niimoodi ainiti silmitses, ent nüüd tundus mulle, et eksimise korral on kaotada palju rohkem. Nüüd pole enam see tormiline aeg, mil üks armulugu läks sujuvalt, ilma millegagi riskimata järgmiseks üle. Nüüd on kaalul minu tulevik – meie tulevik – ja sellega tuleb ettevaatlikult ümber käia.

Ta suunurgad kerkisid, ainult pisut, andes mulle ammu oodatud märguande.

Tõusin püsti, küünitasin üle laua, et teda huultele suudelda, ja kõndisin sõnagi lausumata toast välja.

Ta pobises midagi, ent ma ei tahtnud mingeid vabandusi kuulda. Tahtsin, et ta minuga armatseks. Mul oli *vaja*, et ta minuga armatseks.

Selleks ajaks kui tema magamistuppa jõudis, olin mina juba riidest lahti, seljas vaid must pitspesu, mille ta oli mulle eelmisteks jõuludeks Agent Provocateuri pesupoest ostnud. Ta näole ilmus lai naeratus – või tähendas see ilme midagi muud, ma pole päris kindel –, kui kõndisin tema poole, üksik öölamp heitmas üle toa sooja valguskuma.

Mu süda tagus ja tahtis rinnust välja hüpata nagu kogenematul tütarlapsel, kes on esimest korda intiimvahekorda astumas. Mulle tundus, et liikusin aegluubis, justkui mu keha oleks valmistunud ohtlikuks võitle-või-põgene olukorraks, valmis reageerima korvisaamisele, mis mind kohe-kohe ähvardas. Kas me suudaksime sellest üle saada, kui ta mu jälle tagasi peaks lükkama? Ma ei tahtnud eriti riskida, ent samas mõistuse hääl käskis tungivalt jätkata, saamaks selgust, kas meil on võimalik edasi liikuda, saada taas armastajapaariks, nagu me enne olime.

Ta tuli aeglaselt mulle lähemale, ja kui me juba vastakuti seisime, võtsin ta pea oma käte vahele, pehme lühike habe kõditas mu peopesi, ning vaatasin talle sügavalt silma.

„Kas kõik on hästi?" küsisin sosinal.

Ta noogutas. „Ma loodan. Ma lihtsalt ei tea, kas ..."

Panin sõrme ta suule. Suudlesin teda, algul õrnalt, siis kirg-likumalt, vastates ta tungivale vajadusele. Langesime voodile ja ma tundsin teda, kui tirisin teda pükstest, püüdes neid lahti nööpida. Mu pähe oli kuhjunud nii palju mõtteid, paisutades asja suuremaks, kui see oleks pidanud olema – tahtsin meeleheitlikult ületada seda haigutavat kuristikku meie suhtes, mis oli olnud ju täiuslik. Seks pole kõik, ma tean seda, aga olles intiimse läheduse kaotanud, tekkis paratamatult hulganisti muidki kõhklusi. Olin seadnud kahtluse alla oma atraktiivsuse, oma võime teda erutada, juurdlesin, kas tal ehk on keegi teine. Mul oli nüüd vaja temaga üheks saada iseenda pärast, ja tema pärast – et me mõlemad teaksime, et kõik saab korda.

Ta teadis juba enne mind, et seda ei juhtu.

„Jäta järele," ütles ta, lükates mu eemale.

„Lõdvestu," sosistasin, täis otsustavust jätkata.

„Ma ütlesin, jäta järele." Me mõlemad tundsime ta ängistust.

Tahtsin küsida, mida ma valesti teen, aga see oleks kõlanud nagu mõne täiskasvanuks saamisest pajatava B-kategooria filmi näitlejanna suust. Pidin end näitama enesekindlana, isegi kui ma end nii ei tundnud.

Lähenesin talle uuesti. „Kas sa tahad, et ma prooviks ..."

„Kurat küll, Em," nähvas ta. „Kuidas ma saaksin seda sulle veel selgemalt öelda? Seda ei juhtu."

Sisimas varisesin ma kokku, kõik mõtted endast kui veetlevast, seksuaalsest naisest purunesid miljoniks killuks. Täielik läbikuk-kumine. Varem oli me voodielu alati väga lihtne, me olime täiesti ühel lainel ja me mõlemad teadsime, mida teha ja millal. Mitte keegi polnud minus varem tekitanud selliseid tundmusi nagu Adam ja tema väitis minu kohta sama – kuidas siis nüüd kõik nii valesti läks? Ma pidin selle korda ajama.

Veel viimane katse, istusin talle kaksiratsi peale.

137

„Jeesus Kristus!" karjatas ta, tõugates mu eemale, hüppas siis voodist püsti ning tõmbas kiiruga bokserid jalga. „Millisest sõnast sa aru ei saanud?"

Tardusin ehmatusest soolasambaks.

„Lõdvestu ... Kas sa tahad, et ma prooviks ..." tegi ta mind järele, tammudes närviliselt mööda tuba ringi.

„Aga me peame ju ..."

„*Meie* ei pea midagi!" Ta sülitas. „See pole sinu probleem, vaid minu. Nii et lõpeta see tänitamine, mida *meie* peame tegema ja mida *meie* peaksime proovima."

Ta sülg pritsis mulle näkku ja ma tõmbusin tagasi. Ma polnud teda kunagi varem sellisena näinud.

Vangutasin tuimalt pead. „Ma püüan vaid aidata," laususin vaevu kuuldavalt.

„Aga ma ei vaja su abi. Mul oleks kuradi imet vaja!" Ta lahkus toast ja lõi ukse nii raevukalt kinni, et uksepiit vajus seina küljest lahti.

Istusin tummaks lööduna paigal. Mu silmad kipitasid ja ma olin enda peale tige, et olin olnud nii isekas. Asi polnud minus. Asi oli temas.

Meenutasin viimast korda, mil olime püüdnud intiimselt lähedased olla – see oli siis, kui Pammie meie juures peatus. Mulle meenus, kuidas ta minust õudusega eemale põrkus, kui ema teda nimepidi hüüdis nagu õpetaja, kes noomib üleannetut koolipoissi. „Adam! Mida sa ometi enda arust teed?" kiljatas Pammie.

See, et ta meile peale sattus ja nägi, mida nägi, oli põhjustanud Adamile justkui füüsilist valu. Võib-olla nii oligi, aga veel nüüdki, kui see valu on juba kindlasti kadunud, on vaimne tõke ikka alles, ja sellest üle saada on tunduvalt raskem.

18

Ma ei arvanud, et James uuesti helistab, aga nädal pärast tema esimest kõnet oli ta taas enda sõnul siit „vaid mööda minemas" ja kuna mul oli pool tundi vaba aega ning suur himu teada saada, mida ta tegelikult tahab, nõustusin temaga kohvile minema.

Seadsime end sisse ühe kitsukese Villiers Streetil asuva Türgi kohviku nurka, mille aknad olid toasoojuse ja õuekülma vastastoimel tekkinud veeaurust uduseks tõmbunud. Mind häiris, kuidas mees leti taga pidevalt tellimusi välja hõikas. Kes sööb kolmapäeva hommikul kell 11 kebabi? Aga vähemalt hajutas see mu tähelepanu sellelt veidralt intiimsustundelt, mida Jamesiga koos viibimine tekitas. Korrutasin endale, et temast saab peagi mu mehevend ja seega on temaga suhtlemine täiesti normaalne, ent see tundus siiski vale. Kas selline tundmus valdas vaid mind või tundis temagi nii?

„Noh …" alustas ta, enne kui jõudsin öelda sama. See näis olevat ainuvõimalik sõna alustamaks vestlust, mille kulg oli täielikult tema kätes. Kuigi nüüd paistis, et isegi tema ei teadnud, kuhu see tüürib.

„Kuidas läheb?" küsis ta.

„Hästi, jah, väga hästi," vastasin liigagi rutakalt. „Aga sul? Oled ikka veel Chloega? Kõik sujub?" Ma ei tea, miks mainisin ta kallimat – naist, keda ma polnud isegi näinud – enne tema töö kohta küsimist. Või miks ma ütlesin ühes lauses nii mitu korda „hästi". See sundimatus, mida Jamesi seltsis alati tundsin, oli asendunud kõhedust tekitava pingega, nii et meie tavapärase aasimise asemel oli nüüd tegu üsnagi jäiga vestlusega.

„Nii ja naa," vastas ta, „alguse asi."

„Kui kaua te olete koos olnud?" uurisin nagu möödaminnes.

„Oh, ainult neli-viis kuud, nii et kõike võib veel juhtuda." Ta kergitas kulme ja naeris. „Sa tead, milline ma olen. Mu saavutused selles valdkonnas pole just kiita."

Naeratasin kohmetult. Ma ju ei teadnud, milline ta päriselt on ning tema kommentaar jättis mulje, nagu oleksime me lähedasemad kui tegelikult olime.

James sirutas käed meresinise villase palitu varrukatest välja, lüües nii oma küünarnuki vastu koorduvat seinaliistu, mis jooksis üle kitsa nurga, kus me istusime. Ma naersin, kui ta hüüdis hääletult „Aia!" ja sidus kaela ümbert lahti kollakaspruuni salli, tuues nähtavale sinise triiksärgi, mille rinnataskul ilutses tuntud embleem polomängijaga hobuse seljas. Adam eelistas samuti Ralph Laureni brändi, aga kui tema laiad õlad ja jõusaalis musklisse treenitud õlavarred ähvardasid särgiõmblused rebestada, siis James mahtus enda omasse mugavalt ära ning kraegi istus just nii, nagu peab.

„Ja töö? On palju tegemist?" küsisin ma.

Ta noogutas, võttes lonksu *cappuccino*'t, mis jättis ta ülahuule kohale valge vahuvuntsi. Naersin ja tõmbasin sõrmega kujuteldava juti enda nina alla. Ta punastas pisut.

„Jah, tööl läheb hästi. Pidin endale kaks meest appi palkama ja tulingi nüüd linna tööasjus, loodan ühe suurfirmaga kaubale saada."

140

„Oh, suurepärane," ütlesin, ise nuputades, mida järgmiseks küsida.

„Üks arendaja otsib kohalikku ettevõtet, kes hoolitseks kommunaalaedade eest uues elurajoonis Knole Parki lähistel."

Noogutasin. Olin kuulnud Pammiet Knole Parkist rääkimas, aga mulle ei meenunud, et oleksin seal ise kunagi käinud või kus see täpselt asub.

„Pean neile firma peakorteris Eustonis oma pakkumist esitlema, ent jõudsin pisut liiga vara kohale, niisiis mõtlesin, et uurin, kas oled kuskil siin lähedal. Ega sul midagi selle vastu pole?"

„Muidugi mitte. See sobis hästi, sest mul on varsti Aldgate'is üks kokkusaamine. Kahju, et ma ei saanud sinuga maha istuda siis, kui sa eelmine kord helistasid. Mul on tihti tuli takus ja pean ühest kohast teise jooksma."

„Ole mureta, ma tookord lihtsalt ehku peale küsisin. Ma tean, kui kiire sul on. Aga näed, siin sa nüüd oled."

Vaatasin talle otsa ja naeratasin.

„Ja kuidas su emal läheb?" Tegelikult see mind ei huvitanud, kuid arvasin, et oleks ebaviisakas mitte küsida.

„Hästi. Ta ütles, et teil oli Loch Fyne'is väga tore olnud."

Mul oli tunne, nagu oleksin saanud rusikahoobi rindu. „Ta ütles nii?" küsisin umbusklikult. „Päriselt?"

„Jah." James naeris. „Miks sa küsid, kas teil polnud siis tore?"

„Ütleme nii, et õhus oli pinget ..."

„Mis mõttes?" küsis ta, ilmselgelt segaduses.

„Meil ... läks väikeseks naginaks."

Ta ootas, et jätkaksin.

„Ma olin liiga palju joonud, su ema ütles üht-teist, mis mulle ei meeldinud, ja, häbi öelda, ma vastasin samaga."

„Oih!" Ta naeris.

Ma naeratasin. „Just!"

„Ja kuidas siis lugu lõppes? Olete jälle sõbrad?" Ta ütles seda nii, nagu oleksime kaks väikest last, kes on mingi mängukanni pärast tülli läinud.

Kirtsutasin nina. „Ma loodan, kuid ma ei tea, mida *tema* arvab. Tagantjärele targana võib öelda, et ta püüdis ilmselt vaid abivalmis olla, aga ma ei heitnud talle armu."

„Minule ei maininud ta küll midagi," lausus James. „Vahel võib ema tõesti valel ajal valesid asju öelda, aga kui teda paremini tundma saad, siis õpid seda mitte väga tõsiselt võtma."

Veidral kombel see riivas mind, et Jamesi meelest ei tundnud ma ta ema juba piisavalt hästi, kuid pidin endale meelde tuletama, et olin temaga tuttav olnud ju vaid kuus kuud. Kui hästi nii lühikese ajaga üldse kellestki sotti saab?

„Ma loodan," ütlesin täiesti ausalt.

„Usu mind," lausus ta, pannes käe minu käele ja vaadates mulle otse silma.

Oleksin saanud justkui elektrilöögi, kui ta nahk puutus vastu mu nahka, ja kuigi vaist käskis mul eemale tõmbuda, ei tahtnud ma temas ebamugavust tekitada.

„Vabandust, ma pean telefoni vaatama," ütlesin tavalisest veidi kõrgema hääletooniga. Loodetavasti ei saanud ta aru, kui närvis ma olin.

Hakkasin kotist telefoni võtma.

„Ja kuidas teil Adamiga läheb?" kuulsin küsimust ja tardusin.

Vaatasin talle otsa, ja ta vaatas oma sügavsiniste silmadega vastu. Tahtsin järsku meeletult nutta. Mul oli piinlik, võtsin laualt salvräti ja tupsutasin silmi.

„Kas sinuga on kõik korras, Em?" küsis James murelikul ilmel.

Kuuldes teda pöördumas minu poole selle nimega, nagu vana sõber, oli mul veelgi raskem pisaratetulva tagasi hoida. Neelasin kurgus kripeldava klombi alla.

Ta küünitas üle laua, võttis mu käe ning hoidis seda oma soojas peos.

„Kas tahaksid mulle rääkida, mis toimub?"

Oleksin võinud seda teha. Ma nii väga tahtsin. Aga see poleks olnud aus. Raputasin pead.

„Ma pean minema," kohmasin, soovides järsku meeletult sealt ära saada. Lükkasin tõusmiseks tooli lauast eemale, aga tema hoidis ikka veel mu kätt ega pööranud mult pilku.

„Ma olen sinu jaoks alati olemas, Em," ütles ta. Ja kui ma talle silma vaatasin, siis ma uskusin teda.

Kuulsin, kuidas mu südamelöögid kõrvus tümpsusid nagu trumm. Järsku hakkas kõik ümberringi kohisema, olin justkui vee all, omaenda mõtetesse uppumas.

Haarasin tooli seljatoelt koti ja sikutasin end ta haardest lahti. „Ma pean minema." Põiklesin nagu uimas kohviku kaheksa üksteise kõrvale litsutud laua vahel. Müksasin lauasistujate õlgu ja ajasin teetasse ümber, nii et külastajate pahased hõiked „Hei, vaadake ette!" saatsid mind seni, kuni lõpuks uksest välja jõudsin.

Kui tõttasin ülesnõlva Strandi poole, kaikusid mul üha mõttes Jamesi sõnad. *Ma olen sinu jaoks alati olemas.* Oleksin tahtnud joosta. Pidin sealt võimalikult kaugele pääsema. Vastasel juhul olnuks suur oht, et torman otsejoones tema juurde tagasi.

19

„M ida põrgut ...?" käratas Seb.
Ma pidin kellelegi südant puistama – kellelegi, kes ei hakkaks hinnanguid andma – ja kuigi ma teadsin, et võiksin vabalt rääkida Pippaga, polnud me teineteist pärast minu väljakolimist eriti näinud, niisiis oli Sebi kõrvapaar esimene, kellele oma lugu usaldada.

„Sa siis lihtsalt kõndisid sealt minema?"

„Palun, sa pead mind aitama," anusin. „Sa pead aitama mul mõista, mida see kõik tähendab."

Kahekümne nelja tunni jooksul pärast Jamesiga kohtumist olin ma küll maha rahunenud, aga mu pea oli rohkem pulki täis kui iial varem. Mis siis õieti juhtus? Ja miks see mulle niimoodi mõjus? Tema sõnadel polnud mingit tagamõtet, olin selles kindel, kuid need ei andnud mulle siiski asu. Rahutuks ei teinud mitte see, mida öeldi, vaid pigem see, mis jäi ütlemata.

„Kas sa siis arvad, et ta püüdis sulle külge lüüa? Nagu päriselt?" küsis Seb.

„Jah! Ei ... Ma ei tea." Ohkasin ahastuses ning nõjatasin pea diivani seljatoele. „Lihtsalt sel hetkel ma ausalt ka tundsin, et oleksin kõigeks suuteline. Ma oleksin tahtnud temaga rääkida, teda suudelda, temaga koos põgeneda ..."

„No see viimane poleks küll eriti tark tegu olnud, aga suudluse oleksid tõenäoliselt andeks saanud!"

„Sinust pole üldse abi," nurisesin, laksates sõbra käsivart. „Asi on naljast kaugel. Mida ma nüüd peale hakkan?"

„Okei," jätkas Seb tõsisel ilmel. „Mida sa siis teha tahad? Vaatame, mis võimalused sul on. Mina näen seda nii: sa armastad Adamit rohkem kui midagi muud, eks?"

Noogutasin.

„Aga sa arvad, et ta vend on päris kuum kutt?"

„Seb!"

„Vabandust, olgu, ma lähtun sinu vastusest. Sa *ei* arva, et ta vend on päris kuum kutt?"

Vaikisin ilmetult.

„Aa, okei, nii et ikka arvad? Vähemalt natukenegi? Kas läheb soojemaks?"

„Ei, ma ei tea. Ta on lihtsalt Adamist nii erinev. Ta kuulab mind, annab nõu … ta ei arva, et ma olen Pammie suhtes paranoiline. Mulle tundub, et ta tõesti mõistab mind, ja me suhtume teineteisesse tõelise austusega."

„Ja ta on põrgulikult kuum kutt?"

Viskasin Sebi padjaga. „Jah, ja ta on põrgulikult kuum kutt!"

„Ma teadsin seda!" lausus Seb võidukalt.

„Kuid see pole kõik. Ma tunnen, et ta peab minust igas mõttes lugu. Ausalt, Seb, sa tead, milline ma olen – ma ei näe kümnetonnist kaubaautot ka enne, kui see on mulle otsa sõitnud, aga ma nägin seda tema silmades. Ta oleks teinud minu aitamiseks ükskõik mida, ja see teadmine tekitab minus tunde, et mind ihaldatakse. Ja praegu on niisugune olukord minu jaoks ohtlik."

„Kas suhted Adamiga pole siis üldse paranenud?" küsis Seb nüüd juba murelikult.

Raputasin pead. „Ei." Tundsin, kuidas nutt hakkas kurgus kipitama. „James tabas mind täielikus madalseisus ja ma olen sellest tähelepanust meelitatud ja see on nii hale. Kui midagi sarnast oleks juhtunud mis tahes muul ajal, viskaksin selle kus see ja teine ega mõtleks sellele rohkem." Ma ei tea, keda ma püüdsin veenda – Sebi või iseennast.

„Hüva, meie valikud on siis järgmised: mees, keda sa armastad, aga kellega sa ei seksi, ja mees, keda sa ei armasta, kuid kellega seksimiseks oleksid võimeline kas või tapma?"

„Nojah, suur tänu, Sherlock, see võtab nüüd küll kõik kenasti kokku. Aga asi pole ainult seksis, siin on midagi enamat."

„Nii et sa pole siis ette kujutanud, sekundikski mitte, et oled Jamesiga voodis?" uuris Seb, pilk nagu inkvisiitoril.

Raputasin hoogsalt pead, kuid tundsin samas, kuidas põsed hakkasid õhetama.

„Sa oled nii sitt valetaja!" naeris Seb.

„Aga see on ju täiega vale, eks? Tähendab, siin on päriselt midagi kohutavalt viltu."

„On jah, kui sa midagi reaalselt ette võtad, aga praeguseks on see fantaasia luku taga kenas väikeses toakeses, mida me kõik võime endale lubada ja kuhu meile meeldib piiluda, ent kuhu me kunagi tegelikult sisse ei astu. Selles ongi vahe."

„Ja mida ma Adamile ütlen? Kas ütlen talle, et sain Jamesiga kokku?"

„Sa oled nende pere pärast juba piisavalt kannatanud, seega minu tungiv soovitus oleks: ära tee olukorda enda jaoks veel keerulisemaks. Minu arvates pidanuks sa Adamile ütlema, et te kohtusite, aga kui sa oleks tahtnud seda teha, oleksid sa talle öelnud juba eile õhtul. Kuid sa ei rääkinud talle ju midagi?"

Raputasin taas pead. Ma olin selle üle juurelnud terve öö. Olin nagu kass kuumal plekk-katusel, kedrates mõtteid üha uuesti ja uuesti ning jõudes iga kord erineva tulemuseni. Mõtlesin, et ütlen talle, et Jamesil oli vaja pisut värbamisalast nõu, aga see viinuks järjekordse valeni ja ma võisin juba ette näha, kuidas kõik siis edasi hargnema hakkaks.

Puhkesin lahinal nutma. „Olen ikka paraja supi sisse sattunud."

Seb kohendas diivanipatja ja pani käe mulle ümber. „Kuule, jäta järele, ära kruti end üles. Sa peaksid olema õnnelik, et kaks meest sind nii väga tahavad. Mina ei suuda *ühesainsaski* iha sütitada!"

Naersin pingutatult.

„Kas sinu arvates teen ma siis õigesti? Ma ei käitu valesti?"

„Nagu ma ütlesin, fantaseerimisega ei peaks kaasnema mingit süümepiina, lihtsalt ära selle ajel tegutse."

Luristasin nina. „Seda ei teeks ma iial, mitte eluilmaski."

Aga miks ma siis nõustusin Jamesiga pärast tööd dringile minema, kui ta nädal aega hiljem uuesti helistas?

Ma ei tea, on kõik, mida oskan öelda. See pole kuigi hea vastus, kuid muud mul pole.

Mõtlesin ikka veel sellele, mis tunde oli James minus äratanud, ja uskusin naiivselt, et kui teda uuesti näen, suudan kõike mõistusega võtta ja sellele lõpu teha. Kui rumal minust! Peaksin ju teadma, et elu ei ole selline – aga miks siis olen ma valmis heast peast panema end suluseisu, justkui tahaks endale tõestada, et mul on kõik kontrolli all, et ma suudan selle sasipuntra lahendada, kuigi sügaval sisimas tean, et maailm mu ümber variseb kokku?

Võiksin muidugi süüdistada Adamit. Võiksin öelda, et ei tundnud end enam atraktiivse või ihaldatuna; et mu tulevane abikaasa tekitas minus tunde, et mind ei armastata. Võiksin öelda, et ta ei mõistnud või ei toetanud mind. Ja võib-olla see kõik oligi tõsi, ent mitte ükski neist argumentidest ei õigustaks minu truudusetust.

„Ma ei lähe temaga voodisse," kinnitasin Sebile, kui helistasin talle ja ütlesin, et pean Jamesi veel viimast korda nägema, et „loole punkt panna".

„Keda sa püüad veenda? Mind või ennast?" naeris Seb irooniliselt. „Ma ütlen sulle: siin lähevad meie arvamused lahku. Mine lase oma ego paitada, kui sul seda vaja on, aga sa mängid ohtlikku mängu ja pead oma silmad tagajärgede suhtes avama. Kui Adam sellest teada saab, isegi kui midagi ei juhtu, on suur jama majas."

„Ma tean, mida teen." Ohkasin raskelt.

„Tee, mida tahad, aga ära siis saba sorgus minu juurde jookse, kui olukord sitaks keerab."

Need sõnad tabasid mind rängalt. Seb suhtus kõigisse ja kõigesse eelarvamusteta, seega kuulda, kuidas ta keerutamata mind paika pani, tegi niigi täbara olukorra veel hullemaks.

„Helista mulle, kui oled jälle mõistusele tulnud," lausus ta jutu lõpetuseks.

Osake minust soovis, et James jätaks kohtumise ära. See oleks teinud kõik lihtsamaks, tõmmanud sellele, mis iganes see oli, joone alla. Aga ta ei teinud seda, niisiis, hing kripeldamas, astusin ma Savoys asuva American Bari uksest sisse ja me pilgud kohtusid, kui tema poole kõndisin.

„Tore sind näha," ütles ta, asetas käed mu õlgadele ning suudles mind mõlemale põsele. „Sa näed uskumatu välja." See sõna jäi mu peas kajama. *Uskumatu.* Tulevane mehevend ei peaks sind niimoodi kirjeldama. *Armas* – jah. *Hea* – jah. Isegi *suurepärane* – jah. Aga *uskumatu?* Kindlasti mitte. Mu süda kloppis mõttest, et ma polnudki seda pilku, millega ta mind kohvikus vaadanud oli, ega ka ta sõnade tagant kumanud hoolimist üksnes ette kujutanud.

„Mida ma sulle tellin?" küsis James baarmenile viibates.

„Klaas Proseccot sobiks."

„Kaks klaasi šampanjat, palun," hõikas ta valges pintsakus mehele baarileti taga.

„Mida me tähistame?"

„Sinu ees on Knole Parki Lansdowne Place'i ametlik aednik."

„Oh, fantastiline!" hüüatasin ning tõmbasin ta instinktiivselt õnnitluskallistuseks enda vastu. „Sa saidki selle töö."

Me näod puutusid kokku nii põgusaks viivuks, et polnud kindel, kas tegu oli vaid embuse, suudluse või mõlemaga. Vabastasime end kohmetult teineteise haardest, ent süütepaber oli juba läidetud.

„Kas Adam teab, et sa siin oled?" küsis James mulle otsa vaatamata.

„Ei," vastasin ausalt. „Ma pole talle öelnud."

Ta kallutas siidjate juuste lehvides pead. „Miks?"

„Ma ei tea."

„Ma ei tahtnud asju sinu jaoks keeruliseks teha," lausus James malbelt.

Kui ta ainult ei vaataks mulle kogu aeg niiviisi silma. Ei riivaks mu jalga iga kord, kui end liigutab.

„Ega sa teinudki. Tegelikult kukkus kõik väga hästi välja. Mul oli siinsamas lähedal üks kohtumine ja kuna praegu käib metroostreik, siis on mõistlik natuke oodata, enne kui püüan koju pääseda." See kõik oli tõsi. Oli tavaline päev, päev nagu iga teine. Aga Jamesil ei olnud tarvis teada, kuidas ma püüdsin endale kogu aeg kinnitada, et French Connectioni miniseelik ja siidpluus on mu tavaline tööriietus, ehkki olin juba oma kuu aega käinud igal pool pikkade pükstega.

„Kas oled peast segi või?" pahandas Adam hommikul hoolikalt lipsu sidudes, kui mind riietumas vaatas. „Täna on tapvalt külm ilm."

Pomisesin, et ja-jaa, ma tean.

„Ja täna on metroostreik, nii et kes teab, kus me päeva lõpuks olla võime. Sa peaksid panema saapad, mitte need kõrged kontsad."

„Tänan, ei," ütlesin resoluutselt, „lõpeta see hädaldamine." Aga südant kriipis süütunne.

149

Baarmen asetas mu ette kahekordse klaasialuse ja selle peale kõrge jalaga šampanjapokaali.

„Terviseks!" lausus James heliseval häälel ja tõstis klaasi. „Nii tore sind näha."

Esimest sõõmu rüübates vaatasime teineteisele silma. Mina olin esimene, kes pilgu kõrvale pööras.

„Noh, kuidas sul siis läinud on?" küsis ta, asetades pokaali baariletile.

„Mmm, hästi," ühmasin nagu muuseas. „Väga hästi."

„Veider ... Su silmad räägivad hoopis teist juttu."

Pilgutasin silmi ja pöörasin pea ära.

„Kas tahad sellest rääkida?" pakkus ta.

„Olukord on keeruline. Aga küll me saame selle lahendatud."

„Kas sa oled õnnelik?"

Kui raske küsimus. Kas olin? Ma ausalt ei teadnud.

„Ma pole *õnnetu*," oli kõik, mida suutsin öelda.

„Kas sa ei arva, et väärid enamat? Kas sa ei arva, et maailmas võib olla keegi teine, kes võib su tõeliselt õnnelikuks teha?"

Need küsimused võtsid mu pahviks. Kogu keha lõi kuumama, mu suu oli justkui vatti täis ja ma jäin sõnatuks.

James vaatas mind ainiti, püüdes meeleheitlikult leida vastust mu silmadest.

„James, ma ..." Lause jäi pooleli.

Ta võttis mu käe ja hoidis seda. Erutusvärin tulvas mööda mu käsivart üles, ajades sõna otseses mõttes ihukarvad püsti.

Mu mõtteist jooksid läbi pildid, mis meenutasid vanu hüplevaid filmikaadreid. Kujutasin vaimusilmas ette, kuidas me suundume ühte neist ülakorrusel paiknevatest numbritubadest. Kujutlesin, kuidas me suudleme liftis, maldamata end ukse sulgumise hetkest sekunditki kauem tagasi hoida. Kuidas me ihast põledes kiirustame mööda vaipkattega koridori toa poole ja ma heidan kingad jalast veel enne, kui oleme jõudnud riputada uksele sildi „Mitte segada".

Me ei pööra mingit tähelepanu jahutatud šampanjapudelile peeglilaual, ja ma kujutan ette, kuidas näota inimesed tõttavad kihaval tänaval ringi, teadmata midagi petmisest ja reeturlikkusest, mis rullub lahti neist mõni meeter kõrgemal.

James tõstab mu sülle ning surub vastu seina, mu jalad põimuvad tihedalt ümber ta keha ja me suudlused muutuvad ihu kuumenedes üha intensiivsemaks. Me klammerdume teineteisesse, tirime riideid seljast ning ta kannab mu voodisse. Vajume koos luksuslike valgete linade vahele ja ta ei pööra minult hetkekski pilku …

Aitab!

Peatasin oma mõttetulva, teades, et see saaks lõppeda vaid nii, et lamamegi seal, kaeveldes tehtu üle ning soovides, et saaksime olnu olematuks muuta.

„Anna andeks, ma poleks pidanud …" vabandas James ja vabastas mu käe.

Tahtsin, et ta mind uuesti puudutaks, et tunneksin veel kord seda üle kere sööstvat värinat.

„Ma armastan Adamit," ütlesin. „Me abiellume. Meil on probleeme, aga me suudame need lahendada."

„Sa väärid paremat," kostis James. „Adam …"

„Jäta," lõikasin ta jutu katki. „See pole õige."

Libistasin end baaripukilt alla. „Anna andeks, James. Ma ei saa seda teha. See pole õige."

Meenutasin, kui hoolikalt olin tol hommikul aluspesu valinud. Põrgu päralt, mida ma küll oma aruga mõtlesin? Kas ma tõesti plaanisin nii kaugele minna?

„Ma pean minema." Kahmasin mantli ja heitsin selle üle käsivarre. „Mul on väga kahju."

Pöördust lükates tabas mind järsku tänavalt külma õhu pahvak ja väljas tervitas mind Thamesilt tõusnud piitsutav tuul.

„Head õhtut," soovis uksehoidja naeratades ja mulle kaabut kergitades.

Ma ei teadnud, kuhupoole minna. Mõtlesin helistada Sebile ja küsida, kas ta on veel linnas, aga just siis, kui hakkasin tema numbrit valima, tundsin äkki tungivat soovi minna koju ja näha Adamit. Ma tahtsin saada kinnitust, et ta ei kahtlusta midagi. Isekas minust, kuid mõte sellest, et ta võib teada, ajas sees keerama ega andnud asu. Mida ta sellest arvaks? Sellest, et olin tulnud siia tema vennaga kohtuma, alateadvuses kavatsus teha midagi kõlvatut. Kas kavatsus pole siis peaaegu sama halb kui selle täideviimine?

Püüdsin iseendale valetada, et mööda mu palgeid voolavad pisarad olid tingitud üdini lõikavast tuulest, mitte häbist selle pärast, mida ma äärepealt teinud oleksin. Aga aju pole rumal, ja selleks ajaks kui jõudsin Charing Crossi metroojaama, oli mul juba väga raske end veenda, et ma tõesti ei olnud midagi nurjatut teinud. Ma olnuks justkui purjus, mida ma muidugi mõista ei olnud.

Pressisin end kell 19.42 väljuvasse rongi. Ilmselgelt oli metroostreik sundinud töölt koju minejaid vahepeal linnas ringi kolama, kuna tegemist oli pigem nagu õhtusel tipptunnil väljuva rongiga, kus inimesed on tihedalt üksteise vastu litsutud nagu kilud karbis. Mind hoidsid püstiasendis üks ülekaaluline kiilas mees mu taga, kes hingas mulle kõrva nii lähedalt, et ta oleks võinud seda limpsida, ja noor kahekümnendates naine, kel oli olnud enne rongi sisenemist ettenägelikkust võtta telefon välja ja hoida seda tekstsõnumite saatmiseks sobival kõrgusel. Nüüd, lõksus nagu ma olin, käed vastu külgi surutud, polnud mul mingit võimalust Adamile teatada, et olen teel koju.

Mu selg tõmbus kiirustamisest higiseks. Kujutasin ette, kuidas peenike selgroopikkune higijutt immitseb läbi smaragdrohelise siidpluusi ja minu vastu pressitud kehade soojus muudab selle veel niiskemaks. Aknaile kõige lähemal asuvad inimesed, kel oli olnud õnn viimased kümme minutit enne rongi väljumist istuda, küünitasid jõe ületamise ajal aknaid sulgema. Nad peitsid näod sügavamale villastesse sallidesse, samas kui mina võitlesin lämmatava palavusega.

Nihutasin end veidi eemale mu taga seisvast mehest, kelle priske vats täitis mu nõgusa selja lohu, ja ta röhatas. Mõtlesin, kas ta võis haista, et ma olen oma südames petis.

Adam oli parasjagu köögis ning kui esikusse astusin ja mantlit nagisse riputasin, tervitas mind sibulate ja küüslaugu praadimise lõhn.

„Hei, kas sina?"

Ta hääletoonist sain aru, et kõik on korras, ja mul hakkas kivi südamelt langema. Ma polnud kindel, kas kavatsen olla temaga aus, kuid tahtnuks seda.

„Keda sa siis ootasid?" küsisin naljatamisi.

„Sa jõudsid kiiremini kui oleks arvanud," kostis ta ja suudles mind, endal puulusikas käes. „Paar tundi tagasi oli metroos täielik košmaar."

„Arvasingi, et nii võib olla. Seepärast pidasin targemaks pisut oodata. Veidi kauem tööd teha." Niisiis taas, ilma et oleksin sellele isegi mõelnud, olin ma otsustanud valetada.

„Võta noad-kahvlid ja vala meile natuke veini. Kümne minuti pärast on toit valmis."

„Saab tehtud," vastasin reipalt, „las ma vahetan kõigepealt riided ära."

Läksin vannituppa, nööpides käigu pealt pluusi lahti ja libistades seeliku seljast. Vajasin hädasti dušši, et uhta kehalt nii päris kui ka kujuteldav mustus. Vesi oli küll kuumem kui oleks olnud mõnus, aga see tegi närvilõpmed tuimaks, lõpetas nende tõmblemise. Silmad suletud, küünitasin peale pesemist konksu otsast rätikut võtma, kuid mu käest haaras üks teine käsi ja ma peaaegu hüppasin ehmatusest.

„Jeesus Kristus!" karjatasin, nii et süda oleks äärepealt seiskunud.

Adam naeris. „Anna andeks, ma ei tahtnud sind ehmatada. Arvasin, et võib-olla tahad seda, kui siin oled." Ta ulatas mulle ühe käega rätiku ja teisega punase veini klaasi. Naeratasin ja lonksasin tänulikult veini, tundes, kuidas soe mõrkjas rüübe kõrist alla voolas.

Adam istus vanniservale ja sellal kui ma end kuivatasin, laskis pilgul mu paljal kehal rännata.

Tundsin järsku piinlikkust ja mässisin endale vannilina ümber. „Sa oled ikka päris muljetavaldav," kommenteeris ta, tõusis püsti ja lähenes mulle. „Võta see ära. Las ma vaatan sind."

Naeratasin ja tegin aeglaselt rätiku eest lahti.

Adam lonksas mu veiniklaasist ühe sõõmu, kastis siis sõrme klaasi, tõstis mu suule ja paitas sellega mu huuli. Mu maitsmispungad elavnesid ning ma võtsin ta veinise sõrme suhu, et seda imeda. Adam ei pööranud minult kogu selle aja hetkekski pilku ja ma tundsin, kuidas see kõik pani mu kubeme tukslema.

Hetk hiljem jõime klaasist vaheldumisi ning kui Adam selle taas mulle ulatas, läigatas pokaalist veini mu lõuale ja sealt edasi rindadele. Ta limpsis need hoolikalt puhtaks ning suudles mind seejärel suule, samal ajal silitades sensuaalselt mu selga, nii et see kaardus vibuna taha ja ihule tekkis naudingust kananahk.

Adam võttis mu sülle ning kandis, mu jalad tihedalt ümber ta piha, magamistuppa ja asetas hellalt voodile.

„Jumal küll, kuidas ma sind armastan," sosistas ta.

Kui ta minusse sisenes, nutsin kuumi pisaraid kergendusest ja ihast, ent kõige enam süütundest. Mis mul küll arus oli, et oleksin peaaegu riskinud kõigest sellest ilma jääda?

20

„Räägi mulle Rebeccast," palusin pärastpoole, hõljudes õnne-tulvas meie taasleitud läheduse pärast.

„Mida sa teada tahad?"

„Ma tahan teada, kes ta oli, mida sa tema vastu tundsid ja mis teie vahel juhtus."

Adam tõusis peatsi najale istukile, kulm tõmbus kipra ja silmad vidukile.

„See oli kaua aega tagasi, Em."

„Ma tean, aga ta oli sulle oluline – nagu Tom minule."

Ta kergitas kulme ja vaatas mulle küsivalt otsa.

„Ah, jäta nüüd, me oleme ju täiskasvanud," naersin ma. „Ära hakka armukadetsema."

„Kas sa mõtled ikka veel selle selli peale?" küsis ta.

„Vahetevahel jah, kuid mitte sellepärast, et sooviksin, et oleksin temaga siiani koos. Lihtsalt huvi pärast, et millega ta nüüd tegeleb. Kas ta on ikka veel Charlotte'iga? Kas nende reeturlikkus oli seda väärt? Kas kumbki neist mõtleb vahel minu peale?"

Adam noogutas, aga nägu oli tõsine. „Ma tutvusin Rebeccaga, kui olin kakskümmend. Meil oli ühiseid tuttavaid ja meid tutvustati ühel peol."

„Sevenoaksis?"

„Jah, aga tema oli pärit ühest väikesest naaberkülast Brastedist. Igatahes, meil tekkis kohe säde. Kumbki meist polnud varem tõsises suhtes olnud, nii et see oli eriline. Olime noored, arvasime, et armastame teineteist, ning kõik muu ja kõik teised jäid tagaplaanile."

„Mis siis valesti läks?" küsisin, soovides mõista, kuidas nii intensiivne suhe sai närbuda ja surra.

Ta ohkas. „Me olime teineteisest hullupööra sisse võetud. Oli see õige või vale, aga me lõpetasime oma sõprade ja isegi pereliikmetega suhtlemise, kui nad ütlesid, et veedame liiga palju aega koos. Me ei tahtnud sellest kuuldagi. Me tõepoolest arvasime, et jääme igaveseks kokku ja kõik teised peaksid meiega leppima sellistena, nagu me oleme, või meist loobuma. Muud võimalust meie jaoks polnud."

„Ma ei saa nüüd hästi aru. Mis muutus?"

„Olime koos olnud viis aastat. Mul läks pangas hästi, tema oli läbinud õpetajakoolituse ja saanud tööd lasteaias oma kodukoha lähedal. Leidsime Westerhamis üürikorteri, meie esimese ühise kodu, ja olime just sisse kolimas." Adami hääl murdus.

„Räägi mulle," keelitasin leebelt. „Mis juhtus?"

„Ta oli nii elevil ja oli võtnud paar päeva koolist vabaks, et elamist sisse seada. Olin pärast tööd teel sinna, kui ema helistas ja ütles, et midagi on juhtunud."

„Mida? Mis juhtus?" käisin peale.

„See ei tundunud üldse loogiline, sest ma helistasin Rebeccale just enne kontorist lahkumist ja ütlesin, et hakkan tulema, ja ta tundus hääle järgi väga õnnelik. Ta ütles, et tegi tšillirooga, ja käskis kiirustada."

Adamil valgusid pisarad silma.

Ma polnud teda varem nutmas näinud ega teadnud, kas olla kurb või hoopiski haavunud, et selle põhjuseks oli keegi teine, mitte mina.

„Ma jooksin kogu tee jaamast koju, aga selleks ajaks kui kohale jõudsin, oli liiga hilja. Kiirabi oli juba kohal, kuid parameedikud ei saanud tema elustamiseks enam midagi teha."

Mul vajus jahmatusest suu lahti.

„Ta oli surnud." Adam nuttis nüüd nii südant lõhestavalt,et ma upitasin end ülespoole ja embasin teda.

Ma polnud kindel, kas ikka peaksin seda teemat edasi torkima, ent pidin teada saama, kuidas ja miks see tüdruk suri.

„Mis juhtus?"

„Tal oli astma, juba lapsest saati, kuid see oli kontrolli all. Ta sai elada normaalset elu, pidutseda, käia jõusaalis – kuniks tal oli inhalaator, sai ta hakkama. See oli midagi, mida pidime kogu aeg meeles pidama, kuid see ei takistanud meid midagi ette võtmast. Ta oli heas vormis ja õnnelik."

„Miks ta siis inhalaatorit ei kasutanud?"

Adam naeris sarkastiliselt, aga oli selge, et mitte minu üle. „Vaat see on miljoni dollari küsimus. Ta ei läinud ilma selleta kunagi mitte kuskile, kuid kogu selle kolimiselevuse keskel, me arvame, ta lihtsalt unustas."

„Me?"

„Mina ja ta vanemad. Tal oli üks nende juures, ja tegelikult oli tal mitmes kohas mõni varuks, et oleks alati võtta, kui vaja. Ma leidsin ühe köögisahtlist, aga see oli tühi. Nii et ta ilmselt lihtsalt unustas või ei suutnud enam järge pidada, kus need olid ja milliseid olnuks vaja täita."

„Mul on nii-nii kahju," suutsin ma vaid sosistada. „Miks sa kunagi varem mulle sellest rääkinud ei ole? Ma oleksin võinud sulle kogu selle aja toeks olla. Sa poleks pidanud end selle murega üksi tundma."

„Minuga on kõik hästi." Ta nuuskas lõrinal. „Ema on mind alati toetanud. Ema leidis ta ja helistas hädaabinumbrile. See oli talle raske, sest ta jumaldas Beckyt sama palju kui mina."

Tundsin rinnus kerget torget. Järsku oli ta „Becky" ning tema, Adami ja Pammie vahel oli side, millest mina ei saa kunagi osa ja mida on võimatu murda. See oli nagu võistlus, kus mind polnud isegi mitte stardiprotokollis. Samas – kui isekas minust niimoodi mõelda!

Peaksin vaatama seda kui edasiliikumise võimalust, mis aitaks leida vastuseid selles keerulises vastuolude rägastikus, mida Bankside pere endast kujutab. Kindlasti aitaks see selgust saada, miks Pammie minuga niimoodi käitub, ja ma peaksin möönma, et tegemist on pigem Rebecca leinamisega kui vihaga minu vastu. Võiksin seda isegi mõistma hakata: see annaks mulle midagi, millega on võimalik töötada; midagi, mis räägiks Pammie kasuks.

Adam nihutas end mu käte vahelt välja ning tõusis voodiservale istuma. Ta luristas nina ja pühkis käeseljaga silmi.

See polnud enam oluline, aga ma ei suutnud siiski vastu panna. „Kas sa oleksid ikka veel temaga, kui seda poleks juhtunud?"

Ta mühatas, raputas pead ja tõusis püsti. „Sa oled uskumatu," pahurdas ta ning kahmas voodijalutsist oma T-särgi ja lühikesed püksid.

„Ma lihtsalt küsin."

„Mida sa tahad, et ma selle peale ütleksin?" kostis ta häält tõstes. „Et jah, kui ta poleks nii traagiliselt surnud, siis oleksime ikka veel koos? Kas see teeks su enesetunde paremaks? Kas seda teades on sul kergem olla?"

Raputasin pead ja mul oli järsku piinlik.

„No siis ära esita rumalaid küsimusi, kui sa vastuseid teada ei taha."

Ma polnud sellega midagi pahasti mõelnud, aga mõistsin, mis mulje see küsimus võis jätta. Arvasin, et nüüd, kus olime lõpuks suutnud armastust jagada, tunneb Adam end õnnelikumana ja vähem stressis, aga ikkagi oli tunne, et tema sees kobrutab viha. Kogu aeg – minu vastu.

„Ma lähen ja teen õhtusöögi valmis," ütles ta.

21

M a ei tea, mil moel mu ema minu tüdrukutepeo korraldamisse sattus. Olin selle austava ülesande andnud oma peamisele ja ainsale pruutneitsile Pippale, aga siis toppis Seb oma nina vahele ja ema veel oma, ning järsku leidsime end kõik justkui kikivarvul üle miinivälja kõndimas.

Pippa nurises Sebi vajaduse üle kõike juhtida, ema hädaldas, et Pippa talle midagi ei räägi, ja mina olin vaid ettur nende vahel ega saanud üldse aru, mis toimub.

Ainsad piirangud, mis olin neile seadnud, olid järgmised: ei mingeid strippareid, ei mingeid tobedaid vastavateemalisi T-särke, ja päris kindlasti mitte mingeid kumminukke. „Vähem on rohkem," olin tagasihoidlikult julgustanud, lootes, et nad korraldavad veidi peenemat sorti ürituse kui oli olnud mu vennanaisel Laural. Tema viidi nädalavahetuseks Blackpooli ja ta sai kogu eespool mainitud komplekti, ehkki õnneks ei mäletanud pärast sellest suurt midagi. Ent ta pulmas oli siiski vähemalt kuus inimest, kes polnud tüdrukuteõhtul tarbinud piisavalt palju alkoholi kustutamaks mälust pilti, kuidas peatne pruut end posti najal üles-alla libistab ning seejärel sületantsu naudib.

Muidugi, Stuarti ja tema kaheteistkümne sõpsi neli päeva kestnud lõbureis Magalufis oli kulgenud vahejuhtumiteta, vähemalt jäi selline mulje. Väidetavalt tegid nad vaid mõned golfiringid, sõid varakult õhtust ja läksid viksilt hotellituppa magama. See ongi fundamentaalne erinevus nende ja meie vahel: mehed teevad, mida teevad, ilma et sellest sõnagi kõssataks, ja lähevad eluga edasi, nagu midagi polekski juhtunud. „Mis juhtub tuuril, jääb tuurile" on mantra, mille järgi peaksime kõik elama, ja me naised suudaksime seda, kui ei hakkaks pärast kaht Prosecco pudelit nostalgitsema ega otsustaks kõike järeltulevate põlvede jaoks videole jäädvustada, et kunagi lastele näidata, kui metsikud me omal ajal olime.

„Vahet pole," ütlesin emale, kui ta helistas ja küsis, kas tahaksin minna välismaale või mõnda kenasse paika Briti saartel. „Sa peaksid ju teadma, et Pippa juba tegeleb sellega."

„Nojah, tegeleb küll," kostis ta, „aga ta ei tee seda kuigi lihtsaks inimeste jaoks, kes ei saa rahaga üle ilma laiata. Ta pakub välja mingit joogandust Islandil, isegi Las Vegast. Kõik ei saa sellist raha välja käia, Emily." Ja ega Pippal endalgi poleks: tema eest maksab isa.

„Ma tean, emps. Ka mina ei taha midagi liiga ekstravagantset, ja pealegi läheb Adam oma sõpradega Vegasesse, nii et see jääb nagunii mängust välja." Ma hakkasin naerma, kuid ema vaid turtsatas. „Kuule, Pippa teab, mida teeb, ja ma olen kindel, et ta arvestab kõigiga."

„Nojah, aga Pammie tahab minna Lake Districti," porises ema. See tabas mind nagu välk selgest taevast.

„Pammie? Mis temal kõige sellega pistmist on?" pärisin ehmunult. Lootsin, et andes kogu kupatuse Pippa hoolde, vabanen kõigist kohustustest otsustamisel, keda kutsutakse ja keda mitte. Niiviisi poleks see minu süü, kui Tess, mu kuivikust töökaaslane, jääb kutsutute hulgast välja – kuid Pammiet ei suutnud ma selles nimekirjas üldse ettegi kujutada.

„Ta helistas eile ja küsis, mis plaanid meil on," jätkas ema. „Ta mõtles sulle midagi väikest korraldada, juhul kui muud pole veel organiseerimisel."

Seega – Pippa ei kutsunud teda, hoopis mu ema oli ämbrisse astunud. Tundsin sisimas ahastust.

„Mis sa talle ütlesid?" uurisin, hoides hääle reipana. Ma polnud emale oma salasõjast Pammiega rääkinud, sest ei tahtnud, et ta muretseks. Samuti ei tahtnud ma tekitada nende vahele asjatut pinget. Mina olen pulmapäeval niikuinii kõigi ja kõige pärast stressis. Tahtsin vaid, et mu perel, eriti emal oleks lõbus, ilma et oleks vaja muretseda, mis toimub kulisside taga. Pammie on *minu* probleem ja ma pean sellega ise tegelema.

„Noh, ma mainisin talle, et su sõbranna uurib variante," vastas ta nagu end õigustades. „Kas ma poleks pidanud seda ütlema? Näed siis, ma ei tea ju, mida kellele öelda võin. Kõike seda on minu jaoks pisut liiast."

„Ei, sellest pole midagi, ema. Sa võid öelda, mida iganes tahad. Ainus inimene, kellele sa ei tohiks liiga palju rääkida, olen ilmselt mina, sest see kõik peaks olema üllatus."

„Jah, ma tean, kullake. Ma hoian selle vaid enda, Pippa, Sebi ja Pammie teada."

Panin telefoni ära ja mõtlesin helistada Pippale või Sebile, lihtsalt et pärida, kas kõik laabub, aga surusin kontrollifriigi endas alla ja jätsin kõik nende hooleks.

Lahkhelisosinaid oli kuulda kuni selle päevani välja, mil asutasin oma salapärasele tuurile minema. Püüdsin neid küll ignoreerida, kuid mõned mured jõudsid siiski ka minu kõrvu. „Su ema ütleb, et ma ei peaks kutsuma üht inimest, keda tahan kutsuda," hädaldas Pippa. „Mina arvan, et su nõbu Shelley peaks tulema, aga Seb ütleb, et Pippa meelest ei tahaks sa teda sinna," ahastas ema. Kui lõpuks ööl vastu järgmise hommiku kella kuuest starti voodisse sain, kirusin hingepõhjani päeva, mil olin selle neetud üritusega nõustunud.

„Äratus, äratus, unimüts," sosistas Adam mind suudeldes. „Meie viimased päevad teha enne abiellumist veel viimaseid vigu on käes."

Müksasin teda uniselt. „Ära mitte mõtlegi," torisesin, pöörasin külge ja tirisin teki üle kõrvade.

„Aja end püsti." Tema jaoks oli see naljakas. „Sulle tullakse tunni aja pärast järele."

„Kas me ei võiks järgmised neli päeva niisama voodis veeta?"

„Lohuta end sellega, et kui algul ei saa vedama, siis pärast ei saa pidama. Mina näiteks tegelikult juba ootan oma viimast hurraad," õrritas Adam.

„Sest sina lendad Las Vegasesse!" hüüatasin. „Mind, pole kahtlustki, viiakse Bognori. Kuid ära sina minu pärast muretse. Sina mine veeda oma elu parimat aega Nevadas kasiinodes mängides, hindu tingides ja naistega ringi tõmmates."

„Oot-oot, ei mingit mängimist ega tingimist!" hõikas ta vannitoast. „Ma ei kavatse seal mitte midagi säärast teha."

Me naersime, aga osake minust tundis rahutust, ning mitte ainult Adami ja selle pärast, millega ta võib hakkama saada, vaid mõeldes sellele, kuhu ja kellega pean mina minema.

Viiskümmend minutit hiljem, pärast seda, kui olin hüvasti jätnud Adamiga – kes nägi välja elegantselt lihtne, kui oma jämedast puuvillast pükstes ja polosärgis üle tee kõndis, käes päevinäinud pruun nahkkott nädalavahetuseks pakitud kraamiga –, lükati mind kinniseotud silmil auto tagaistmele.

„Kas see on tõepoolest vajalik, Seb?" itsitasin. „Oled kindel, et ei taha mul käsi kah raudu panna?"

„See pole minu maitse," kostis ta.

„Kas siin on veel keegi? Halloo? Halloo?"

„Me oleme siin kahekesi, rumaluke," naeris Seb. „Kas oskad aimata, kuhu me võiksime teel olla?"

„Ma loodan, et naudingute paradiisi Ibizale, aga kuna ma tunnen sind piisavalt hästi, maandun ilmselt keraamikakursusele Shetlandi saartel."

Ta sidus silmasideme lahti alles siis, kui jõudsime M25 maanteele, ja niipea kui sain aru, et suundume läände, teadsin, et üks võimalik sihtpunkt võib olla Gatwicki lennujaam. Ning selleks ajaks kui pöörasime vasakule M23 pealesõiduteele, olid valikuvõimalusteks kas lennujaam või Brighton.

Kujutasin vaimusilmas ette oma kohvri sisu, mis oli selline, nagu läheksin mõnele festivalile ettearvamatu ilmaga Inglismaa suvel. Saapad, sarong, vihmamantel ja lühikesed teksad olid viimased asjad, mis paanitsedes sinna viskasin, kuna mul polnud aimugi, kas pean suusatama, päevitama või midagi nende vahepealset tegema.

„Mis siis, kui mul pole õigeid riideid kaasas?" küsisin Sebi poole pöördudes anuval häälel.

„Ära muretse, kõige eest on hoolitsetud," lausus ta saaduslikult. Kes on kõige eest hoolitsenud? Kui see oleks jäetud Pippa hooleks, oleks ta mu riidekapi sügavustest välja tuhninud hilbud, millesse olin vandunud ühel heal päeval jälle mahtuda: teksapüksid ajast, mil olin üheksateist ja mille kohta ma keeldusin uskumast, et need on räbalaks kulunud. Fakti, et need alt laieneva lõike ja pirakate nööpidega teksad olid mulle nüüd juba kaks numbrit väiksemad ning pealegi kohutavalt vanamoelised, ei tahtnud ma oma igaveses optimistlikkuses ja uhkuses sugugi tunnistada. Ja jumal hoidku selle eest, kui ema oleks salamisi mu garderoobi ligi pääsenud – tema oleks ilmselt valinud lühikese lillelise pükskleidi ja hõlmikkampsuni, mille olin suvelõpu soodusmüügilt hetke ajel ostnud. Mõlemal olid veel hinnasildid küljes, sest mõlemas nägin ma välja nagu kahekümneaastane.

Ohkisin nagu mingi hädaline. „Palun ütle, et sa küsisid vähemalt Adamilt nõu. Kui üldse kellelgi on aimu, mis mulle meeldib või istub, siis tema on esimene, kelle poole pöörduda." Vaatasin Sebile alandlikult otsa, kuid tema vaid muigas ja pööras pea ära, et vaadata aknast välja, kus välgukiirusel sööstis madalalt üle põllu oranži sabatiiva järgi selgelt äratuntav EasyJeti lennuk.

Auto peatus lõunaterminali ees reisijate mahapanekualas ning mu silmad seoti taas kinni. „Ma ei usu, et turvamehed lasevad sul sellest puhta nahaga pääseda," arutlesin omaette, kui Seb silmakatte pingule tõmbas. „See viiks inimeste smugeldamise täiesti uuele tasemele."

Ta juhatas mu naerdes sissekäigutunneli kaudu väljuvatele lendudele registreerimise saali ja ma kuulsin, kuidas elevil reisijate sumin mu ümber aina valjenes. Me pöörasime vasakule ja siis paremale ning jäime lõpuks seisma – järsku oli me ümber täielik vaikus.

„Üks, kaks … kolm!" hõiskas Seb silmakatet ära tõmmates. Ma koperdasin, kuna rõõmuhõisked ja vali vilistamine ehmatasid mind sammu tagasi astuma. Nägin vaid häguselt enda ees virvendavaid nägusid, millel terendasid karikatuurselt laiad irved.

Kogu punt tuli mulle lähemale, nad sasisid mu juukseid ja läkitasid mulle õhusuudlusi. Ma ei suutnud tuvastada isegi seda, kui palju neid seal oli, veel vähem siis, kes nad olid.

„Hei, siin ta ongi!" hüüdis Pippa.

„Vaeseke, ta näeb välja, nagu hakkaks nutma," märkis Tess, mu töökaaslane.

Tuiasin suunatajuta ringi, püüdes meeleheitlikult ühitada inimeste nägusid nende häältega, tuhandetest silme ees hõljuvatest pikslitest hakkasid aegamisi vormuma reaalsed inimkujud.

„Oi, kullake, sind oleks justkui välk tabanud," ütles ema naerdes. „Kas oled üllatunud?"

„Ma ei suuda uskuda, kui palju teid siin on," imestasin ma.

„Üheksa," kostis Pippa. „Tähendab, pidi olema üheksa, aga nüüd on kümme."

Kergitasin küsivalt kulme.

„Palun väga vabandust," lugesin ta huultelt.

Vaatasin ringi ja mu pilk jäi peatuma Pammiel. See polnud suur asi. Pärast emaga kõnelemist olin tema kohaloluga leppinud – enam polnud sellest ju nagunii pääsu.

„Pole midagi," andsin Pippale märku, aga ta vaatas pingsalt mujale.

Ja siis ma märkasin teda. Ta lihtsalt seisis seal. Blondid lokid lainetena õlgadel ja imal, peaaegu haletsev naeratus mänglemas täidlastel huultel.

Charlotte.

Mu süda oleks järsku justkui seiskunud. Nagu keegi oleks sirutanud käe läbi mu rinnakorvi ja pigistanud südamest viimase tukse välja.

Kõik ümberringi nagu tardus: müra, valgus, õhk. Ja ma nägin vaid teda – aeglaselt, käed pikalt ees – mulle lähenemas. Ta oli minust vaevalt kolme-nelja sammu kaugusel, ent mu aju töötles kõike nagu aegluubis ja mulle näis, et tal kulus minuni jõudmiseks terve igavik.

„Tere, Em," sosistas ta mulle kõrva, samal ajal kallistades mind ja mattes meid värskesse tsitrusehõngulisse pilve. Jo Malone'i Grapefruit oli ilmselgelt ikka veel ta firmalõhn.

„Sellest on nii kaua aega möödas. Liiga kaua. Suur aitäh, et mind kutsusid."

Viimati, kui ma Charlotte'i nägin, oli ta ihualasti ja istus kaksiratsi mu kallima Tomi otsas. Ma ei suutnud seda mälupilti iial kustutada, ent pikapeale asus mõistus mind mõneti kaitsma, meenutades vaid šokki nende nägudel ja instinktiivset haaramist lina järele. Lõpuks hakkasin seda võtma naeruväärselt iroonilisena, et olin neid mõlemat alasti näinud sagedamini kui söönud õhtuks sooja toitu ning et nad pidasid vajalikuks küll varjata ülakeha, ent mitte lahutada oma genitaale. Kuid just need, olgem ausad, rikkusid kõik ära. Tom oli ikka veel tema sees, ehkki mitte enam kuigi kõvana, kui ma toast välja marssisin.

Olin uskunud, et kunagi mina ja Tom abiellume. Me samahästi kui elasime koos, ent tol õhtul helistas ta mulle töölt ja ütles, et ei tunne end hästi ning et tema meelest oleks parem ja mõistlikum, kui ta ööbib oma kodus.

„Usu mind," lausus ta nina löristades. „Sa ei taha seda endale külge saada."

Mäletan, et mõtlesin siis, kui hooliv see temast oli.

„See on ilmselt vaid tavaline külmetus," käisin peale, lootes, et ta muudab meelt. „Sulle kui mehele võib see tunduda üliraske haigusena, aga kui mina, naine, selle saaksin, poleks see kindlasti midagi tõsisemat kui väike tatitõbi."

„Ah, mine kah oma jutuga," turtsatas Tom naerda. „Mina siin püüan olla isetu, ja sina ainult irvitad mu üle."

„Kui sa minu juurde tuled, hõõrun su rinnale Vicksi salvi."

„Ahvatlev, aga ma tõesti arvan, et see poleks sinu vastu aus. Päriselt, mul on täiega kehv olla," ütles ta.

Aga paistab, et mitte nii kehv, et takistada mu parimal sõbrannal tema peal vingerdamast, kui talle rohtude ja Sainsbury'sest ostetud ahjuvalmis lasanjega külla läksin. Ainus, millele ma uksest sisse astudes mõtlesin, oli see, kas peaksin või ei peaks tegema näo, nagu valmistanuks selle pastaroa ise. *Kindlasti näitaks see mind palju hoolivama kallimana*, mõtlesin endamisi, kui asetasin võtmed vaikselt aknalauale ja läksin kikivarvul trepist üles.

Ma arvan, et kuulsin häälitsusi juba poole trepi peal, kuid mu naiivne aju tõlkis Tomi ohkimise köhaks ja Charlotte ähkimise hingelduseks. Mäletan mõtet, et *võib-olla peaksin tõbisele klaasi vett viima*, kui peatusin korraks viimasel trepiastmel ega kahtlustanud ikka veel midagi. Vahel mängin mõttega, et *läksingi* trepist alla joogipoolise järele ning hirmutasin nad oma kohaloluga ära. Kujutan ette, kuidas Charlotte on kiiruga topitud riidekappi ja meie Tomiga naudime sealsamas metsikuid voodirõõme.

Võib-olla oleksin siis tänini õndsas teadmatuses, valmistuksin oma kanakarjaga lendama, et tähistada viimaseid vabadusehetki enne pulmi. Charlotte oleks mu peapruutneitsi, ja mina oleksin sama tark edasi.

Ta rippus ikka veel mul kaelas, kui äkitselt sikutas Pippa mu kätt ja tiris mu eemale.

„Tule nüüd, me peame lennule registreeruma," utsitas ta mind takka.

Mu keha ja mõistus olid lakanud töötamast, seisin seal nagu soolasammas.

„Lihtsalt naerata edasi," soovitas Seb. „Pagan küll, mul pole aimugi, mis siin toimub."

„Aga ta ..." laususin kogeledes. „Kuidas see veel juhtuda sai?"

„Mul tõesti pole õrna aimugi," kordas Seb. „Meid on kogu aeg üheksa olnud. Pippa ütleb, et ta lihtsalt ilmus eikusagilt."

„Mida sa tahad teha?" uuris Pippa, juhatades mu Monarchi lennufirma laua taga ootava ametniku juurde, kelle huuled olid kannatamatusest peenikeseks kriipsuks surutud. Ma küll nägin ähmaselt Faro silti tema taga, ent mitte miski ei jõudnud kohale. Teadsin vaid, et tahan saada sealt nii kaugele ära kui võimalik. Üksi.

„Mis valikud mul on?" küsisin sarkastiliselt. „Praegu paistab, et mul pole neid."

„Me võime paluda tal lahkuda," pakkus Pippa. „Ma võin seda vabalt ise teha, kui soovid."

Ma ei suutnud selgelt mõelda.

Oleksin tahtnud nutta, aga olgu ma neetud, kui Charlotte'ile seda rahuldust pakuksin. Nägin üle Pippa õla uduselt ta naeratavat nägu.

„Ma ei suuda uskuda, mis praegu toimub."

„Mida sa tahad siis teha, Em?"

Vaatasin kõiki neid elevil ilmeid enda ümber. Mu endiste töökaaslaste Trudy, Nina ja Sami jaoks oleks see ainus puhkus terve aasta jooksul, nad on lendudele ja majutusele palju raha kulutanud ja minust poleks õiglane seda ära rikkuda veel enne, kui lennuk on õhkugi tõusnud.

„Kas tahad, et ma ütlen talle?" küsis Pippa uuesti.

Püüdsin pea klaariks saada ning meenutada, kellele ma olin Charlotte'ist ja Tomist rääkinud. Hetkel tundus, et kõik kohalolijad teadvad ja naeravad selle üle kohe, kui selja pööran. Aga kui ma nüüd ratsionaalselt mõtlesin, mõistsin, et teadsid ainult ema, Seb ja Pippa. Mul oli juhtunu pärast piinlik ja häbi – ma ei läinud seda ju kõigile avalikult kuulutama. Kui nüüd stseeni teeksin, saaksid kõik teada ja sellest ei räägitaks mitte ainult neiupõlve lõpu tähistamise nädalavahetusel, vaid ka pulmas.

„Las tuleb pealegi," nähvasin teravalt. „Küll ma hakkama saan."

Olin nii kaua aega seda hetke ette kujutanud, mõelnud, kuidas oleks Charlotte'iga uuesti kokku juhtuda. Mis siis saaks? Kas ma kargaksin talle näkku ja tahaks tal juuksed peast kiskuda? Või lihtsalt ignoreeriksin teda? Tuleb välja, et ei kumbagi. Olin täiesti tuim.

„Kuhu me üldse läheme?" küsisin pahuralt.

„Portugali!" hõiskas Pippa ülientusiastlikult.

Sain aru, et ta püüdis mu meeleolu tõsta ning mind virgutada, kuid praegu polnud see lihtne.

Istudes kogu kambaga ootesaalis, paarile Prosecco pudelile juba päkad silma aetud, püüdsin keskenduda sellele, mida inimesed mulle rääkisid. Nad olid kõik nii rõõmsad, tahtsid nii väga selle reisi eriliseks teha ja paistis, nagu nad lausa võistleksid mu tähelepanu nimel. Pöörasin pead ühele ja teisele poole, naeratasin, žestikuleerisin üliinnukalt. Aga see kõik tundus võltsina, liiga pinges hirmust, et tolle reetmise vari võib kõik ära rikkuda.

Kõlas pardalekutse. Kõik tõusid korraga püsti, nii et ostukotid kolksatasid kokku ja maksuvabalt soetatud pudelid kõlisesid. „Ma arvan, et meil on siin nii palju kärakat, et sellega saaks kas või sõjalaeva põhja lasta," naljatas Pippa. „Cliff Richard ei pea küll muretsema, et võiksime ta veiniistanduse tilgatumaks juua."

„Kas me läheme Cliff Richardi kontserdile?" erutus ema.

„Ei," vastasin ma. „Ta toodab seal veine, on ju?"

„Ma ei tohi liiga palju juua," hädaldas Tess, kui liikuma hakkasime. „Mul on järgmisel nädalal üks oluline esitlus."

Teised ohkasid kaastundlikult. „Ma saan nüüd aru, mida sa temast kõneldes silmas pidasid," ütles Pippa valjult naerdes ja mulle käega vastu selga lajatades, silmad joodud vahuveinist juba kergelt krillis.

„On see vast üllatus, et Charlotte kah platsis on," sosistas ema ning jäi meelega teistest maha, et minuga omaette olla. „Kas kõik on praegu hästi?"

Naeratasin puiselt.

„Mul on nii hea meel, et te oma sotid ära klaarisite. Sa oleksid pidanud mulle rääkima."

Ma ei teadnud, mida öelda. Olin liiga rabatud, et toimuvast täit pilti kokku panna.

Mul õnnestus Charlotte'i terve lennu ajal vältida, puigeldes kõrvale iga kord, mil tajusin, et ta püüab mulle külje alla ujuda. Pippa ja Seb olid mulle puhvriks, kuigi pidev jookide manustamine ei aidanud neil olukorda just kõige adekvaatsemalt hinnata.

„Luban, et homme saad mind rohkem usaldada," ütles Seb pehme keelega, loobudes võitlusest mu kohvri pärast, kui Charlotte selle konveierilindilt kahmas.

Võtsin kohvrisanga enda kätte ja noogutasin vaikides. Ma ei suutnud Charlotte'ile otsagi vaadata, sest teadsin, et siis kangastuks taas silme ees pilt neist kahest ja see lööks mul pinna jalge alt.

Läksin minibussi teadlikult viimasena, et ei peaks riskima sellega, et ta võib minu kõrvale istuda. Kuid ma ei saa teda neli päeva niimoodi ignoreerida – see peaks olema minu jaoks õnnelik aeg. Midagi peab muutuma. Võisin peaaegu kuulda end irooniliselt naermas, kui meenutasin, et olin pidanud nädalavahetuse suurimaks probleemiks Pammiet.

22

N ägin oma selja taga istuva Charlotte'i peegeldust, kuna vaatasime mõlemad uudishimulikult aknast välja pimedusse, et saada aimu, kuhu me sõidame. Mõtlesin, kas ta mäletab nagu minagi meie viimast väljamaareisi, mil kaks süütut kaheksateistaastast Ayia Napas tünga said. Me olime üleolevalt naernud, kui buss viis meie kaaspuhkajaid nende hotellidesse, iga järgmine närusem kui eelmine. „Küll mul on hea meel, et me seal ei ööbi!" huilgas ta. „Ma ei läheks eluilmaski sellisesse basseini."

Meie naiivsus ei jäänud bussijuhil märkamata, ta kiikas meid pidevalt peeglist, naeratas ja vangutas pead. Ilmselgelt teadis ta midagi, mida meie ei teadnud, sest kui ta bussi kuskil pärapõrgus meie välja laskmiseks peatas, naeris ta me jahmunud nägude üle.

„Ei, see ei saa õige olla," kaebas Charlotte, astudes bussist välja otse lirtsuvasse porri. „Brošüür ütles, et see on kuurordi südames."

Sohver, kelle nimesildilt nägime, et ta nimi oli Deniz, raputas vaid pead ja muigas.

Maja esiukse kohal kiiskav prožektor valgustas meile kitsal jalgrajal teed, peletades gekosid plagama, kui vedisime abitult oma kohvreid ööbimispaiga poole.

„*Ciao!*" hõikas Deniz rõõmsalt ning vuras minema, ja ma tahtnuks nii väga talle järele joosta. Isegi oma keerdus vuntside ja tillukeste tumedate silmadega tundus ta turvalisem kui sadistliku ilmega naine, kes vastuvõtulaua taga higistas ja piitsaga kärbseid eemale vihtus. Meil kulus kolm või neli rakit, nägemaks oma olukorras midagi naljakat, ja ega ma täpselt mäleta, mitu veel, enne kui päris ära vajusime, nii et ärkasime järgmisel hommikul kopitanud päevitustoolidel kõrvetavalt kuuma Küprose päikese all.

Olime toda retke sellest ajast saadik – noh, vähemalt ajani, mil ma lõpetasin temaga suhtlemise – nimetanud oma „täiskasvanuks saamise" seikluseks: müstiliseks märjukest, mässu ja märatsemist täis julgustükiks. See mälestus pani mind tahtmatult naeratama.

Pippa erutunud hääl, mis tungis mu mõtetesse, kiskus mind tagasi olevikku. „See paistab õige koht olevat," hõiskas ta. „Olemegi päral!"

Üles suunatud valgusega lampidest mahedalt valgustatud virsikukarva seintega villa oli ilus. Aga ma oleksin pidanud olema siin inimestega, kes on mulle kallid, mitte psühhootilise tulevase ämmaga ja naisega, kes oli seksinud mu eelmise kallimaga.

„Vau!" kõlas kooris vaimustushüüd.

„Pole paha, mis?" märkis Pippa rahulolevalt.

Kõik kogunesid elevalt eesukse ette, sellal kui tema luku kallal kohmitses. Mina hoidsin kaugemale, võideldes meeleheitlikult kihuga ronida lahkuvasse bussi tagasi, kuigi mul polnud aimugi, kuhu oleksin tahtnud sellega sõita. Pilgutasin kipitavaid silmi, et mitte tönnima hakata, ja tundsin siis kellegi kätt oma seljal.

„Kas kõik on hästi?" küsis ema tasakesi.

Suutsin vaid noogutada ja neelasin kurku kerinud klombi alla. Mu ema on siin. Kõik saab korda.

Pippa oli reserveerinud õhtusöögilaua rannal paiknevas restoranis, mille nimi oli BJ's. „Sobiv nimi," tegi muidu nii vaikne Tess siivutu vihje*, kui suundusime tolmuselt parkimisplatsilt järsu trepi poole. „Liigume alla!"

„Jeerum, kui palju ta juba joonud on?" naeris Pippa.

Tundsin, kuidas keegi sikutas mind käest ja ringi pöörates nägin, et see oli Charlotte. „Sa pole minuga sõnagi vahetanud, isegi mitte tere öelnud," torises ta.

„Mitte praegu," vastasin. „Mul pole tuju."

„Aga miks sa mind siis üldse kutsusid?"

Jäin üllatunult seisma ja pöörasin näo tema poole.

„Kutsusin? Sa arvad, et *mina* kutsusin sind?" Ta näoilme oli nii ehmunud, nagu oleks saanud kõrvakiilu.

„Noh, jah, nii Pammie ütles ..." kogeles ta. „Ei kutsunud siis või?"

Mu kõrvad hakkasid tulitama. Charlotte'i huuled liikusid, ent sõnad kostsid summutatult. *Pammie?* Ma ei suutnud kuidagi taibata, kuidas see sai juhtuda. Püüdsin leida mingit ühenduslüli, mingit viisi neid kaht omavahel siduda. Mu ajus tiirlesid pildid Pammiest, Adamist, Jamesist, isegi Tomist – nad kõik naersid, näod moonutatud nagu „Spitting Image'i" hüpiknukkudel. Tundsin, justkui trambiksid nad jalgadega mu peal, kuid ma ei suutnud näha, kes oli telgitagune niiditõmbaja.

Kas nad tunnevad teineteist? Kuidas nad kohtusid? Millal? Mõtted tormlesid kaootiliselt ringi ja ma püüdsin meeleheitlikult asjast sotti saada.

Nägin jälle vaimusilmas pilti Charlotte'ist Tomi peal aelemas ja pidin end kõigest väest tagasi hoidma, et teda mitte kalju servalt merre ei tõukaks.

„Pammie?" küsisin üle, paludes endamisi, et olin kuulnud valesti. Tundsin, et mu närvid ei pea enam vastu. Kuidas ma võin küll nii nõrk olla? Mul on vaja kontrolli säilitada.

---

* Lühendit BJ kasutatakse kõnekeeles ka suuseksi kohta.

174

„Jah, ta ütles, et kutsub mind sinu palvel."

„Mida? Kuidas?" Raputasin uskmatusest pead.

„Ma ei tea," vastas Charlotte. „Pammie helistas mulle ja ütles, et sa tahaksid, et tuleksin su tüdrukutenädalavahetust veetma. Küsisin, kas ta on ikka kindel, et sai õigesti aru. Ta ütles, et jah, ja ma olin nagu kaikaga pähe saanud, ma ei mõistnud seda. Ma ei suutnud seda uskuda."

„Kuidas sa võisid üldse selle peale tulla, et ma tahan sind jälle näha – pärast seda, mis sa tegid?" Vaatasin talle esimest korda päriselt otsa ja mu silmad täitusid pisaraist. Kehast käis jõnks läbi, tunded olid täiesti segi paisatud ja mul oli tungiv soov teda kallistada. Surusin selle tungi alla, kuid see polnud lihtne. Alles nüüd, mil ta minu ees seisis, sain aru, kui väga ma teda igatsenud olin.

Charlotte pööras pilgu maha. „Mul on tõesti kahju," ütles ta peaaegu sosinal. „Ma ei suuda ikka veel uskuda, et ma seda tegin."

„Aga sa tegid," vastasin kuivalt, keerasin ringi ja kõndisin trepist alla.

Ma vajasin hädasti üht drinki ja õnneks olid minu lauda jõudmise ajaks veiniklaasid juba täis valatud. Võtsin suure sõõmu veel enne, kui istudagi jõudsin.

„Noh, kes tahab „Fuzzy Ducki" mängida?" hõikas Tess. „Pange oma klaasid ritta, daamid."

„Ja härra," täpsustas Seb.

Suutsin vaid naeratada ja otse enda ette vahtida, sest kui oleksin vaadanud vasakule, oleksin näinud Charlotte'i, ja kui oleksin vaadanud paremale, oleksin näinud Pammiet, ning ma ei suutnud talle praegu näkku vaadata, sest kartsin, mida võiksin siis teha.

„Mis te arvate, kui mängiks hoopis „Tõde või tegu"?" pakkus Seb omalt poolt.

„Jaa!" hüüdis Tess.

Hoidsin kindlalt näol võltsnaeratust, paotades huuli vaid selleks, et võtta lonks veini. See hakkas juba mõningal määral mu närvilõpmeid tuimastama.

Terrakotapudel, mis veel üsna hiljuti oli Lancers Roséd täis, liperdas ja loperdas keereldes, aeglustus siis ja jäi pidama Sebi juures.

„Tõde või tegu?" küsis Pippa.

„Tegu!"

„Okei. Kui kelner küsib, mida sa süüa tahaksid, pead andma endast parima, et esitada tellimus portugali keeles."

Seb naeratas ja viipas kelneri enda juurde.

„Nii ... Palun mulle zee un aperitif, kuda seda nüid öelda, spaghetti bolognesia con pan du küüslauk."

Kogu seltskond kihistas naerda. „Siin oli nüüd küll vähemalt kolm erinevat keelt, aga ma võin oma elu peale kihla vedada, et ükski neist polnud portugali," itsitas Tess.

„Kas sooviksid parmesani ka peale, vennas?" küsis naeratav kelner kokni aktsendiga.

Kõik naersid, kuid mina suutsin kuulda vaid karjuvat vaikust laua teises otsas. Täitsin uuesti klaasi, jõin tühjaks ja põrnitsesin Pammiet. Ta jõllitas mulle vastu, silmis põlgus, justkui heitnuks vaenukinda.

Mitte keegi teine poleks seda märganud, kuid mitte keegi ei tunne teda ka nagu mina. Nad ei tea, et see armas vanaldane naisterahvas, kes longib nende kannul ja mängib mingit pühakust kannatajat, on tegelikult kalkuleeriv, salalik nõid. Aga kui ta tahab sellist mängu mängida, mind süstemaatiliselt tükk tüki haaval murendada, et minust midagi järele ei jääks, siis lasku käia, mina olen valmis.

Pudel keerles ja jäi seisma Charlotte'i ees.

„Tõde või tegu?" kuulutas Seb.

Charlotte vaatas järsku korraks minu poole. „Tõde."

„Minul on üks küsimus," hüüatas Pippa. „Mida sa kõige enam kahetsed?"

Paistis, et Charlotte teadis, mis on tulemas. „Ma olin rumal ja arvasin, et olen armunud," alustas ta. „Probleem oli selles, et see kutt polnud minu, vaid mu parima sõbranna armsam."

Tajusin, kuidas Pippa ja Seb mu kõrval turri tõmbusid.

Tess ahmis häälekalt õhku.

Charlotte jätkas: „Ma uskusin naiivselt, et kõik laheneb kenasti, aga muidugi nii ei läinud. See ei lähe kunagi nii."

„Mis siis juhtus?" päris Tess. „Kas sõbranna sai teada?"

Charlotte vaatas mulle pingsalt silma. „Jah, kõige hullemal viisil, mis võimalik, ja ma ei unusta iial tema näoilmet. Ta justkui purunes tuhandeks killuks."

Mul hakkas rinnus pitsitama.

„Kas asi oli seda väärt?" pinnis Tess edasi. „Kas te jäite kokku?"

„Ei," kõlas vaikne vastus. „Mina ja see noormees armastasime teda rohkem kui teineteist ja kui taipasime, kui suurt valu me olime põhjustanud, oli lool lõpp. Rumal viga väga ränkade tagajärgedega." Üksik pisar langes Charlotte'i põsele ja ta pühkis selle kiiresti ära. „Midagi sellist ei sooviks ma kellelegi," naeris ta pingutatult, püüdes meeleolu tõsta.

Nutt kurgus, mõistsin alles sel hetkel täielikult, millist piina olin kõik need aastad endas kandnud. Ma polnud päriselt kunagi võtnud endale aega, hindamaks oma kallima ja parima sõbranna kaotuse suurust, kaotades nad näiliselt teineteisele. Peitsin lihtsalt pea liiva alla ja marssisin edasi nagu sõdur, eitades täielikult tegelikku kahju. Võib-olla arvasin, et fakti mitte teadvustades kaoks see kuidagi ära ja tunduks, et midagi pole kunagi juhtunudki. Suutsin end peaaegu uskuma panna, et see oli parim, mis minuga kunagi juhtunud on – niimoodi eraldusid kindlalt terad sõkaldest ja mul on nendeta parem. Ent ei olnud. Kuni selle päevani oli Tom olnud mu eluarmastus, mees, kellega kavatsesin tulevikus pere luua. Ja Charlotte? Noh, tema oli olnud mu kõrval alates ajast, kui me algkoolis kolmandas klassis kohtusime.

„Need kaks on nagu sukk ja saabas," kommenteeris mu ema kord kooliväravas. „Nad jäävad alatiseks väga lähedasteks." Charlotte'i ema noogutas selle peale naeratades ja sellest ajast saati ei möödunud päevagi, mil me omavahel ei rääkinud. Me käisime samas keskkoolis, veetsime koos koolivaheaegu ja isegi meie esimesed töökohad olid teineteisest vaid paari tänava kaugusel Oxford Circuse taga. Ma helistasin ta emale iga mõne päeva tagant, et rääkida, mis vahepeal toimunud oli, ja tema helistas minu emale. Olime olemuselt nagu kaks tilka vett, justkui sama vormi järgi tehtud. Aga tema tõestas, et me polnud tegelikult üldse sarnased.

Vaadates teda nüüd silmi pisaraist kuivaks pühkimas, kurvastasin kaotsi lastud aja pärast. Armastuse ja naeru pärast, mis oleks võinud valu ja vihkamise asemel meie vahel olla.

„Nonii, kes meil siis järgmine on?" hüüdis Seb ja pani pudeli uuesti keerlema.

Mida enam pudeli hoog rauges, seda valjemaks muutus ahhetuste koor. „Emily!" Kõik hõiskasid ja plaksutasid. „Paras sulle!" hõikas keegi. „Tulevane abielunaine peab oma patte kahetsema."

Naeratasin ebaveenvalt. „Mul pole ühtki luukeret kapis."

„Seda me veel näeme," naeris Pippa.

„Kas mina võin küsida?" palus Tess.

Kummutasin klaasi põhjani ja pöörasin ootusrikkalt tema poole. „Tõde või tegu?" küsis ta.

„Tõde."

„Olgu siis, kas sa oled kunagi truudust murdnud?" esitas ta oma küsimuse.

Mul polnud vaja hetkegi mõelda. „Mitte iial."

See vastus ei rahuldanud teisi. „Mida, mitte kunagi? Isegi mitte siis, kui olid noorem?" usutas Tess.

„Ei, mitte kunagi." Vaatasin Charlotte'i, oma vanima sõbra poole, et ta mu sõnu mingi märguandega kinnitaks.

Charlotte raputas pead.

„Nojah, kõik sõltub sellest, mida truudusetuseks pidada," märkis Tess üsna otsekoheselt. „Tähendab, kas me räägime amelemisest, seksuaalsest suhtest või päris seksist?"

Naerdi ja tehti nägu, nagu olnuks tavaliselt vagura Tessi järsk väljaütlemine suisa šokeeriv.

„Aga mida seksuaalsed suhted endast õigupoolest kujutavad?" küsis Pippa. „Jeremy Kyle'i saates räägitakse sellest kogu aeg, teate ju küll, kui tehakse neid suuri valedetektori tulemuste paljastusi: „Kas sul on alates Charmaine'iga käima hakkamisest olnud seksuaalseid suhteid kellegi teisega?""

„Noh, see on midagi enamat kui suudlus, aga mitte päris õige seks." Tess itsitas. „Niisiis, selle alla kuulub kõik, mis sinna vahepeale jääb."

„Nojah, see teeb nüüd küll kõik palju selgemaks, Tess. Aitäh, et meid valgustasid," kommenteeris Seb.

„Võib-olla tähendab truudusetus siiski midagi veel enamat," sekkus Pammie vestlusse. „Võib-olla võib ka ainuüksi kavatsust midagi teha pidada ebalojaalsuseks?"

„Jeerum, Pammie!" hüüatas Pippa. „Kui üksnes mõte sellest tähendab, et oled truudusetu, siis olen mina kõige suurem libu inimkonna ajaloos."

Ma naersin, Pammie aga krimpsutas halvakspanevalt nina. „Ma ei räägi mõttest sinu peas. Ma räägin täiesti reaalsest kavatsusest teha midagi väära, näiteks nagu nõustuda kellegagi kohtuma, teades, et selleni võidakse lõpuks ikkagi jõuda."

„Mina küll ei arva, et see võiks truudusetusena arvesse minna, Pammie," vaidles Pippa vastu.

„Läheb, kui hoiad seda kokkusaamist oma partneri eest salajas ... olenemata sellest, kas sa päriselt ka teed midagi või ei. Ainuüksi fakt, et sa kohtumisele läksid, olles täiesti teadlik sellest, mis võib juhtuda ... minu silmis on see truudusetus."

Kostis tüdrukute ja Sebi turtsakat protesti. „See peaks siis tähendama, et ma olen oma Danile mitu korda truudust murdnud," lausus Trudy pettunult sõna sekka.

„Kas sa oled kohtunud kellegagi kindla kavatsusega lõpetada koos voodis?" küsis Pammie.

„Ei, aga ma olen kohtunud väljas käies meestega, keda olen pidanud atraktiivseks."

„Ja kas sa oled kunagi kellegagi neist leppinud kokku uuesti kohtuda, kusjuures te mõlemad teate, milleks te seda teete? Sest, olgem ausad, see oleks ainuvõimalik reaalne ootus," ajas Pammie oma joru edasi.

„Ei ..." vastas Trudy.

„Siis on sinuga kõik hästi," jätkas Pammie. „Tahan öelda vaid seda, et kui sa kohtuksid kellegagi ainsa kavatsusega petta, siis – isegi kui sa oma kavatsust ellu ei vii – on see ikkagi truuduse murdmine, kas pole?"

Vastuseks tuli mõni vaikiv noogutus rohkem kui eelmisel korral, mil Pammie selle küsimuse välja käis.

„Niisiis, võib-olla peaksid sa Emilylt sama küsimuse uuesti küsima," ei jätnud see nuhtlus järele.

Vaatasin teda kississilmi ja tundsin, kuidas mu kõrvad hakkasid tulitama. Mõttes välkusid pildid minust ja Jamesist: meie mõnusalt tagatänava kohvikukese nurgas; me kaks istumas pukktoolidel eksklusiivse hotelli baaris, tema käsi hoidmas mu kätt, kehakeel karjumas: *Kas nüüd toimub midagi või ei?* Ma teadsin, kuidas mina seda nägin, ja võisin vaid ette kujutada, kuidas see võinuks paista kellelegi teisele. Kas keegi oli meid näinud? Kas Pammie vihjas sellele?

Tess vaatas mulle otsa. „Hästi, ma sõnastan siis küsimuse ümber ja esitan uuesti. Preili Emily Havistock, kas sa oled või ole kunagi meelega truudust murdnud?"

Pammie pani käed rinnale risti ja kergitas kulme, demonstreerides ilmekalt, et ootab mu vastust. Ta ei saanud seda ju kuidagi teada, või sai? Jamesil polnud mingit põhjust talle rääkida. Miks oleks ta pidanud seda tegema? Ja tõenäosus, et keegi oli meid näinud ning kaks asja kokku viinud, oli sama suur kui saada loto peavõit. Olin lihtsalt paranoiliselt kahtlustav.

Vaatasin talle otse silma sisse. „Ei, mitte kunagi."

Pammie niheles toolil, ning kui teiste tähelepanu oli juba pöördunud järgmisele mängijale, pobises midagi mokaotsast ja ma olen täiesti kindel, et kuulsin Jamesi nime.

23

„Nii tore õhtu," ütles ema, kui seisime vannitoa peegli ees ja eemaldasime meiki. Me mõlemad tuikusime kergelt. Vähemalt mina küll. Võib-olla selle pärast paistis mulle, et ka tema tuikus.

„Ma pole juba aastaid nii kõvasti naernud," tunnistas ta ja tõstis jala kingapandla avamiseks üles.

Ma muigasin. „Mulle tundub, et see kelner limpsas sinu järele keelt."

„Ah, ole nüüd!" naeris ema ning kaldus ebakindlalt kõikudes minu poole, jalg ikka veel õhus. „Ooh, Em, appi!"

Püüdsin ta kinni ja ta vajus mulle sülle. „Mida sa ometi teed?" itsitasin ma.

„Kui ma vaid saaksin ..." pusserdas ta ja puhkes hüsteeriliselt naerma. Jõudsin ta küünarnukkidest kinni võtta, kuid ta potsatas ikkagi põrandale istuli. Ma polnud ema kunagi varem nii svipsis näinud.

„Ja kas polnud tore Charlotte'i jälle näha? Mul on tõesti hea meel, et sa temaga sotid sirgeks said. Ükski sõprussuhe ei tohiks iialgi mingi jorsi pärast luhtuda, eriti kui tegemist on niisuguse sõprusega nagu teil Charlotte'iga. Ma ütlesin täpselt sama ka Pammiele."

Ainuüksi selle nime kuulmine lõi mu peaaegu kaineks. „Mida sa talle ütlesid?" pärisin püüdlikult sõbralikul toonil.

„Ainult seda," lausus ema mittemidagiütlevalt, ise ikka veel vannitoa põrandal. „Kui rääkisin talle, mis teie vahel juhtunud oli, siis ütlesin, et see on väga kurb, sest te olite väga lähedased, sina ja tema, olite ju?"

Tundsin, kuidas viha keema hakkas. Istusin ema kõrvale maha. „Kuidas see teil üldse jutuks tuli?"

„Pammie küsis, ega keegi pole kogemata külaliste nimekirjast välja jäänud. Ta tahtis vaid üle kontrollida, kas kõik, kes on pulma kutsutud, ka tüdrukuteretkele tulevad. Vastasin talle, et minu meelest on kombes, aga kui ta hakkas pärima su lapsepõlvesõprade kohta, pani see mind kukalt kratsima."

„Ah, see seletab kõik," ütlesin tasakaalukalt, kuigi sisimas karjusin: *Mida paganat temal sellega pistmist on?* Oma pulmakulud katsime me ise, ja minu ema-isa maksid me pulmareisi eest. Pammiel polnud mitte mingit õigust siin küsimusi esitada.

„No ja siis ma mainisin, et ainus inimene, kes pole kutsutud, aga kes mis tahes muus olukorras oleks kindlasti pildil, on Charlotte."

Noogutasin teeseldud rahulikkusega ning püüdsin meeleheitlikult pea klaariks saada.

„Ja siis rääkisid talle ära kõik, mis oli juhtunud?"

„Osaliselt, jah. Ma ei pidanud sobivaks laskuda üksikasjadesse, *kuidas* sa teada said. Ütlesin vaid, et Tom ja Charlotte semmisid sinu selja taga."

Tundsin rinnus peaaegu valu.

„Olgu, tõstame su püsti," laususin, haarates ema mõlema kaenla alt.

Ta itsitas kogu aeg kuni voodisse jõudmiseni, siis lahkusin vaikselt toast ning sulgesin ukse.

Läksin trepist mööda ja läbi koridori magamistuppa maja tagaosas, kõnnak iga sammuga aina kiirem ja raskem.

Lükkasin ukse koputamata lahti.

„Kelleks pagan sa end pead?" sisistasin.

Pammie ei tõstnud raamatult, mida luges, isegi pilku. „Hakkasingi juba mõtlema, et kaua sul läheb," lausus ta.

„Kuidas sa julged?" Mu hääl oli vihast kile. „Kuidas sa julged trügida minu tüdrukuteõhtu väljasõidule ja kutsuda *tema* ka veel siia?"

„Arvasin, et see rõõmustaks sind," kostis Pammie. „Arvasin, et see oleks suurepärane võimalus teid taas kokku viia."

Ta asetas raamatu enda kõrvale voodi peale, võttis prillid eest ja hõõrus ninajuurt.

„Nii kahju," jätkas ta, „kui sul on hea sõber ja kaotad temaga kontakti. Kas sel oli mingi kindel põhjus?"

Ah nii, ta tahab mängida? Hüva, mängime siis.

„Ei, tegelikult mitte," vastasin argisel toonil. „Me lihtsalt kasvasime lahku."

„Nojah, kui kuulsin, et tutvusite juba kooliajal ja olite väga lähedased, ei suutnud ma kuidagi leppida mõttega, et nii eriline inimene pole sinu suurpäeval kohal," targutas Pammie, silmis riuklik helk. „Ma otsisin teda sealt interneedusest, mis selle lehe nimi ongi? Book Face või midagi?"

Jumal, kui hästi ta oma näitemängu mängib! Aga ta näib olevat unustanud, et Adamit pole praegu siin. Ta poeg ei kuule tema haledat häältetooni ega näe tema lipitsevat näoilmet. Kahtlemata pojuke lausa säraks uhkusest oma ema geniaalse detektiivitöö üle.

„Aah, ta on nii armas," kiidaks Adam takka. „Kui hooliv temast. Kas ta pole mitte imeline?"

Naeratasin sarkastiliselt. „Facebook, Pamela. Selle nimi on Facebook."

Ta võpatas, lõpetas pugemise ning see lapsik komejant sai hetkega läbi. „Ma ei pea sinuga viisakas olema," sisises ta. „Aga olgu kuidas on, sinust saab mu minia."

Irvitasin talle näkku. „Kindel see, ma ei suuda ära oodata, millal see juba juhtub."

„Jäta see iroonitsemine," nähvas ta. „See ei sobi sulle."

„Ja sina ära ole selline vastik nõid."

Ta silmis vilksatas vihaleek ning kitsad huuled tõmbusid pingule, paljastades esihammaste kohal igemejoone – nagu lõriseval koeral. „Kus su kombed on? Kas sa tõepoolest arvad, et mu poeg veedab kogu oma ülejäänud elu kellegi sinusugusega koos?"

Mul oli tunne, et sellega pole asi veel lõppenud, niisiis seisin, käed risti rinnal, ja ootasin, millega ta järgmisena torkab.

„Ta saaks igaühe, keda tahaks," jätkas Pammie. „Ma ei saa aru, mis pagana pärast ta sinu valis. Aga küll ta tuleb lõpuks mõistusele, küll sa veel näed, et mul on õigus. Ma lihtsalt loodan, et see juhtub pigem varem kui hiljem."

Muigasin, justkui oleksid ta õelad sõnad mulle nagu hane selga vesi, kuigi iga silp mõjus kui mõõk ja lõikus just neisse niitidesse, mis hoidsid mu südant õige koha peal. Mul oli tunne, nagu oleksin läinud ajas tagasi, paisatud tagasi algkooliaega, mil kiusupunn Fiona mänguväljaku nurgas ähvardavalt mu kohal kõrgus ja naeris, mina aga lebasin siruli maas, siniseruuduline puuvillast kleit puusadeni kerkinud.

„Miks su alukad mustad on?" mõnitas kooliõde. „Vaadake kõik! Emily kakas püksid täis."

Teised lapsed tulid näpuga näitama ja naerma, mina aga tõmbasin oma kleidi ruttu alla ja püüdsin püsti tõusta. Fiona ulatas mulle käe, ent kui hakkasin sellest kinni võtma, tõmbas ta käe eemale ja ma kukkusin uuesti selili. „Oh sa rumal räpane Emily." Ta naeris, ja kõik tema ümber naersid kaasa – kui mitte muu pärast, siis hirmust ise järgmiseks märklauaks saada. „Sa peaksid riided ära vahetama, keegi ei taha mingi kakahaisuse kõrval istuda."

Võisin seda häbi ja piinlikkust tunda veel praegugi. Seda põski kõrvetanud õhetust, mida ma ei suutnud ka kõige parema tahtmise juures vältida. Jooksin tualeti juurde, mille ukseesise blokeeris nagu ikka seal seisev lastekari. Trügisin nende vahelt läbi ning samal hetkel helises vahetunni lõppu kuulutav kell.

„Emily Havistock, kell helises!" hõikas proua Calder mänguväljaku teisest otsast, justkui oleks tal silmad ka selja taga olnud. Otsustasin teda ignoreerida, eelistades konflikti pigem tema kui Fionaga. Tõmbasin kabiiniukse mürtsuga kinni, panin lukku ning tirisin püksid maha, et vaadata, kas need tõesti on räpased. Oli vaid üks väike must plekike kohas, mis oli tolmusele bituumenkattele kukkudes maad puudutanud. Ma ei tea, miks ma olin uskunud, et seal võib olla midagi muud. Siis puhkesin nutma, valasin selliseid pisaraid, mida püütakse kõigest väest tagasi hoida, kartes ja teades, et kui need kord valla pääsevad, ei pruugi nutt kunagi lõppeda.

Just selline pisaratulv ähvardas kurku tõusta ka nüüd, oma kakskümmend aastat hiljem, kui seisin taas ühe kiusaja ees. Võtsin end kokku ja vaatasin Pammiele puuriva pilguga otsa.

„Millal sulle lõpuks kohale jõuab, et Adam ja mina jääme igavesti kokku?" Mu hääl värises pisut.

Ta turtsatas ja pööritas silmi. „Seda ma küll ei usu. Oh ei, sul pole võimalustki."

Astusin talle ligemale. „Ma abiellun su pojaga, ja seda ei suuda takistada ükski sinu sõna ega tegu. See *juhtub*, meeldigu see sulle või mitte, seega hakka harjuma."

Pammie kallutas end ettepoole, nii et me ninad olid peaaegu vastamisi. „Ainult üle minu laiba," sülgas ta.

24

„P aistab, et sulle on uus fänn tekkinud," poetas Adam mulle
„P kaissu pugedes. Kell oli 2 öösel, ta oli kodus olnud vaid
tund aega, millest suurema osa olime veetnud armatsedes. Loo-
mulikult ei suutnud ma sellest kuidagi keelduda, eriti pärast nelja
päeva pikkust lahusolekut, ning kahtlemata oli tema teele selle
aja jooksul sattunud hulganisti kõikvõimalikke kiusatusi. Aga
nüüd olin ma väsinud ja tahtsin hirmsasti pisut magada, enne kui
äratuskell kell kuus heliseb.

„Mmm," mõmisesin ma. „Kes?"

„Ema," kostis Adam rõõmutsevalt. „Ta ütles, et tal oli väga tore
ja sa võtsid ta väga südamlikult vastu."

Hingasin sügavalt sisse, oodates, millal sarkasm lõpeb ja ta
räägib välja, mida see mutt tegelikult ütles. Jumal küll, kas Pam-
mie oli tõesti temaga nii ruttu ühendust võtnud? Temaga rääki-
nud juba enne kui mina? Adam oli Inglismaa pinnal olnud vaid
paar tundi.

„Niisiis. Aitäh. Sulle," sosistas ta, surudes iga sõna järel mu
põsele suudluse.

Pöörasin näoga tema poole.

„Mis on?" küsis ta naerdes.

Meenutasin oma lubadust – seda naist pärast pulmi mitte iial enam näha –, mille olin andnud Portugalis, kui ta urgitses minu ja Sebi vahelises suhtes.

Pammie kommentaar tuli täiesti ootamatult, kui meie sõnavahetusele järgnenud päeva hommikul basseini ääres päevitasin. „Sa ikka tead, et sa ei või Sebiga pärast pulmi enam nii sageli kohtuda, eks?" kuulutas ta.

Ma ei teadnud, et ta oli juba ärganud, liiatigi veel, et ta seal minu kõrval peesitas. Ma ei liigutanud lihastki, avasin päikeseprillide taga silmad ning nägin Tessi ja Pippat basseini madalamas otsas snorgeldamas.

Mitte kedagi teist polnud läheduses näha.

„Kas tõesti?" vastasin külmalt.

„Jah, tõesti," nähvas ta. „See pole õige, et sa oled teise mehega nii lähedane. Adam on valmis sellega kuni pulmadeni leppima, aga kui olete juba abielus, peab Seb kaduma."

Lamasin ikka veel liikumatult nagu kivikuju, kuigi lihased tõmblesid naha all ja tegelikult oleksin ma tahtnud püsti karata ning tal silmad peast kraapida.

Sundisin hääle rahulikuks. „Kas Adam ütles seda või?"

„Jah, see on teda kogu aeg häirinud. Ta rääkis mulle kohe teie suhte alguses, et see teeb talle suurt tuska."

„Ma ei tea, kas see on sul kahe silma vahele jäänud, Pamela, aga Seb on gei." Oleksin tahtnud öeldud sõnad kohemaid tagasi võtta. See kõlas, nagu õigustaksin tema ees meie suhet, väites, et kuna Seb on gei, siis on kõik korras.

„Ma mõistan seda," kirtsutas ta nina. „Kuid see pole õige. Ta ei peaks siin olema. Adam oli jahmunud, kui sai teada, et sa Sebi tüdrukutega kaasa kutsud."

Adam polnud mulle sel teemal midagi kõssanud. Ta poleks söandanud. Aga kui nüüd järele mõelda, polnud see meil kunagi jutuks tulnud, mitte kunagi. Minu ja Sebi suhe oli selline nagu oli, nagu oli alati olnud, juba ammu enne Adami ilmumist mu ellu, ja ma arvasin, või siis oletasin, et ta on sellega leppinud. Aga võib-olla siiski ei ole?

„Mida ta siis täpsemalt ütles?" küsisin kõigutamatult.

„Ta ei suutnud seda uskuda," vastas Pammie. „Gei või mitte, aga Seb on siiski mees ja pidutseb koos tema kallimaga, osaleb tema kihlatu tüdrukuteüritusel. Adamil on selle pärast piinlik."

Võtsin prillid eest ja tõusin istukile, aga isegi kui Pammie seda märkas, ei teinud ta sellest välja. Ta lamas edasi, lai kübar päikesekaitseks silmadele ja ninale tõmmatud.

„Kas Adam tõepoolest ütles sulle, et tal on minu pärast piinlik?" Olin enda peale nii tige, et ma selle intrigandi õnge läksin.

Pammie reageeris naeratusega ja elas teemasse sisse. „Jah, aga kellel poleks? See pole Adami süü, see on ju mehe loomulik reaktsioon. Ma ei tea maamunal ühtegi meest, kellel oleks hea meel, kui ta naine veedab teise mehega nii palju aega nagu sina Sebiga. Naine, kes on kihlatud ja kavatseb abielluda, ei tohiks niimoodi käituda."

„Me ei ela kaheksateistkümnendas sajandis," ütlesin, hammustades huult, et hoida tagasi sõnu, mida tegelikult öelda tahtnuks. „Ajad on sinu nooruspäevadega võrreldes üksjagu muutunud. Naised on nüüd teistsugused." Pagan, ma püüdsin ikka veel ta ees me sõprust õigustada.

„See võib nii olla," vastas ta rahulikult, mänglev naeratus ikka veel huulil. „Aga ma tahan vaid öelda – ja tegelikult teen sellega sulle teene, et säästa sind ebamugavast vestlusest Adamiga –, et see peab lõppema. Ta ei lepi sellega enam, kui te abielus olete."

„Sebiga kohtun ma ka edaspidi," sisisesin ma. „Aga sinuga mitte."

Pammie püüdis end lamamistoolil ülespoole upitada ja ta kübar kukkus maha. „Mida?"

„Sa kuulsid küll. Ja kui ma keeldun sinuga kohtumast, siis kas tead, mida see tähendab?"

Ta jõllitas mind, nägu vihast väändunud.

„Siis on Adamil palju raskem sinuga kokku saada."

„Edu sulle siis," poetas ta külmalt. Kui ta tundiski mingit hirmu, suutis ta seda hästi varjata. „Kas sa tõsimeeli arvad, et ta valib minu asemel sinu?"

„Kellega ta koos elab? Kellega ta voodit jagab? Kellega armatseb? Ma ütleksin, et sinu võimalused on üsna kehvad."

„Ma ei loodaks sellele," kostis Pammie, tõusis ja kõndis aeglasel sammul maja poole, *buta*-mustriline kaftankleit kerges tuules lehvimas. „Kas teil lapsekestel on siin lõbus?" küsis ta Tessilt ja Pippalt basseinist möödudes, nagu vana rahu ise. Psühhopaat!

Ja nüüd räägib ta Adamile, et tal oli tore ja ma võtsin ta sõbralikult vastu? See pommuudis pani mu parajasse plindrisse. Pammie mängiks justkui mingit kassi ja hiire mängu. Ja pole vist raske ära arvata, kes on hiir.

Adam tõmbas meil teki üle pea, surus mind tugevamini enda vastu ja ma tundsin taas tema valmisolekut. „Sellest on neli päeva möödas." Ta naeris, mina aga ohkasin raskelt. „Ma ei saa sinna midagi parata."

„Jää magama," palusin kurnatult. „Me peame mõne tunni pärast ärkama."

„Jään, ma luban. Löön endale haamriga pähe ja ei tüüta sind enam, aga ainult siis, kui teed mulle ühe teene."

„Jumal küll, mida siis?" turtsatasin naerdes.

„Ema küsis, kas ta võib sinuga viimasesse kleidiproovi tulla."

„Mida?" Ahmisin õhku ja krapsasin istukile. „Tõsiselt räägid või?"

„Ema ütles, et te saite reisil olles omavahel nii hästi läbi, et ta mõtles, et äkki ta võiks ka su kleiti vaatama tulla." Adam kurrutas laupa, nagu ootaks nähvakat vastust.

Mul vajus suu ammuli.

„Palun, Em. See tähendaks talle väga palju. Nagu ta ütles – kuna tal tütart pole, ei saa ta kunagi seda erilist hetke temaga veeta. Sina oled tema jaoks sellele kõige lähem. Tal oleks nii hea meel."

„Aga ..." jõudsin vaid öelda.

„Sinu ema on seda juba näinud, seega ei astuks ta ju tegelikult kellelegi varvastele."

„Aga Pippa pole veel näinud, Seb ka mitte. Meil oli plaanis laupäeval neljakesi sellest üks eriline päev teha, minna pärast lõunale ja nii."

Adam toetas end küünarnukile. „Seb?"

Mul jäi hing kinni.

„Kas Seb tuleb teiega?"

Kohendasin tekki, süda rinnus vasardamas. Kas mulle vaid tundus, et atmosfäär oli muutunud? See pidi nii olema, sest Seb oli probleem, mille Pammie oli tekitanud *oma* peas, mitte Adami omas. Aga miks oli mul siis tunne, nagu oleksin astunud maamiinile ja ootaksin nüüd viibega plahvatust?

„Muidugi," kostsin justkui muuseas. „Miks ta ei peaks?"

„Sest see on naiste värk," kõlas kiire vastus.

Pöörasin näoga Adami poole ja pugesin sooja kaissu, libistades käsivarre talle selja tagant ümber. „Sa oled üks paras seksist, ma ütlen," lõõpisin.

Tundsin, kuidas ta minust kaugenes, nii otseses kui ka kaudses mõttes. „Nii et Seb läheb siis koos naistekarjaga pruudisalongi?" Ta ei suutnud seda uskuda. „Tema näeb su kleiti enne kui mina?"

191

„Ah, ära ole naeruväärne," protestisin. „See on ju *Seb*, taeva päralt." Kas Pammie ässitas Adami üles? Kas tema istutas selle absurdsuse seemne oma poja pähe?

„See läheb küll juba üle piiri, kui aus olla," lausus Adam teravalt. „Aga kui *tema* platsis on, ei näe ma mingit probleemi, miks ka mu ema ei võiks tulla, või kuidas sulle tundub?"

Sellele polnud võimalik vastata ja ma surusin löödult näo madratsisse. Mida ma peaksin küll tegema, et see alatu eit oma elust välja puksida?

25

Isegi mu emal oli raske oma hääles üllatust tagasi hoida, kui ütlesin talle, et Pammie tuleb meiega meie erilisele käigule kaasa. „Ahsoo, olgu siis, kullake, kuidas iganes soovid. See on sinu päev," kostis ta diplomaatiliselt.

„Kas see on mingi kuradi nali vä?" kriiskas Pippa, kes väljendus alati just nii otsekoheselt kui tahtis.

Päev varem olin ma teinud piinliku kõne Sebile ja öelnud, et hakkasin kõhklema, kas ta ikka peaks mu kleiti nägema.

„Aga ma tahan sind enne kõiki teisi näha." Sain aru, et ta oli pettunud.

„Sa näedki," kinnitasin talle. „Kui teed mulle pulmasoengu."

„Okei siis," ütles ta järsult ja lõpetas kõne.

Ma ei tea, miks ma survele alistusin – ilmselt see tundus lihtsam variant – üks probleem vähem, mida lahendada või mille pärast pead vaevata. Mul oli niigi piisavalt muresid ja ma tahtsin vaid, et kõik sujuks rahulikult.

Olime Blackheathi jaamas oodanud kakskümmend viis minutit, enne kui Pammie suvatses lõpuks kohale ilmuda, nii et me jäime tema pärast pruutpaaride butiigis kokku lepitud kohtumisele hiljaks. Ma vihkan hilinemist. Kui ükskõik milliselt mu tuttavalt küsida, mis oleks minu puhul kõige ebatõenäolisem tegu, ütleks viimne kui üks: hilineda. Ma tõepoolest ei salli silmaotsaski, kuidas mõnel võib teise inimese aja vastu nii vähe austust olla, et seda tuimalt raisata. Ma ei aktsepteeri seda ei tööl ega eraelus, välja arvatud muidugi juhul, kui on väga mõjuv põhjus. Tulekahju, maavärin ja surm on lubatavad, kuid Pammie suutis märkida vaid: „Vabandust, ma jäin rongist maha, ega me ju minu pärast hiljaks jää?"

Pöörasin pea ta silmakirjalikku õhusuudlust ignoreerides ära ja trampisin edasi mäest üles nõmme poole, jättes nii ema kui ka Pammie oma selja taha rühkima ning sundides Pippat puhkides minuga sammu pidama.

Kelluke ukse kohal helises, kui astusime poodi sisse, ja mind tabas kuuma õhu pahvakuna läbi akende lõõskav päike. Keset ruumi laiutas väikesel ümmargusel laual uhke valgetest liiliatest kompositsioon.

„Tere hommikust, Emily," kudrutas Francesca, mu kleidi disainer, liueldes meie poole. „Sinu tähtsa päevani on jäänud vaid kaks nädalat! Kas oled valmis?"

Mu nägu oli punane ja laiguline ning ma tundsin, kuidas seljale hakkas kogunema higi. „Peaaegu." Naeratasin pinguldatult.

„Mul on väga kahju, aga kuna te jäite pool tundi hiljaks, on meil ajaga natuke kitsas käes, sest mul tuleb kolmekümne minuti pärast juba järgmine pruut."

Sel kauaoodatud päeval, mis pidanuks tulema eriline, pingevaba ja rõõmus, mul juba rinnus pitsitas ning olin ärevusest pingul kui vedru.

„Aga ära muretse," jätkas ta, püüdes eelmist lauset siluda, „ma olen kindel, et jõuame kõik tehtud."

Oleksin tahtnud enne palavasse riietuskabiini sisenemist istuda, juua kaasi vett ja rahuneda, kuid paistis, et selleks polnud aega. Paksud sukkpüksid polnud hea mõte, sest need jätsid kohevale kreemjale vaibale musti villaseid tupsukesi ja takerdusid mu higiste varvaste vahele. Miski ei kulgenud nii, nagu olin lootnud ja ma pidin kõigest väest pingutama, et mitte nutma puhkeda. Sõitlesin end mõttes, sest mis mulje see minust jätaks: nagu mõni ärahellitatud printsess, kes tühiste asjade pärast töinama pistab.

Hoidsin käsi üleval, kui Francesca mul kleidi õrnalt üle pea tõmbas ja seejärel õlgadelt alla sikutas. „Tõehetk on käes," laususin hinge kinni pidades, justkui mahuks kleit siis paremini selga. „No vaatame, kas peame seda õmblustest veidi vabamaks laskma või mitte," sädistas Francesca. Muigasin, olles kindel, et olin hoidnud eesmärgiks püstitatud kaalu, samas oma tahtejõus siiski pisut kaheldes.

Piilusin end vilksamisi peeglist ega tundnud peaaegu äragi naist, kes mulle vastu vaatas. Ehitud šifoonvoltidega, mis drapeerisid õrnalt rindu, sale vöökoht peitõmblustega kokku tõmmatud, elevandiluukarva siid ideaalsete volangidena alla langemas.

Kas ma tõepoolest hakkangi abielluma? Tundsin end sisimas taas nagu laps, kes mängib unelmate pulmi, ent siin ma nüüd olin – usutavasti täiesti täiskasvanud, valmis täitma kohustusi, mis kaasnevad sellega, et oled kellegi naine. Adami naine. Kujutlesin teda altari ees seismas, nägu avalalt naeratamas, kuid närveerimisest õige veidi pinges, kui tema poole kõnnin. Mu pereliikmed naeratavad ja on uhked, milline naine minust on saanud, emal on peas meresinine võrkkübar ja isal seljas uus pidulik ülikond („sellel on isegi vest, kas tead"). Kohal on mu vend ja tema väike pere, pisike Sophie üritab ema käte vahelt lahti rabeleda ja kirikupinkide alla mängima putkata. Siis pööran pea paremale, Adamist mööda, tema venna ja isamehe Jamesi poole, kes seisab peigmehe kõrval, ning mind haarab lämmatav süütunne. Ja ta ema, kelle kõverdunud näoilme taga kumavat viha oskan näha vaid mina, klammerdub poja käsivarre külge.

„Kas oled valmis?" küsis Francesca.

Noogutasin närviliselt. Kuulsin summutatud jutuvada ja Pammie kiledat häält, mis torkas nagu okastraat.

„Tule ja näita end siis teistele," keelitas Francesca.

Lükkasin raske velvetkardina kõrvale ja astusin välja.

„Oh, Em," nuuksatas ema härdunult.

„Sa oled nii ilus," läksid Pippa silmad pärani.

„Arvad või?" küsisin. „Kas ootasidki midagi sellist?" Küsimus oli mõeldud Pippale, aga hoopis Pammie oli see, kes vastas.

„Ei," lausus ta kõhklevalt. „Arvasin, et see tuleb ... ma ei tea ... suurem, vist."

Vaatasin oma elegantse lõikega kleiti. See liibus vastu kurvikaid rindu, läks vöökohal sujuvalt kitsamaks ning siis reite juures taas laiemaks ja voogas šikilt maani.

„Minu meelest on see ideaalne, Em," märkis Pippa ülevoolavalt. „Nii sinulik."

„See näeb kena välja, kullake, tõesti näeb," lisas Pammie. „Sa saad seda veel päris palju kanda, see on kindel. Sellest saab ilusa kostüümi, kui pead mõnele erilisele üritusele minema."

Ta sõnad nõelasid, aga Pippa ja ema ei pannud seda muidugi tähele. See iseloomustabki Pammiet: ta teeb sulle komplimendi, mida kuulevad kõik, et siis kohe heita takkapihta õel kriitikanool, mida ei märka keegi peale väljavalitud ohvri.

„Kas kavatsed oma juustega ka midagi ette võtta?" küsis ta. „Et neid natuke pidulikumaks muuta."

Francesca astus ligi lihtsa teemanttiaaraga, mis oli kinnitatud ühekihilise loori külge.

„Kas paned juuksed üles või jätad lahti?" päris Pippa elevil.

„Arvan, et panen üles," vastasin kõhklevalt. Francesca tõstis mu lahtised juuksed pea kohale, tõmbas mõned salgud välja, et need langeks ümber näo, kinnitas juuksed siit-sealt paari klambriga ning sättis kaunistuse ettevaatlikult mulle pähe.

„Nii saad parema ettekujutuse," ütles ta.

„Nojah, ega see nüüd *täpselt* selline ka ei tule, või tuleb?" Pammie ilmselgelt mõnitas mind. „Ma eeldan, et pulmapäeval on sul ikka professionaalid olemas."

See oli retooriline küsimus, millele ma ei pidanud vajalikuks vastata.

„Nii et teile siis meeldib?" küsisin. „Mis te arvate, mida Adam selle peale kostaks?"

Kilked *imeline, talle meeldiks see üliväga, jalustrabav* kajasid läbisegi, ent sõna, mis tundus kõige valjemini kostvat, oli *huvitav*.

Selleks ajaks kui me salongist lahkusime, täpselt kolmkümmend kolm minutit hiljem, lõhkus mu pea valutada. Madal hele päike paistis otse silma, kui läbi küla allamäge tagasi kõndisime.

„Ma broneerisin lõunaks su lemmikkoha Due Amici," teadustas Pippa. „Me jõudsime küll veidi vara, aga ma olen kindel, et nad saavad meid lauda istuma panna, või siis võtame baaris enne mõned joogid."

„Kas me ei võiks seda hoopis millalgi hiljem teha?" küsisin ma.

Pippa pööras kanna pealt ringi, vaatas mulle üllatusest kulme kergitades otsa ja ootas, et ma jätkaksin.

„Mul on tappev peavalu, ja kui aus olla, siis tahaksin pigem maha istuda ja juua tassikese teed."

Ta võttis mu käsivarrest ning juhtis mu eemale jutuhoogu sattunud emadest, kes olid oma vadaga niivõrd hõivatud, et ei märganud midagi. „Kas ma saan õigesti aru? Kas see on nüüd „tillemale appi"?"

Ma naeratasin. Me polnud seda väljendit juba väga pikka aega kasutanud. Vähemalt mitte sellest peale, kui ma Adamiga käima hakkasin. See oli meie salakood ütlemaks „vii mind siit minema"ja oma mäletamist mööda kasutasin seda viimati siis, kui olin parajalt purjakil ning lasknud end veenda minema mingi kuti koju, kellega olin äsja Brewer Streeti Dog & Ducki pubis karaokeõhtul kohtunud. Pippa museles oma kaaslasega nurgas ja peo jätkamine tundus väga hea ideena, kui „Nutbush City Limitsi" laulu üürates šotte rüüpasime. Aga kui siis järsku kõik taksos istusime, Pippa kaksiratsa oma uue sõbra süles, tuli mul äkki õnneks mõistus pähe. See polnud see, mida ma tahtsin teha ja kus ma tahtsin olla. „Tillemale appi!" kiljatasin, ja Pippa viskus nagu välk sirgelt istukile, justkui oleks kuulnud Tarzani džunglihüüdu.

„Tõsiselt?" karjatas ta.

„Jah. Tille-male-appi." Kordasin seda aeglasemalt, pigem enda kui tema pärast. Kui see oleks valesti välja kukkunud, siis jumal teab, mis õndsust oleksid poisid võinud lootma hakata.

„Ta hakkab sulle juba närvidele käima, eks?" kallutas Pippa pead Pammie suunas.

Noogutasin ja tundsin, kuidas pisarad hakkasid silmapõhjas torkima.

„Okei, kas tahaksid minu juurde tulla?"

Mõtlesin Adamile, kes ootusärevusest kibeledes kodus istub ja soovib kangesti teada, kuidas mu põnev päev möödus, ning tundsin, et ma lihtsalt ei viitsi temaga jännata. Ma ei suudaks teha rõõmsat nägu ja valetada, nii et suu suitseb, kui toredasti kõik läks, ent ma ei tahaks ka talle rääkida, mis tegelikult toimunud oli: kuidas ta ema kõik taas ära rikkus. Adamil oli illusioon, et mina ja ta ema olime hakanud viimasel ajal palju paremini läbi saama ja tundus, et kui ta niimoodi mõtles, olime me lähedasemad. Kui ta ema jutuks tuli, polnud meil mõttetuid vaidlusi selle üle, mida tema pidas alusetuks paranoiaks. Olin selgeks saanud, et palju mõistlikum on lihtsalt kuulata, kui ta Pammiest räägib, naeratada ja teemat mitte torkida, kuna olin järsku taibanud, et sel naisel võib isegi õigus olla: kui kaardid *oleksid* laual ja ma paluksin Adamil valida, siis ma tõepoolest ei tea, kumma ta valiks.

„Daamid," lausus Pippa emade poole pöördudes. „Emily ei tunne end eriti hästi, ma viin ta koju."

„Oi, mis viga, kullake?" hüüdis ema ja silitas mu selga. „Tahad, ma tulen kaasa?"

Raputasin pead. „Ei, aitäh, emps. Pole hullu, mul lihtsalt süda läigib natuke, muud midagi."

„Ta ilmselt ei hoolitse oma tervise eest," torkas Pammie vahele, justkui mind polekski seal. „Kindlasti püüab ta mõne hullu dieediga kaalu langetada, et sellesse kleiti mahtuda."

Pippa ilmselt märkas mu näoilmet, sest ta manööverdas mu kiiruga eemale, muidu oleksin sellele pealetükkivale moorile vastu vahtimist virutanud.

„Kas asi on minus?" küsisin, kui olime end turvaliselt ja mugavalt tema diivanil sisse seadnud, kuumad kiirsupitassid pihkude vahel. „Kõik räägivad, et ta on nii hooliv ja lahke, aga mina näen teda vaadates vaid saba ja sarvedega saatanat."

„Aga selline ta kõigi teistega ongi. Ta jätab endast mulje kui süütukesest, kes tegi sulle meeldiva üllatuse, tuues su tüdrukute-õhtule sinu vana sõbranna, ja paludes end kaasa võtta su kleidi-proovi, sest tal pole tütart, kellega ta saaks seda erilist kogemust kunagi jagada ... blaa, blaa, blaa. Ja kui aus olla, Em, siis kõik lähevad õnge. Isegi ta enda poeg ei näe teda läbi ja vaata, kui palju valu ta sulle sellega põhjustab."

„Nii et asi *on* siis minus?" Tundsin, kuidas mu silmi valgusid pisarad, ja neelatasin raskelt.

„Muidugi ei ole," lohutas Pippa, nihkus diivanil mu kõrvale ja pani mulle käe ümber. *„Mina* näen, mida ta teeb, aga minust pole sulle abi, välja arvatud sellistel hetkedel nagu praegu." Ta kallistas mind. „Sul on vaja, et su tulevane abikaasa oleks sinu poolel, et ta näeks, mida ta ema teeb ja kui õnnetu sa selle pärast oled. Sa ei saa alustada abielu, kui sul selline Damoklese mõõk pea kohal ripub, sest see hävitab lõpuks te suhte – ja võib-olla ka sinu. Sa pead Adamiga tõsiselt rääkima, talle kõik ära rääkima."

„Ma olen püüdnud," nuuksusin. „Aga niipea kui ma midagi ütlen, kõlab see nii haletsusväärselt, nagu oleksin mõni ärahellitatud laps. Ja kui juba *mina* nii arvan, siis jumal teab, mida Adam kõigest sellest mõelda võib."

„Mis ta selle kohta ütles, et Charlotte Portugali tuli? See pole haletsusväärne. Ta ema läks siin tõsiselt üle piiri, enamikule ei tuleks midagi sellist mõttessegi, veel vähem suudaks keegi midagi säärast päriselt ka korraldada."

„Ma pole talle öelnud …"

„Mida?" karjatas Pippa. „Sa abiellud kahe nädala pärast ja pole talle nii tähtsat asja maininud?"

Raputasin pead. „Me oleme vaid mõne päeva tagasi olnud ja neil harvadel hetkedel, mil kodus näeme, oleme rääkinud kas tema Las Vegase tretist või pulmadest."

„Sa matad pea liiva alla," ütles Pippa karmilt. „See teeb su haigeks."

Noogutasin jõuetult, sest teadsin vägagi hästi, et kogu see olukord on mulle kehvasti mõjunud. „Ma räägin temaga täna õhtul."

Kui koju jõudsin, vaatas Adam parajasti telekast ragbimatši.

„Kas me võiksime rääkida?" küsisin vaikselt, justkui ei tahakski, et ta mind kuuleks, justkui lootes, et saan selle vältimatu jutuajamise veel nädalakeseks vaiba alla lükata. „Jah, muidugi," kostis ta hajameelselt. „Aga kas see võib kuni mängu lõpuni oodata?"

Noogutasin ja läksin kööki. Võtsin külmikust paar paprikat ja hakkasin neid tusaselt tükeldama. Ta isegi ei küsinud, kuidas mu päev läks.

„Tegelikult – ei, ei või oodata," ütlesin elutuppa tagasi sööstes, nuga veel käes.

Adam ajas selja veidi sirgu, aga ainult selleks, et üle mu õla ekraani piiluda. Haarasin puldi ja lülitasin teleka välja.

„Pagan, mida sa teed?" hüüatas ta. „Poolfinaal käib praegu."

„Me peame rääkima."

„Millest?" hädaldas ta nagu pahur poisike.

Istusin diivanilauale, otse tema ette, et ta ei saaks kõrvale põigelda ega mujale vahtida. Ta piidles mu käes olevat nuga.

„Sinu emast." Asetasin noa ettevaatlikult enda kõrvale puidust lauaplaadile.

Ta ohkas tülpinult. „Tõsiselt? Jälle? Ma arvasin, et saime sellega ühele poole."

„Sa pead oma emaga rääkima," jätkasin. „Tema käitumine ületab juba igasugused piirid, ja ma ei taha, et see meie vahel probleeme tekitab."

„Ei tekitagi," ütles Adam naiivselt. „Mulle tundus, et te saate nüüd paremini läbi. Igatahes jäi mulle pärast teie ühist nädalalõppu selline mulje."

Katsin näo kätega ja hõõrusin silmi, et mul oleks aega mõelda, kuidas sellele kõige paremini läheneda. „Ta tegi seoses me Portugali-reisiga midagi totaalselt andestamatut," alustasin. „Ja see on põhjustanud mulle nii palju ängi ja valu, et ma ei saa edasi minna enne, kui olen sellest sulle rääkinud ja sa mõistad, mida ta teinud on ja kuidas mina end selle pärast tunnen."

Adam kallutas end ettepoole, aga ma nägin, et ta oli kahevahel, kas mind julgustavalt puudutada või hoida end tagasi kartuses, et see võib näida oma ema vastu astumisena. Ta valis viimase variandi. „No mida kohutavat ta siis tegi?"

Köhatasin kurgu puhtaks. „Ta kutsus sinna Charlotte'i."

Ootasin, et ta hüppaks püsti ja hüüataks „Mida paganat?", aga ta ei reageerinud üldse. „Kes on Charlotte?" küsis ta täiesti häirimatult.

See vestlus ei kulgenud nii, nagu lootsin. „Charlotte, noh. Tomi Charlotte!"

Adam raputas nõutult pead.

„Kas sa teed seda meelega?" karjatasin. „Mu parim sõbranna, see, kes magas Tomiga!"

Paistis, et ta oli segaduses. „Kuidas see siis juhtus?"

„Just nimelt! Selles iva ongi. Su ema arvas, et oleks hea mõte meid uuesti kokku viia, niisiis ta otsis Charlotte'i üles ja vedas Portugali."

„Kuid see ei tundu üldse loogiline." Hakkasime vähemalt kuskilegi jõudma, aga Adam ei teinud seda sugugi lihtsaks.

„Su ema tegi seda nimme selleks, et mind ärritada," seletasin edasi. „Ja ta nägi kõvasti vaeva, et Charlotte üles leida."

„Aga ega tema ju ei teadnud," kaitses Adam oma ema. „Kuidas ta oleks pidanud teadma, mis teie vahel juhtus?"

„Mu ema rääkis talle!"

„Ah, ära ole naeruväärne." Adam ajas end diivanilt üles. „Kui ema oleks sellest jamast teadnud, poleks ta iial nii teinud. Ta ilmselt arvas, et teeb head, korraldab kena üllatuse."

„Adam, millest sa mu jutus aru ei saa?" Ma lausa karjusin ja hakkasin nutma. „Ta tegi seda meelega! Su ema teadis, miks me enam ei suhelnud, ja kutsus Charlotte'i sinna, et mind endast välja ajada."

„Ema ei teeks sellist asja uneski," kostis ta. „Minu arust oled sa lihtsalt paranoiline."

„Sa pead temaga rääkima ja välja uurima, mis pagana probleem tal on, sest kui sa seda ei tee, siis ta hävitab meid."

Adam turtsatas naerda. „Kas see veidi melodramaatiline ei tundu või?"

„Ma mõtlen seda tõsiselt, Adam. Sa pead selle temaga ära klaarima. Tema isiklik vaen minu vastu peab lõppema."

„Ema pole kunagi midagi sinu kohta, sinu vastu öelnud ega sind halvustanud." Adam seisis nüüd püsti.

„Sa võid uskuda, mida tahad, aga ma ütlen sulle, et sa elad nagu mingis mullis. Sa salgad probleemi täielikult maha."

„Ta on *mu ema*, jumala pärast. Ma arvan, et tunnen teda siiski paremini kui sina."

Vaatasin Adamile otsa ning hoidsin hääle rahuliku ja kindlana. „Mis iganes su ema probleem on, sa pead selle lahendama. Ma ei suuda seda enam kauem taluda."

Ta naeratas ja raputas üleolevalt pead.

„Kas kuuled?" Ma peaaegu röökisin, et öeldu talle lõpuks kohale jõuaks.

Sammusin magamistuppa ja lõin ukse pauguga kinni. Kui tema pole valmis midagi Pammiega ette võtma, siis teen seda mina.

26

Libistasin end parajasti vee alla, kui tirises uksekell, mille heli summutasid prõksuvad vannivahu mullid.

Mine ära, palusin hääletult.

Arvasin juba, et mu palvetele vastati, ent just siis, kui lükkasin end istukile, kajas üle korteri uus kellatirin.

„Oh, jätke mind rahule!" laususin juba valjult.

Kell aga helises ja helises üha uuesti.

„Olgu-olgu, ma tulen." Olin pahane, et mu lõõgastusseanss oli ootamatult katkestatud. Keerasin juuksed pea kohale rätikusse ja haarasin seinalt konksu küljest hommikumantli.

„Et see oleks ka midagi olulist," torisesin ust avades, eeldades näha koridoris seismas Pippat või Sebi.

„James!" Tirisin hommikumantli vaistlikult tihedamini ümber, lootes asjatult, et see teeb mind kuidagi vähem haavatavaks. „Adamit pole kodus," märkisin, ilma et oleksin ust sentimeetritki rohkem paotanud. „Ta läks töökaaslastega välja dringile."

„Ma ei tulnud Adami juurde," kostis ta pisut pehme keelega ning surus ettevaatlikult ust.

„Praegu pole hea aeg." Mu süda peksles ja ma hoidsin jalga kindlalt vastu ust.

„Ma pean sinuga rääkima. Ma ei tulnud siia probleeme tekitama."

Vaatasin teda, ta lahkeid silmi, pehmeid näojooni ja täidlasi huuli, mis olid suunurkadest pisut ülespoole kaardus. Ta oli pisut joonud, kuid tundus sõbralik ning heas tujus. Võtsin tasakesi jala ukse eest, astusin kõrvale ja lasksin ta sisse. James naeratas ning lükkas käega juuksed silmilt. Tundus, nagu vaataksin kümne aasta tagust Adamit, ajal, mil ta oli veel Rebeccaga. Mõtlesin, kas Adami hallisegused juukselaigud meelekohtadel ja kortsuke kulmude vahel, mis olid nüüd iga päev kipras, võisid olla Rebecca liigvarajase surma tagajärg. See polnud ilmselt kerge – olla noor mees, kel elusiht silme ees ja plaan jagada oma päevi armastatud naisega, ning siis jääda temast nii järsku ja nii narrilt ilma. Ma polnud tunnustanud Adamit piisavalt selle eest, et ta oli välja rabelenud august, kus ta ilmselt oli olnud, ja et ta ei andnud alla.

„Võta endale midagi juua," ütlesin köögi poole viibates.

Ta naeratas ja kergitas vandeseltslaslikult kulme.

„Teed või kohvi, tähendab. Ma lähen panen riidesse."

Kuulsin, kuidas kork pudelist välja popsatas, kui vannitoas kuumast aurust veel uduse peegli ees märgi juukseid kammisin. Vesi seisis, vannivaht hajus, ma sirutasin käe vette ning tõmbasin prundi eest, seejärel voltisin varem eemale visatud saunalina kokku ja riputasin kuumale torule.

See, kuidas ma välja nägin, polnud oluline – miks pidanukski olema? –, aga ma tahtsin siiski oma peegelpilti näha. Hõõrusin udusele peeglile käega ringi, astusin sammu tagasi ja nägin äkki enda taga seismas Jamesi, käes klaas punast veini.

Aeg justkui seiskus, ainsaks heliks äravoolava vannivee rahulik sulin.

„James, ma ..." Pöörasin näoga tema poole, nii et mu hommikumantli hõlmad vajusid rinna eest laiali.

205

„Anna andeks ... ma ..." kogeles ta. „Ma jätan sind omaette."

Tõmbasin kiiresti jalga mustad retuusid, panin selga ühe Adami särgi ning läksin käiseid üles keerates elutoa poole. Taipasin siis, et olin nõnda ehk alateadlikult teinud valiku, mis näitab sümboolselt, et olen Adami tüdruk.

„Noh, mis sind siis siia toob?" küsisin nii ükskõikselt kui suutsin.

„Mõtlesin lihtsalt, et astuks läbi," kohmas ta.

Läksin akna juurde. „Ega sa ometi roolis pole?" Ma ei näinud ta autot all tänaval.

„Ei, tulin taksoga." vastas ta.

„Kogu tee Sevenoaksist?" küsisin üllatunult.

Ta noogutas.

„Hästi, aga nagu ma mainisin, Adamit pole, nii et kahjuks oli su sõit asjatu."

„Ma ei tulnud ju Adami juurde."

Valasin endale rahustuseks köögikapil olevast pudelist klaasitäie veini.

„Niisiis ..." ühmasin, eelistades jääda seisma, mitte istuda tema kõrvale diivanile.

„Ma tahtsin sinuga rääkida. Mul on vaja sinuga rääkida."

„James, lõpeta," ütlesin, kõndides ümber köögisaare. Meeter graniiti meie vahel tekitas kuidagi turvalisema tunde.

„Tahan, et sa teaksid ..." alustas ta püsti tõusma hakates.

Tundsin, kuidas mu tõrksus hakkas taanduma. Osa minust ihkas kuulda, mis tal öelda on, kuid samal ajal soovinuks ma oma kõrvad sellele sulgeda. Mu ellu polnud rohkem segadust tarvis. Me olime teinud Adamiga suuri edusamme sellest peale, kui Jamesi viimati nägin. Kartsin, et kui ta oma tunnetest rääkima hakkab, astuksin justkui kaks sammu tagasi.

„Ma arvan, et sa peaksid lahkuma." Liikusin pisut tahapoole.

„Palun, kas sa võiksid mind vaid minut aega kuulata?" ütles James, sirutades käe minu poole. „Kui sa annaksid mulle võimaluse, vaid mõneks nädalaks, tõestaksin sulle, kui õnnelikuks ma suudan su teha." Ta pilk oli lausa puuriv.

„See pole sinust aus, James. Ma abiellun su vennaga. Kas see ei tähenda sulle midagi?"

„Aga ta ei hoolitseks sinu eest nii, nagu mina seda teeksin."

Kui oleksin enda vastu aus olnud, siis oleksin tunnistanud, et tal on ilmselt õigus. James oli kõiges oma venna täielik vastand. Adamist kiirgas igas situatsioonis enesekindlust; ta oli alati esimene, kes end tutvustas, restoranis otsustamise enda kätte võttis või oma püksid ragbihümni laulmise ajal maha tõmbas. Selline Adam juba kord oli ja ma teadsin väga hästi, et kui ta poleks käitunud nii sirgjooneliselt, poleks me üldse kunagi kokku saanudki. James seevastu oli kinnine, peenetundelisem ja paistis alati enne kaaluvat, mida ta ütleb või teeb. Tema kuulaks mind veel kaua pärast seda, kui Adam on oma tähelepanu juba välja lülitanud. Ja ta toetaks mind, kui kõik mu ümber kokku peaks kukkuma.

Ta nägu oli minust vaid mõne sentimeetri kaugusel, ta huuled minu omadele nii lähedal, et võisin peaaegu nende maitset tunda. Mul olnuks tarvis vaid silmad sulgeda, ja oleksin olnud täiesti teises maailmas.

„Sa väärid paremat," pomises ta. „Ma luban, et ei tee sulle kunagi haiget."

Tõmbusin tagasi. Hoolimata kõikidest Adami vigadest ma siiski teadsin, et ta ei teeks mulle kunagi tahtlikult haiget. Kas James püüdis öelda, et ta siiski võib seda teha?

„Adam on mu vastu hea ..."

Ehmusin trepilt kostvast kobinast, pöörasin pead ja nägin seal seismas Adamit, ilmselgelt üsna kehvas seisus. Mina ja James astusime välkkiirelt teineteisest eemale, justkui oleksime saanud elektrišoki. Ma isegi ei kuulnud, millal mu kihlatu korterisse sisenes.

„Hei-hei, mis siin toimub?" pudistas ta, toetudes elutoa uksepiidale ja kiskudes lipsusõlme, mis paistis juba lahti olevat.

„Ma ... me ..." kokutasin põrandat vahtides, püüdes sel moel varjata süütunnet, mis oli mulle tõenäoliselt näkku kirjutatud.

„Ma olen kihlvedu võitmas," teatas James, sirutas käe mu kukla taha ja näppis särgikraed. „Ma arvan, et see on minu särk. Sa ilmselt näppasid selle, kui jõulude ajal ema juures olime."

„Kindlasti mitte," vaidles Adam, püüdes sirgel trajektooril meie poole kõndida. „Võta teatavaks – see on minu Ganti särk."

James kallutas pead lähemale, et piiluda, ja ma tundsin oma kaelal tema kuuma hingeõhku. „Ahaa, Eton! Ma ju ütlesin. Ongi minu oma, sa igavene varganägu."

Kas mul oli siis hoopis Jamesi särk seljas? Mõistsin, mis iroonilist tagamõtet see võib kanda.

„Hei, tipsu," lällas Adam, andes mulle märja musi. Tõmbusin vaistlikult eemale. Ta hingeõhk lehkas alkoholi ja kebabide järele ning riietest hoovas suitsuhaisu.

„Mis viga, kallis? Kas sul pole hea meel mind näha?"

„Muidugi on," naersin närviliselt, „aga sa haised. Kas oled suitsetanud?" See oleks mind küll üllatanud, sest ta teadis väga hästi, et ma lausa jälestan suitsetamist.

„Mida? Ei, muidugi mitte." Ta nuusutas oma pintsaku varrukat ja ajas silmad jahmunult pärani, justkui see tõestaks, et ma eksin.

Viskas siis oma käe mulle plärtsti ümber ja naaldus mu õlale.

„Noh, aga mida sina siin teed, James-poiss?"

Vaatasin Jamesi ärevil silmadega ja lootsin, et tal on mõni usutav ettekääne varnast võtta.

„Mul on vaja teie sõrmuste tšekki," teatas ta rahulikult.

Adam patsutas vaba käega kohmakalt oma taskuid. Teine käsi rippus ikka veel raskelt ümber mu kaela.

„Mul pole seda, sa võtsid tšeki enda kätte ju," ütles ta segaduses ilmel. „Mma mmää-le …" Ta laskis minust lahti ja kükitas naerdes põrandale. „Khmh," jätkas ta, köhides kurgu puhtaks. „Ma mäletan selgelt, et sina võtsid selle."

„Võib-olla on sul õigus," kostis James. „Rahakotist ma juba vaatasin, aga äkki on see mu püksitaskus."

„*Seal* see siis ongi," lausus Adam esimese sõna ekstra valjult ja ülejäänud lause peaaegu pominal.

Vaatasime Jamesiga teineteisele otsa ja muigasime Adami seisundit tunnistades. „Ja sa arvasid, et *sina* oled purjus?" märkisin.

„Tule nüüd, suur poiss," ütles James Adamile, küünitades venda põrandalt üles aitama. „Viime su voodisse."

„Ainult siis, kui sina tuled minuga," naeris Adam. Ega me saanudki pihta, kummaga meist ta räägib.

James tiris Adami püsti ja upitas endale selga.

Mina lipsasin vannituppa ja nööpisin seljas olnud särgi kiiresti lahti. Ma ei tea, kas see üllatas mind või mitte, aga sildil oli selgelt kirjas „Gant".

27

Viis päeva enne pulmi helistas Pammie, et küsida, kas tsere-
mooniale saaks kutsuda veel kuus külalist. Neli päeva
enne pulmi küsis ta, kas ta võiks pulmaeelsel ööl peatuda koos
minuga hotellis. Kolm päeva enne pulmi tahtis ta saada meili teel
lauaplaani.

Ütlesin kõigele selgelt ja kõlavalt „ei".

„Ta püüab vaid aidata," kommenteeris Adam, kui nurisesin
tema ema sekkumise üle. „Vaene naine, mida iganes ta teeb, ikka
teeb valesti."

Vaatasin talle väsinult otsa, olles küll pettunud, ent kaugeltki
mitte üllatunud. Adam oli oma seisukoha vägagi selgeks teinud.
Ning enda vastu aus olles – ega mul tegelikult polnudki temalt
midagi muud loota.

Nagu võiski arvata, oli Pammie nutukraanid lahti keeranud ja
taas süütukest mänginud, kui Adam ta paar päeva tagasi tõsiseks
jutuajamiseks lõunale kutsus. Ta ema väitis, et tal pole õrna aimu,
miks ma Charlotte'iga riius olin, ja raius nagu rauda, et mis tahes
kahtlused mul tema või ta motiivide suhtes ka olla võivad, on
täiesti alusetud. „Ta tahab, rohkem kui midagi muud siin ilmas,
lihtsalt olla sinu sõber," ütles Adam koju jõudes.

„Ja see ongi kõik?" Olin tõsiselt pettunud. „Tema ütleb nii, ja sina usud teda? Jutul lõpp?"

Adam kehitas õlgu. „Mida muud ma peaksin siis tegema?"

Mind uskuma," nähvasin ja kõndisin minema.

Meie pidustuste stardipauguks oli „õhtusöök perekeskis" – väike intiimne koosviibimine, et veeta õdusalt aega oma lähedaste ja kallite inimestega enne suurpäeva hullust. Kui olnuks minu teha, siis oleks seal olnud vaid *minu* pere, kuid ma pole nii isekas, et pidada enda soove Adami omadest olulisemaks.

„Kuidas ma välja näen?" küsisin, siludes musta kreppriidest kleiti ja sättides kaela ümber siidsalli.

„Imekaunis," vastas ta ja suudles mind kergelt põsele.

„Sa ju ei vaadanudki," nurisesin.

„Ma ei peagi vaatama," teatas ta.

„See kõlab isegi sinu suust väga banaalsena."

Pistsin ridiküli kaks huulepulka: ühe postkastipunase, mida hoidsin rajude peoõhtute jaoks, ja teise loomulikku tooni selleks puhuks, kui kõik kulgeb rahulikult. Siiski, mõtlesin, täna võin otsustada punase kasuks. Lõppude lõpuks on see ju eelviimane õhtu enne pulmi ja ma ei kavatse seda iialgi uuesti läbi teha.

Kui me The Ivysse kohale jõudsime, olid ema, isa, Stuart ja Laura juba baarileti ääres. Ning kui me oma mantleid ära andsime, tõstis ema, põsed õhetamas, joviaalselt meie poole šampanjapokaali.

„Ennäe, su ema on juba svipsis," naeris Adam.

„Tõenäoliselt on see Prosecco, mitte õige kraam," märkisin. „Vähemalt seni, kuni ta teab, et meie maksame."

Õhtu oleks olnud ideaalne, kui me olnuks vaid kuuekesi, aga Pammie peatne saabumine rippus tumeda madala pilvena mu kohal. Tundsin, kuidas vajusin nähtamatust õlgadele suruvast raskusest iga minutiga aina rohkem kössi.

Pool tundi kokkulepitud ajast hiljem looviski sisse Pammie, James tema kõrval.

Jamesi nägemine paiskas mu mõtted totaalselt segi, kuid ma ei lasknud sel end rivist välja lüüa. Täna õhtul kavatsesin olla kui enesekontrolli musternäide.

„Rõõm sind näha," tervitasin Jamesi. Oli tunne, et ta huuled puutusid mu põske sekundike liiga kaua.

„Sind samuti," lausus ta vaikselt. „Kuidas sul läheb?"

„Kõik on tipp-topp," vastasin, püüdes seda öelda ka oma silmadega. „Chloe ei tulegi?" küsisin ringi vaadates.

„Ei, kahjuks mitte. Arvasin, et ema juba mainis sulle. Kas ta ei teinud seda?"

Raputasin pead ja kergitasin kulme.

„Meie teed läksid lahku," teatas James.

„Oi, kurb kuulda." Mida muud ma pidanukski ütlema?

„Nii ongi parem," nentis ta. „See polnud õige värk, ta polnud ikkagi see õige."

„Ei või iial teada," ütlesin peaaegu et rõõmsalt. „Võib-olla oleks olnud."

„Ei usu. Sa tead ju, kui asi on õige, eks?" Ta vaatas mulle sügavalt silma.

Ignoreerisin teda ja pöördusin Pammiet tervitama. Tolle suu oli jäigaks kitsaks triibuks surutud.

„Pamela, nii tore sind näha!" hüüatasin vaimustunult. „Kas pole põnev?"

Me mõlemad teadsime, et mu sõnad nõretasid sarkasmist, aga keegi teine seda ei märganud.

„Emily." Ta vaid kortsutas kulmu. Olin kindel, et nüüd järgneb mõni kommentaar ja juba lausa ootasin seda: kui palju ma olen kaalus juurde või maha võtnud, olenevalt tema tujust; midagi juuksevärvi kohta, mis oli tavalisest veidi heledam; või kleidi kohta, mida kandsin. Esimest korda oli mul tõesti tunne, et olen ta salvamisteks valmis – ent neid ei tulnudki.

„Kullake," ütles ta Adami poole pöördudes ja poega emmates, ent ta suu jäi kramplikult pitseerituks, justkui kardaks ta, et ütleb kogemata midagi head.

„Ema, kuidas sul läheb?" Adam kallistas teda soojalt.

Pammie heitis dramaatiliselt pilgu maha. „Võiks paremini minna," vastas ta hädiselt. Palusin mõttes Adamit, et ta ei päriks midagi, et ta ei pakuks oma emale seda rahuldust. Aga vastus mu palvetele näis olevat hoopis minu ema, kes ajas baaripukilt alla ukerdades oma klaasi ümber.

„Oih, vabandust," ütles ta, kui oli jalad kindlalt maha saanud. „Ma ei taibanudki, et nii kõrgel istusin."

Adam naeris, võttis temalt pokaali ja talutas ta küünarnukist toetades meie lauda. Rõõmutu ilmega Pammie lonkis nende kannul. Talle tuli au anda. Ta oli suutnud peaaegu sõnagi lausumata juba parajalt kõheda atmosfääri luua.

„Noh, kas olete valmis?" päris mu ema õhinaga, ehkki oli selge, et vastus jäi samaks, mis see oli olnud kolmel eelneval korral sel päeval. Aga ta oli elevil, ja see oli nakkav. Ma eelistasin pigem seda, kui et peaksin kandma õlul koormat, mille Pammie oli kohale tarinud. Las see jääda Adami kanda.

„Jah, me oleme valmis," kinnitasin. „Nädala algul tegid paar pisiasja muret, kuid me ajasime need joonde ja ma ei usu, et midagi võiks veel tänase ja laupäeva vahel viltu minna." Puudutasin puidust lauaplaati, et mitte ära sõnuda. „Vaid üks täispäev on veel jäänud."

„Ma poleks selles nii kindel," suskas Pammie mornilt vahele. „Päeval, mil mina Jimiga abiellusin, ei ilmunud bänd kohale. Olime tellinud Abba tribuutbändi, kuid saime alles pärast õhtusööki teada, et nad ei saa tulla."

Adam naeris, kahtlemata selleks, et emme tuju tõsta. „Ja mis siis sai, ema?"

„Nad saatsid asendusansambli." Ta hääl oli monotoonne, ilma tavapäraste kõrgemate toonide ja hüpliku rütmita. „Kuid nood olid midagi Black Sabbathi laadset."

Seltskond puhkes laginal naerma, ent Pammie ilme ei muutunud. See armetu hädalise etendamine oli muljet avaldav saavutus isegi tema kohta.

Ta vahtis endale sülle ja väänutas sõrmi. *Hakkab pihta*, mõtlesin endamisi, kuigi oli ka täiesti võimalik, et laususin seda kõva häälega, sest Adam heitis minu poole kiire pilgu.

Pammie teeb, mida Pammie kõige paremini oskab.

Ma ei kavatsenudki tema tähelepanu otsimisele reageerida ja küsida, mis viga, aga mu ema oma pühas lihtsameelsuses läks küll õnge.

„Oi, Pammie, mis ometi lahti on?"

Pammie raputas vaid pead ja pühkis ära üksiku pisara, ainsa, mille oli suutnud välja pigistada.

„Ah, pole midagi," kostis ta virilalt, oma erilisel „Ärge minu pärast muretsege" moel, mida olin nüüdseks vilunud tõlkima kui *„Teie kõik* – muretsege minu pärast!". Mul oli sellest juba villand.

Tegin oma šampanjapokaalile lõpu peale ja tähelepanelik kelner tuli seda täitma veel enne, kui olin jõudnud pokaali laualegi panna. „Olgu siis, pea püsti, Pam," ütlesin ja tõstsin klaasi, „kindlasti võiks ka hullemini olla."

„Emily!" Ema hääl oli noomiv.

„Ma ei usu," pobises Pammie vaevu kuuldavalt.

Venitasin suu kõrvuni nagu pantomiimitegelane. „Miks siis?" Suunasin rambivalguse otse temale, nagu talle meeldis. Teeme talle siis seda rõõmu, mõtlesin, saab sellega ühele poole ja läheme õhtuga edasi. Vahest siis võime keskenduda Adamile ja mulle, nagu peakski.

„Em," pahurdas Adam vaikselt. „Jäta järele."

„Ei, lase tulla, Pamela," käisin Adamit ignoreerides peale. „Mis viga?"

Pammie langetas uuesti pea, küllap selleks, et näidata, nagu tunneks piinlikkust stseeni põhjustamise pärast.

„Mul polnud plaanis seda teemat täna tõstatada. See ei tundunud kohane."

„Nojah, aga me oleme kõik nagu üks suur kõrv, nii et sa võid seda ju teha," ei jätnud ma järele.

Ta näppis närviliselt kaelakeed ja vältis meiega silmsidet, pilk suunatud kuhugi kaugemale siginat-saginat täis restoraniruumis.

„Kahjuks on mul halbu uudiseid," teatas ta hädise häälega ja püüdis kangesti veel üht pisarat välja punnitada.

Adam laskis mu käest lahti, et haarata ema oma.

„Mis on, ema? Sa ajad mulle hirmu peale."

„Mul on vähk, pojake," kostis ta. „Anna mulle andeks. Ma tõesti ei tahtnud seda sulle täna öelda. Ei tahtnud sinu erilist õhtut rikkuda."

Tekkis jahmunud vaikus. Mu ema istus tardunult, suu ammuli, ja teised vaatasid kohmetult eemale. James lasi pea longu, ilmselt oli ta sellest salainfost juba teadlik. Ma ei teadnud, kas naerda või nutta.

„Oh, mu jumal." Ma ei suutnud tuvastada, kelle suust need sõnad tulid. Kogu maailm muutus häguseks, kõik liikus aegluubis.

„Mida? Kuidas?" Adami hääl.

„Rinnavähk," lausus Pammie vaiksel häälel. „Kolmas staadium, nii et veel on kübeke lootust."

„Kui kaua sa oled seda juba teadnud? Kes … kus haiglas sa käisid?" pudrutas Adam kohkunult.

„Minu eest hoolitsetakse hästi, pojake. Mul on suurepärane nõustaja Princess Royal Hospitalis."

„Mida nad ette võtavad?"

„Tohtrid teevad kõik, mis suudavad. Mulle on tehtud palju teste ja võeti ka koeproov." Ta manas näole valugrimassi ja katsus efekti suurendamiseks käega rinda. „Nad pole veel kindlad, kui kaugele kasvaja levinud on. Ma tõesti ei tahtnud sellest täna juttu teha. Kuulge, ärme riku seda erilist õhtut."

Ma ei suutnud isegi mõttes leida sõnu, mida öelda tahtnuks, liiatigi neid kõva häälega kuuldavale tuua, ent ilmselt nii oligi parem.

„Aga millal neil siis rohkem infot on?" uuris Adam. „Millal me saame teada, millega meil tegemist on?"

„Ma hakkan saama ravi, see on kindel. Aga veel pole teada, kui kaua see kestab," ütles Pammie ja naeris rabedalt. „Või kas sel on üldse mõtet. Ent peab ju proovima kõike, mida välja pakutakse, eks ole? Kes teab, mis väikseid imesid võib juhtuda."

Adam peitis pea käte vahele.

„Kuulge," kostis Pammie järsku reipalt. „Unustame nüüd kõik selle. Praegu on Adami ja Emily aeg. Me ei saa enne teie mesinädalate lõppu niikuinii midagi rohkem teada."

„Me ei lähe kuskile, enne kui sul on see edukalt läbi saanud," teatas Adam.

„Mida?" kuulsin end küsivat.

Adam vaatas ärritunult minu poole.

„Ära ole rumal." Pammie naeratas ja pigistas poja kätt. „Sa ei saa siin midagi teha. Teie kaks peate minema oma pulmareisile. Kõik peab edasi minema, nagu plaanitud."

„Aga mis su ravist saab?" küsis Adam.

„Mulle hakatakse keemiaravi tegema esmaspäevast. Ma lükkasin seda edasi, et ravi algaks pärast pulmi, juhuks kui mu juuksed peaksid välja langema." Ta naeris virilalt. „Ma pean ju tseremoonial võimalikult hea välja nägema."

Ta suunas pilgu minule ja naeratas haletsevalt. Vaatasin talle üksisilmi vastu, püüdes leida ta silmist süümevälgatust, vähemalt hetkelistki kahetsust selle üle, mida ta oli just teinud. Aga sealt kumas vastu vaid tema hinges leegitsev enesega rahulolu.

28

Polnud sugugi üllatav, et pärast Pammie põrutavat uudist lõppes õhtusöök enneaegselt ning Adam ja James mõlemad nõudsid, et viivad ta koju ja vaatavad, et temaga oleks kõik hästi.

Ema tuli minuga, isa aga sõitis koju koos Stuarti ja Lauraga.

„Teen meile tassikese teed!" hüüdis ema köögist, samal ajal kui mina istusin tuimalt diivanil. „See teeb enesetunde paremaks."

Kas ikka teeb? Ma ei tea, miks me britid alati arvame, et see toimib.

Ta oli Pammie teadaandest ikka veel šokis. Mina muidugi ka, aga hoopis teisel põhjusel.

Ema tõi kaks auravat kruusi elutuppa ja asetas need diivanilauale. „Nojah," ohkas ta. „Ma ei suuda seda päris hästi uskuda, aga sina?"

Raputasin pead. „See tundub üsna üle mõistuse, eks?"

Isegi kui ta märkas mu hääletoonis muutust, ei teinud ta sellest välja. Ta tõmbas oma meresinise, spetsiaalselt selleks õhtuks ostetud jaki varrukast välja taskuräti ja nuuskas nina. „Seda on lihtsalt nii raske mõista. Ühel hetkel arvad, et sinuga on kõik korras, ja järgmisel saad sellise uudise. Ei julge kohe mõeldagi, mida Pammie praegu läbi elab." Ta vangutas pead. „Vaene Pammie."

Vaatasin oma ema, oma uhket ema, kelle südameasjaks olid alati olnud vaid minu ja Stuarti huvid, kes hoolitses mu isa eest, kes oli lükanud edasi oma õekarjääri, et meie kõigi eest hoolt kanda, ja kes oli õhinal lasknud endale täna õhtuks teha föönisoengu. Ja siis mõtlesin Pammiele, kes oli nii armukadedust täis, et oli oma haiglaseks lõbuks otsustanud taas mulle kivi kaela riputada.

See pole õige. Pammie võib kohelda mind nii halvasti kui hing ihkab, aga panna muretsema mu ema? Selleks polnud ma valmis.

Nihkusin diivanil ema kõrvale ja võtsin ta värisevad käed pihku.

„Ema, ma pean sulle midagi rääkima. Midagi, mida sa pead hoolega kuulama."

Ta tõstis pea. Pisarad voolasid mööda põski ning näos peegeldus mure ja hirm selle ees, mis veel tulla võib. „Mida? Mis on?" küsis ta.

„Pammiel pole mingit vähki."

„Mis sa räägid? Mida sa sellega öelda tahad?" raputas ta segaduses pead. „Ta just ütles, et on."

„Ma tean, mida ta ütles, aga ta valetab."

„Oh, Emily!" Ema ahmis hämmeldunult õhku. „Kuidas sa võid nii öelda?"

„Ema, palun kuula. Ma ei taha, et sa ütleksid sõnagi enne, kui ma olen lõpetanud. Pärast võid öelda, mida iganes soovid. Nõus?"

Rääkisin talle kõik ära. Alustasin päris algusest, teisest jõulupühast, ja jutustasin kõigest kuni selleni välja, kuidas Pammie oli Charlotte'i mu tüdrukuteürituse meelitanud. Ema lihtsalt istus, suu ammuli, ega suutnud sõnadesse panna, mida soovis öelda. Ta küll püüdis mitu korda, ent sõnad ei tulnud suust.

Selleks ajaks kui olin lõpetanud, nutsin lahinal ja ema hoidis mind enda embuses ning kiigutas edasi-tagasi. „Mul polnud õrna aimugi," kurtis ta. „Miks sa mulle ei rääkinud?"

„Sest ma teadsin, et sa hakkaksid muretsema. Ma räägin seda sulle praegu ainult sellepärast, et ei suuda sind sellisena näha."

„Nii et *Pammie* tõi siis Charlotte'i meie reisile?" küsis ema uskmatult. „Hoolimata kõigest, mis ma talle rääkinud olin?"

Noogutasin. „Jah."

„Kui ma oleksin teadnud, mis toimub, poleks ma iial ... Aga tema vaesed pojad? Kes teeks midagi sellist omaenda lastele?"

„Ma hoolitsen Adami eest."

„Kas sa kavatsed talle öelda?" uuris ema. „Kas sa ütled Adamile, mida tead? Kas sa oled täiesti kindel, et oled kõigest õigesti aru saanud, Em? See on ikka pagana tõsine süüdistus, mida õhku visata, ja kui sa peaksid eksima ..."

„Ma tegelen Adamiga siis, kui leian selleks sobiva aja," vastasin. „Saame pulmadega ühele poole ja küll ma siis midagi välja mõtlen. Olen püüdnud talle rääkida, aga ta lihtsalt ei näe seda. Tema silmis ei tee ta ema midagi valesti. Aga – midagi igatahes juhtub. Kui annan sellele naisele piisavalt nööri, poob ta end sellega ise üles."

„Kas sa oled kindel, et peaksite ikka abielluma, kui sa kahtled ...?"

„Ma armastan Adamit kogu südamest ja ootan kannatamatult tema naiseks saamist. Ma ei abiellu ju ta emaga, see tüütus lihtsalt loobib kaikaid kodaratesse ja ma pean neist takistustest üle olema."

„Mul on nii kahju, Em ..."

„Küll ma midagi välja mõtlen," kinnitasin emale. „Ja pealegi, Charlotte ja mina suhtleme jälle, nii et kõik polegi päris halvasti."

Naeratasime teineteisele virilalt ja kallistasime. Tundsin end juba miljon korda paremini.

29

Selleks ajaks kui Adam koju jõudis, oli ema vastu tahtmist ära läinud. „Luba mulle, et sa saad kenasti hakkama," ütles ta lävel. „Ma võin siia jääda, kui tahad."

„Ma saan hakkama," rahustasin teda. „Pean lihtsalt vaatama, et Adamiga oleks kõik hästi, ja meie sinuga kohtume homme lõuna ajal hotellis. Sa ikka tead, mis sa pead kaasa võtma, eks ju?"

Ema naeratas. Me olime kõik sada korda läbi arutanud. „Mul on mu nimekiri," kostis ta seda lehvitades ja istus isa autosse.

Adam nägi välja murtud, nagu mees, kes on purustatud tuhandeks killuks. Soovisin nii väga ta valu ära võtta, aga pidin ootama. Pidin olema kannatlik. Ma ei saanud lihtsalt teerulliga sisse sõita ja öelda kõike, mida olin rääkinud emale. Adam oli teistsugune. Jutt oli tema emast ja ma pidin käituma väga ettevaatlikult.

„Ma ei suuda uskuda, mis toimub." ütles ta, istudes söögilaua taga ning hoides kätega peast kinni.

Läksin ja kallistasin teda selja tagant, kuid ta oli mu käte vahel kange. „Me tuleme sellega toime," lohutasin teda. „Kui pulmad ja mesinädalad on läbi, mõtleme välja, kuidas kõike lahendada."

„Kuidas ma saan minna Mauritiusele randa peesitama, kui ema võitleb siin oma elu eest? See pole õige."

„Aga me ei tea veel, millega tegu. Selleks ajaks kui koju tagasi jõuame, on infot rohkem." Ma ei kujutanud ette, et Pammie võiks seda julma mängu kuigi kaua mängida.

„Võib-olla tõesti, aga tal on esmaspäeval esimene keemia, ma tahan sel ajal siin olla," kostis Adam.

Tundsin, kuidas südame alt tõmbus külmaks, kuid püüdsin rahulikuks jääda.

„Me abiellume ... homme," ütlesin käekellalt aega kontrollides. „Võtame päev korraga."

„Praegu ... ei tohiks minu arust küll pulmi pidada," nähvas ta. „Pidutseda, kui mu ema võib oodata surm, see ei tundu õige."

Olin vait. Kõndisin lihtsalt minema, jättes ta mu sõnu seedima ja lootes, et ta võtab aru pähe. Magamistuppa jõudnud, tagusin aga jõuetus vihas hääletult patja.

Selleks ajaks kui Adam tuppa tuli, olin juba tukkuma jäänud, ent ärkasin, kui ta end voodisse libistas.

„Kuidas sa end tunned?" küsisin. „Kas paremini?"

Ta ohkas raskelt. „Ma arvan, et peaksime pulmad edasi lükkama."

Tõusin välkkiirelt istukile ja mu pea hakkas ringi käima. „Mida?!"

Ta köhatas kurgu puhtaks. „Ma arvan, et me ... et ma ei saa praeguses olukorras pulmi pidada. See on nii suur šokk, mul on vaja aega, et seda seedida."

„Kas sa mõtled seda tõsiselt?"

Ta noogutas.

„Ausalt ka, päriselt või?" Mu hääl muutus aina valjemaks ja kõrgenes iga silbiga oktaavi võrra.

„See lihtsalt ei tundu õige, Em. Tunnista seda. Sellises olukorras abielluda pole hea mõte. Me ei taha ju, et meie pulmapäeva varjutaks mingi tume pilv, on nii?"

Kui ta lootis, et ma temaga nõustun, siis pani ta küll täiesti mööda.

„Su emal on vähk."Tegin V-tähega sõna juures sõrmedega jutumärgižesti.

„Pagan, mida see peaks tähendama?" Adam hüppas voodist püsti, ainult bokserid jalas, ja libistas harali sõrmedega läbi juuste. „Tal on *vähk*, Em. Jumal küll!"

Vaatasin teda mööda tuba ringi tammumas ja võisin sõna otseses mõttes tunda temast õhkuvat abitust ja raevu. Ta nägi välja nagu puuri suletud kana, kes ei saa kuhugi minna, kel pole võimalik endas pulbitsevat auru kuidagi välja lasta. Ma võiksin ta muresid vähemalt mõningal määralgi leevendada ja tõsta kaane sellelt surve all olevalt kiirkeedupotilt, millesse ta oli ise pugenud. Võiksin talle öelda, et minu arvates ta ema valetab – et ma *tean*, et ta valetab. Võiksin öelda, et minu meelest mõtles ta ema kõik selle välja, et takistada meie abiellumist. Aga see kõlaks nii naeruväärselt. Kes teeks midagi sellist? Ükski normaalne, täie mõistusega inimene ei suudaks niisugust nurjatust ja pahatahtlikkust ettegi kujutada. Võiksin talle ära jutustada kõik, mis Pammie oli mulle meie koosolemise algusest saati teinud ja öelnud, kuidas ta oli andnud endast kõik, et meid lahku ajada, õõnestades mind igal sammul, ja nüüd võttis tarvitusele selle kõige alatuma käigu nende kaheksa õelutsemist ja kiusamist täis kuu jooksul. Kas Adam usuks mind? Tõenäoliselt mitte. Kas ta hakkaks mind vihkama? Kohe kindlasti. Kas see teeks mu vastasest võitja? Kahtlemata.

Ei. Adamile tõe rääkimisest poleks mingit kasu, aga olgu ma neetud, kui lasen sel mooril mingite räigete valedega oma tahtmist saavutada. Me abiellume ja punkt, meeldigu see talle või mitte.

„Rahune maha," laususin ja astusin ta juurde.

„Rahune maha? *Rahune maha?* Ma peaksin homme abielluma, ja mu ema on haige. Kuidas, pagan küll, peaksin ma sinu arvates maha rahunema?"

„*Meie* abiellume homme," parandasin teda. „Me oleme teineteisele toeks."

Üritasin teda emmata, panin käed ta ümber, kuid ta tõrjus mu eemale.

„Me pole siin sugugi teineteisele toeks," nähvas ta. „Sa pole püüdnudki oma tundeid mu ema vastu varjata, ja kui aus olla, sa isegi ei kuseks tema peale, kui ta leekides põleks, nii et ärme tee nägu, et sa tegelikult ka hoolid ja mõistad mu valu."

Astusin sammu tagasi. „Sa pole minu suhtes õiglane! Ära süüdista selles mind. Su ema on teinud juba esimesest päevast, mil sind kohtasin, kõik endast oleneva, et ma tunneksin end soovimatu sissetungijana, ja ma olen nii väga püüdnud temaga läbi saada, aga kas tead mis, Adam? Ta on teinud selle võimatuks!"

Ta käsi tõusis järsult ja sekundi murdosa arvasin, et ta lööb mind, ent ta pööras ringi ja lajatas rusikaga vastu riidekappi. Kübarakarbid, milles hoidsin mälestusesemeid, kukkusid kolinal kapi otsast alla ja kogu sisu prantsatas põrandale laiali.

Seisin nagu soolasammas. Püüdsin suud avada, kuid ei suutnud sõnagi lausuda.

„Anna andeks, Em," halas ta ja langes põlvili. „Ma ei tea … Ma lihtsalt ei tea."

Osa minust, mis teda armastas, tahtis põlvitada tema kõrvale ja teda oma käte vahel kiigutada, teine osa aga tundis end kummastavalt eemalolevana, justkui vaataks pealt võõrast, kes püüab kokku kraapida oma purunenud elu killukesi. Avastada armastatud mehes külg, mida ma polnud iial varem näinud, ja seda päev enne meie laulatust, tegi rahutuks ja hirmutas samavõrra.

Istusin voodile ning püüdsin end kokku võtta. Mul oli vaja aega, et mõista, mis juhtus ning saavutada enda üle kontroll, sest minus hakkas võimust võtma soov kogu hinge kogunenud kibedus välja pursata. Sama kehtis paanika kohta, mida tundsin põue pugemas, kuna mulle hakkas vaikselt koitma, et ta võib tõepoolest pulmad ära jätta.

„Anna andeks, Em," alustas Adam uuesti, peaaegu roomates minu juurde ja pannes pea mu põlvedele. „Ma lihtsalt ei tea, mida teha."

Paitasin ta kukalt. „Kõik saab korda. Ma luban."

„Kuidas? Kuidas sa saad seda lubada? Ta võib surra."

Oleksin tahtnud Adami peale karjuda. *Ta ei sure, sest ta pole haigegi.* Selle asemel aga ütlesin lihtsalt: „Me hoolitseme tema eest. Su emaga saab kõik korda."

Ta tõstis pea ja vaatas mind verdunud silmadega. „Arvad?"

Noogutasin. „Ma arvan, et su ema tahaks, et pulmad ikka toimuksid. Õigupoolest ma tean, et ta tahaks seda. Ta ei tahaks, et me õnnetud oleksime ja kõik katki jätaksime." Peaaegu kuulsin end seesmiselt naermas.

„Sul on ilmselt õigus."

„Iga päev, iga minut diagnoositakse kellelgi kasvaja." Sel hetkel, kui ma seda ütlesin, olin enda peale vihane, et olin seadnud Pammie samasse ritta nende miljonite õnnetutega, kes tõepoolest võitlesid selle jubeda haigusega. „Ja tänapäeval on paranemisvõimalused päris head."

Adam noogutas jõuetult.

„Palju paremad kui varem. Suuri edusamme on tehtud."

Tema klaasistunud pilgust oli näha, et mu jutt polnud kuigi veenev.

„Inimesed tulevad sellest välja, miljonid on seda juba teinud." Haarasin ta käed pihku ja pigistasin neid. „Su emal on kõik võimalused terveks saada. Vaatame, millega meil tegu on, ja aitame tal sellest võitu saada."

„Ma tean. Ma tean kõike seda." Adam löristas nina. „Aga ma lihtsalt ei suuda kõige muu kõrval veel ka sellega toime tulla."

„Ma mõistan, ja just sellepärast peaksimegi tegema, nagu plaanitud. Kui pulmad ära jätame, tuleb meil hunnik muid probleeme lahendada." Ohkasin raskelt.

„Aga ma teeksin pigem seda, kui et veaksin omaenda pulma-päeva õhtusse täiesti rivist väljas olles. Ma ei suuda praegu keskenduda millelegi muule peale ema. Tal on minu tuge vaja."

Ta polnud mu viimast lauset kuulanudki. Käisin mõttes läbi kõik inimesed, kellega peaksin ühendust võtma, juhul kui laulatust ei toimu. Ma ei tahtnud sellele isegi mõelda. Nii ei saa minna! Ma ei tohi lasta sel juhtuda.

Võtsin ta randmetest, hoidsin neid tugevalt ja vaatasin talle otse silma. „Kuula mind," laususin kindlalt. „Me abiellume homme ja su emaga saab kõik korda. Ta kindlasti naudib seda päeva, ta saab seal tähelepanu keskpunktis olla, ja meie läheme pulmareisile. James hoolitseb tema eest, kuni me ära oleme, su vend saab sellega suurepäraselt hakkama, ja kui oleme tagasi, läheme koos su emaga haiglasse ning saame teada, kuidas lood on. Siis vaatame edasi. Kas sobib?"

Adam noogutas, kuid ma polnud ikka veel kindel, kas suutsin teda veenda.

Ta ajas end põrandalt püsti ja hakkas riidesse panema.

„Mida sa nüüd teed?" Tundsin paanikat kurku kerkimas. „Kuhu sa lähed?"

„Ema juurde."

„Mis asja? Kell on viis hommikul!"

„Ma pean teda nägema."

„Jumal küll, Adam, sa reageerid üle."

„Kuidas saab üle reageerida, kui su emal on vähk?" sisises ta mulle näkku.

See oli tõsiselt hirmutav. Ta oli alati nii tasakaalukas – mees, keda kõik vaatasid suure imetlusega. Tema oli see, kellele võis alati loota. Kes juhtis analüütikute tiimi; kellelt kõik pereliikmed käisid nõu küsimas; mees, kes oli toonud mu ellu mõtte ja korra. Ta oli kõike seda, ent nüüd oli ta segaduses nagu auto esitulede valgus-vihku sattunud jänes, kes ei tea, kas tormata tulede poole või nende eest ära. Seda oli hale vaadata ja ma vihkasin Pammiet veel enam selle pärast, mida ta oli oma pojale – meile mõlemale – teinud.

Hakkasin lahinal nutma. „Sa ei saa mind niimoodi siia jätta. Mul on sind vaja."

„Ei, ei ole," nähvas ta. „Mille pärast sul muretseda, peale oma neetud pruudikimbu ja pulmatordi tühistamise?"

Vaatasin talle ammuli sui otsa.

„Mu ema võib surra, ja sina virised mingi kuradima keeksi pärast? Pane asjad õigesse perspektiivi!"

„Kui sa siit minema kõnnid, ma vannun ..."

Uks paugatas kinni. Ma ajasin end püsti ja sel hetkel mõistsin, et mu ainus võimalus on näidata maailmale, kes Pammie tegeli-kult on.

30

M a ei arvanud, et suudan magama jääda, aga ilmselt olin
siiski uinunud, sest kui silmad avasin, oli juba valge. Heit-
sin pilgu öökapi kellale: 8.02 hommikul. Mu pea tuikas, kui selle
padjalt tõstsin ja kael oli pinges nagu vedru, mis on valmis puruks
plaksatama. Kurgupõhjas kipitas tihke klomp, mida ma ei suutnud
alla neelata. Koperdasin peegli otsa ja nägin sealt vastu vaatamas
paistes silmadega lapilist nägu, põsed padjast triibulised.

Niimoodi ma oma pulmaeelset päeva küll ette ei kujutanud –
juhul kui ma üldse abiellungi.

Kobasin käega voodil telefoni järele ja uurisin ekraani, millel
eeldasin näha vastamata kõnede ja sõnumite rodu minu ja Adami
naeratavatel nägudel.

Mitte ühtegi teadet ega kõnet. Ma ei teadnud, kus Adam on
või mis pagana päralt üldse toimub. Helistasin talle, aga mind
suunati otse kõneposti. Proovisin uuesti, jälle sama.

Ma ei kavatsenud teha Pammiele seda heameelt, et talle helis-
tada, niisiis otsustasin teise valiku – Jamesi – kasuks.

Ta vastas juba teise kutsungi peale. „Hei, kas sina, Em?"

„Jah," laususin tõtakalt. „Kas sa tead, kus Adam on? Ta läks
hommikul vara välja ja ma ei saa teda kätte."

„Su hääl väriseb, kas sinuga on kõik korras?"

Ei. Su perekond on täiesti haige.

Ütlesin hoopis: „Jah, minuga on kõik korras. Kas sa tead, kus ta võiks olla?"

„Adam on emaga. Ta vahetas mind mõni tund tagasi välja, et saaksin tulla koju ja natuke magada."

„Kas ta mainis sulle midagi?" küsisin optimistlikult, püüdes mitte kõlada meeleheitlikuna. „Me tülitsesime ja ta tahab pulmad ära jätta. James, ma ei tea, mida teha."

„Jeesus!"

„Ta on jäärapäiselt kindel, et see on õige otsus."

„Kas tahad, ma tulen sinu juurde?"

Ei. Jah. Ei. Ma ei tea.

„Em? Kas sa tahad, et ma tulen sinu juurde?" Ta hääl oli nüüd valjem ja murelik.

„Ei, lihtsalt palu tal mulle helistada. Ta ei vasta telefonile."

„Võib-olla nii ongi kõige parem," täheldas James peaaegu kuuldamatult.

Mida? Kas ma kuulsin õigesti?

„Et teil mõlemal oleks aega veenduda, et tõesti tahate seda sammu astuda."

„Kuidas saab see kõige parem olla?" karjatasin. „Samas, mida muud võikski sinult oodata? Sa oled meie suhet algusest peale nurjata püüdnud. Vean kihla, et sa naudid seda, on nii?"

„Ma olen alati mõelnud vaid sinu huvidele."

„Ainus, mida sa tegelikult tahtnud oled, on oma vennale ära teha."

„See pole tõsi," kostis ta vaikselt.

„Praegu on mul sellest savi. Ma tahan ainult teada, mis pagana päralt toimub."

„Ma lähen nüüd ema juurde, helistan sulle sealt." Jamesi hääl oli tõsine.

Ma ei suutnud selgelt mõelda, pidin kõigepealt Adamiga rääkima. Nii palju oleks vaja arutada ... Ta ei saa praegu alt hüpata. Mida inimesed arvavad? Nad on ju teinud plaane ja ohverdusi, et pulma tulla, et meie rõõmupäevast osa saada. Kõik need töölt vabaks võtmised, lapsehoidjad, rongipiletid – ja see puudutas vaid külalisi. Mida ma peaksin ütlema hotelli adminnile, abielu registreerijale, floristile, meelelahutajatele?

Helistasin Pippale. Tal tarvitses vaid oma nime kuulda ja ta oli juba teel. „Ära mine kuskile. Olen kümne minuti pärast kohal," teatas ta rutakalt.

Ukseavas seistes jäi ta mind hetkeks kohkunult vaatama. „Ma vannun jumala nimel, et kui see tõbras on sinu vastu kätt tõstnud ..."

Raputasin tuimalt pead. „Pammie sai järsku vähi ja Adam pani plehku."

Pippa kergitas küsivalt kulme.

„Just nii."

Sellises olukorras poleks saanud ei tema ega keegi teine teha muud, kui valmistada mulle teed ja oodata. Ootamine, teadmatuses, oli piinarikas.

Kell oli 10 läbi, kui mu mobiil järsku helises. Ekraanile ilmus Adami nimi.

Silmapilk sööstis Pippa tuppa, kahmas mul telefoni käest ja pani valjuhääldi peale.

„Nüüd kuula mind, sa igavene ..." alustas ta.

„Em?" küsis kõhklev mehehääl.

„Kui sa lähema poole tunni jooksul oma tagumikku koju tagasi ei vea ..." lasi Pippa edasi.

„Em, James siin."

Pippa ulatas telefoni mulle. „Kas Adam on koos sinuga?" küsisin hingetult.

„Jah, aga asjalood pole kiita. Paistab, et ta on oma otsuses kindel."

Mu süda purunes miljoniks killuks. „Anna telefon talle."

„Ta ei taha sinuga praegu rääkida." Jamesi hääl oli vabandav.

„Anna telefon Adamile, ja kohe!" Ma peaaegu karjusin.

Pippa silitas rahustavalt mu reit ja haaras mu käest, millega energiliselt vehkisin, justkui hakkaksin kukkuma ning püüaksin leida mingit toetuspinda, ehkki ma tegelikult istusin diivanil.

Kuulsin mingit mõminat ja siis Adami häält. „Olen oma otsuse langetanud," teatas ta asjalikult. Kuidas ta suutis seda nii külmalt öelda? „Me lükkame pulmad edasi, kuni emaga on kombes."

„Aga ..."

„See on otsustatud, Em. Igatahes, ma juba helistasin neile, kelle numbrid mul on. Ja rääkisin ka reisikonsultandiga, ta uurib, kas on mingi võimalus pulmareisi aega muuta või makstud rahast midagi tagasi saada."

Kui veri soontes võiks olla külm, siis sel hetkel see nii ka oli. Mind valdas peaaegu halvav paanika, mis võttis südame pööritama. Tundsin, kuidas maohape kerkis söögitorru, viskasin telefoni Pippale ning tormasin öökides vannituppa.

Ta hääl kostis justkui vee alt ja ma ei suutnud mitte ühestki sõnast aru saada, kuna olin peadpidi tualetipotis. Ainuüksi vetsuvee nägemine ajas mul sees keerama ja surus kõrvetavat sappi üles kurku.

Mõni sekund hiljem oli Pippa põlvili mu kõrval, hoidis mu juukseid ning hõõrus mu selga.

„Kõik saab korda," lohutas ta. „Ma tegelen kõigega ise."

Tahtsin pead raputada, ent hakkasin jälle oksele.

Pippa käis peale, et läheksin duši alla ja peseksin ka juukseid ning lubas, et siis on maailm veidi helgem.

Andsin talle oma telefonimärkmiku ja selleks ajaks kui elutuppa tagasi jõudsin, oli jäänud helistada veel vaid hotelli ja abielu registreerijale.

„Ma arvan, et seda pead sina tegema, kahjuks," ütles ta. „Mina võin ju ükskõik kes olla."

Noogutasin nukralt.

„Teen meile tassi teed," ohkas Pippa, läks kööki ning toimetas seal kruusidega kolistades ja kapiustega kolistades.

„Oh heldust, see on küll enneolematu," kostis pulmakoordinaator kiretult. „Meil pole varem keegi nii hilja pulmi tühistanud."

„Kahjuks pole meil valikut," laususin trööstitult, saades vaevu aru, mida ta üldse rääkis. Olin lülitunud autopilootrežiimile ning polnud võimeline midagi tundma ega tegelema päris inimeste ja emotsioonidega. Olin nagu robot, kes järjepanu täidab programmeeritud käske, peljates lühisesse jooksmist.

Tajusin ähmaselt, kuidas telefon mu käest võeti. „Tere, siin Pippa Hawkins, pruutneitsi, ma selgitan kõike muud, mis tarvis ..."

Mu pea langes lauale ristatud kätele ja keha hakkas nutust vappuma.

31

Adam andis lõpuks näole tund enne seda, kui oleksime pidanud altari ette kõndima. Tema äraoleku ajal oli nii päeval kui ka ööl meie korterist läbi voorinud sõpru, kes tulid mind vaatama, veendumaks, et ma pole sillalt alla hüpanud. Ainult Pippa oli veel jäänud, kui Adam lõpuks räsitud väljanägemise ja näost punetavana koju naasis.

Olin seda hetke tuhat korda ette kujutanud, aga nüüd, mil ta seisis mu ees ja mina istusin söögilaua taga, vaatasin teda kui võõrast. See polnud mees, keda olin armastanud ja kellega viimased kaheksa kuud koos elanud. Tundus, nagu oleksime oma eelmises elus mingil hetkel põgusalt kohtunud ja ma suutsin vaevu meenutada selle kohtumise üksikasju. Võib-olla püüdis mu mõistus mind niiviisi reaalsuse eest kaitsta. Tegelikku olukorda pehmendada.

Nägin silmanurgast, et Pippa võttis oma mantli, silmitsesin aga ainiti Adamit, püüdes temalt mingitki reaktsiooni välja peilida. Ta vältis mu pilku.

„Ma hakkan minema," teatas Pippa. „Okei?"

Noogutasin, pilku Adamilt pööramata.

Kurbus ja häbi olid nüüd asendunud raevuga, mis ähvardas kohe valla pääseda. Tundsin end kui ketis kiskja, keda püütakse vaos hoida. Tal tarvitseks öelda vaid üks sõna, mis tahes sõna, ja ma tõmbaksin end ketist lahti.

„Saa minust aru," pomises ta.

Tõusin toolilt nii järsult, et see kukkus tagurpidi põrandale.

„Ära tule mulle ütlema, mida ma pean tegema," nähvasin. „Sa ei kujuta ettegi, mida ma olen pidanud läbi elama, ja nüüd julged sina tulla mulle ütlema, millest mina pean aru saama?"

Korraks arvasin, et ta kavatseb mind lüüa – ta õlad olid taha-poole tõmbunud ja rind kummis, ent siis vajus ta lössi nagu katki torgatud õhupall ja õhk sõna otseses mõttes vihises temast välja. Ma ei teadnud, mis oleks parem olnud. Kui ta oleks agressiivseks muutunud, oleks mul vähemalt olnud millestki kinni haarata, et teemat harutama hakata. Aga seda temast alles jäänud tühja kesta oli lausa hale vaadata – nagu murenev vare, mille vastu oli raske austust tunda. Ma tahtsin, et ta toetaks mind, mitte ei variseks lööduna mu jalge ette.

„Me peame rääkima," lausus ta vaikselt.

„Selles on sul küll tuline õigus."

„Nagu täiskasvanud." Adam tõmbas laua alt – see oli ainus asi me vahel, mis takistas mul talle kõrri kargamast – tooli ja võttis väsinult istet. Ta näis olevat samas seisukorras mis mina. Täiesti kurnatud.

Hetkeks turgatas mul mõte, et äkki on Pammie talle ometi tõtt rääkinud. Et tal oli julgust öelda oma pojale, millega ta tegelikult oli hakkama saanud. Kuid ka kõige parema tahtmise juures ei suutnud ma ette kujutada seda naist oma tegusid üles tunnistamas.

„Noh?" ühmasin.

„Sa pead maha rahunema."

„Jälle see üleolev toon! Kui sa nõnda jätkad, ei jõua me küll kuskile."

Ta langetas pea. „Vabandust."

„Niisiis, võttes arvesse, et mina pole absoluutselt midagi valesti teinud, siis äkki sa alustaksid sellest, et püüad selgitada, kus pagana kohas sa oled olnud ja miks sind pole olnud võimalik peaaegu kolmkümmend kuus tundi kätte saada?" Surusin hambad huulde ja tundsin keelel vere metalset maitset.

„Ma võin vaid püüda selgitada, kuidas ma end tundsin, kuidas *see kõik* tundus."

Lõin käed rinnale risti ja jäin ootama, mis tal öelda on.

„Mul oli kindel kavatsus täna abielluda. Usu mind."

Mu näos ei liikunud ükski lihas.

„Aga kui ema teatas meile oma haigusest, siis tundus, justkui kogu mu maailm lagunes koost. Nagu kõik mu ümber kukkus kokku. Mõtlesin pulmadele, mesinädalatele, ema diagnoosile, ja kõik tundus nii sürr."

„Sa ei suutnud asju õigesse perspektiivi panna," pakkusin välja.

„Jah, võib-olla tõesti. Kuid mulle tundus, et ma ei suuda normaalselt käituda. Ma poleks suutnud kõndida kabelisse ja teha nägu, et kõik on kõige paremas korras."

„Keegi ei palunudki sinult seda. Sa pidid abielluma, ja said siis teada, et su ema on raskesti haige. Keegi poleks eeldanudki, et sa tundetuks oleksid jäänud."

„Mind tabas nagu täiemõõduline paanikahoog, Em. Mul oli meeletult rusuv tunne rinnus ja mõistus justkui halvatud. Ma poleks suutnud end pulmade ajaks kokku võtta."

„Ent siin sa oled, paistad toibunud olevat, ja nelikümmend viis minutit on veel aega," kommenteerisin sapiselt.

„Kas me suudame sellest üle saada?" küsis Adam, pea longus.

„Ma pean veidi aega omaette olema, et see selgeks mõelda."

Ta tõstis pea ja vaatas mulle trööstitu ilmega silma.

„Mind ei huvita, kuhu sa lähed, aga siia ma sind ei taha, mitte seniks, kuni olen otsustanud, mida *mina* tahan."

„Kas sa räägid tõsiselt?"

See oli ütlematagi selge.

„Ema ja isa ööbivad täna siin, kuna nad *arvasid*, et lähevad oma tütre pulma, ning nüüd pole neil midagi paremat teha. Ja Pippa ja Seb tulevad, nii et …"

Ta ajas end toolilt püsti. „Lähen pakin mõned asjad."

„Parem oleks." Pöörasin talle selja ja kõndisin kööki, kus valasin endale suure pokaali Sauvignon Blanci.

Kuulsin, kuidas eesuks veidi hiljem vaikselt sulgus, ja vajusin nuttes sohvale. Ma ei tea, kas ulgusin selle pärast, et täna oleks pidanud olema mu pulmapäev, või kuna Pammie oli lõpuks võitnud. Olin talle sõna otseses mõttes näkku naernud, kui ta teatas, et Adam abiellub minuga vaid üle tema laiba. Aga kes naerab viimasena?

32

Ma ei vastanud Adami kõnedele kümme päeva. Mitte seepärast, et oleksin tahtnud kätte maksta või otsinud tähelepanu, vaid kuna mul tõepoolest oli vaja olla omaette, tema mõjust vabana, et saada aru, mida ma tegelikult tahan. Kuigi olin pulmapuhkuse võtnud, sundisin end tööle tagasi minema, sest uskusin naiivselt, et kui mul on mingi eesmärk, teeb see mu enesetunde paremaks; ent kui märkasin nüüd kontorihoone ees Adamit luusimas, ei saanud ma teda enam ignoreerida. Kogu selle aja ei osanud ma ette kujutada, kuidas end temaga uuesti kohtudes tunneksin või *kas* ma üldse midagi tunneksin, seega kui ainuüksi tema nägemine võttis mu sõna otseses mõttes hingetuks, mõtlesin, et see peab midagi tähendama. Hing kippus kinni jääma, nagu oleks õhk minust välja imetud.

„See pole aus. Sa ei saa mind niimoodi oma elust ära lõigata," mangus ta.

„Ära tule mulle ütlema, mis on aus," nähvasin sammu aeglustamata ja suundusin Tottenham Court Roadi metroojaama poole. „Ma vajan aega ja mul on vaja ruumi."

„Ma pean sinuga rääkima."

„Ma pole valmis seda vestlust siin ja praegu pidama," laususin tempot tõstes.

„Kas sa võiksid vähemalt minutikski peatuda?"

Pöörasin järsult ümber. Ta oli kõhnemaks jäänud. Muidu nii hästi istuv pintsak lotendas seljas ja olgugi et püksirihma pannal oli päris viimases augus, ei püsinud püksid korralikult pihal ning ähvardasid kohe-kohe alla vajuda. Ta nägu paistis kõhetu ja paistis, et ta polnud habet ajanud sellest ajast saati, kui teda viimati nägin.

„Milleks?" haugatasin, teades väga hästi, et see oli hullem kui hammustus. Mul polnud enam energiat – kõik oli ära kulutatud.

„Palun, kas me ei võiks maha istuda, midagigi selgeks rääkida?"

Vaatasin Golden Square'il ringi. Nartsissid olid end uhkelt sirgu ajanud, ent kuna päike oli loojumas, polnud ilm õues pingil istumiseks enam piisavalt soe. Märkasin väljaku nurgas kohvikut ja viipasin selle suunas. „Viis minutit," kohmasin. „Võime seal kohvi juua." Kuigi ma soovinuks kogu hingest rüübata midagi kangemat.

„Aitäh sulle," kostis ta tänulikult.

Iroonilisel kombel möödusid need ihaldatud viis minutit kõneldes kõigest muust peale põhjuse, miks me seal olime. Ütlesin, et Sophie-beebi räägib juba ja tema ütles mulle, et pidi oma jõusaali liikmekaarti uuendama. Oli kohutavalt nõme lobiseda tühjast-tähjast mehega, kellega olin koos elanud. Ta oli sama hästi kui võhivõõras ning tundsin, kuidas ta kaugenes minust üha enam. Seda adudes tahtsid kuumad pisarad voolama hakata, ent suutsin neid silmi pilgutades tagasi hoida.

Veel viis minutit venis mööda, ja ühel hetkel vahtisime mõlemad aknast välja. Sõnad olid nagu otsa lõppenud.

„Me oleme siin olnud kümme minutit ja sa pole mu ema kohta veel midagi küsinud," ütles ta äkitselt.

See polnud mulle pähegi tulnud. Miks olekski pidanud? Ma ju teadsin, et temaga on kõik superhästi – tal polnud ei vähki, süü- ega moraalitunnet.

„Oi, väga vabandan." Mu hääles oli mürgisust. „Kuidas Pammiel läheb?"

„Me ei saa edasi minna, kui sa ei suuda temaga ja juhtunuga leppida," lausus Adam. „See pole kellegi süü, Em. Elu lihtsalt läheb vahel nii."

„Kas ma peaksin su emale andeks andma tema väite, et ta on haige?"

„Ta ei *väida*, et on haige, ta *on* haige," teatas Adam karmilt. „Kuidas sa end siis tunned, jumal hoidku selle eest, kui midagi juhtub?"

Kehitasin õlgu. Mul oli täiesti ükspuha.

Ta vaatas mind kississilmi. „Sa pead nägema suuremat pilti. Meie võime abielluda igal ajal. Aga ema ei pruugi enam kauaks olla."

„Just nimelt, seepärast tegidki sa vale otsuse. Me oleksime pidanud abielluma, et ka su ema oleks sellest osa saanud."

„Võib-olla tõesti, kuid mis tehtud, see tehtud, ja me peame sellest üle saama. Koos."

„Kuidas siis Pammiega on?" küsisin, ignoreerides ta varjatud palvet.

„Pole viga, tänan küsimast." Adami hääles oli kerge sarkasminoot. „Me käisime eelmine nädal temaga esimest korda keemiaravis ja varsti on järgmine seanss."

Tundsin, nagu oleks mulle kümnetonnine veok otsa sõitnud. „Me?"

Ta noogutas. „Jah, viisin ema eelmisel esmaspäeval haiglasse. Tahtsin kindel olla, et kõik läheb nagu tarvis. Sina teeksid ju oma ema heaks sama, Em, muidugi teeksid."

Ma ei saanud enam mitte millestki aru. Adam käis koos emaga seal? Väljamõeldud vastuvõtul? Mis valemiga Pammie selle veel välja mängis?

„See, mida vähihaiged peavad läbi elama, on nii piinarikas," jutustas ta edasi. „Emal pole järelmõjud praegu kuigi hullud, natuke on süda paha ja ta on väga väsinud, kuid öeldi, et ajapikku läheb ta seisund eeldatavasti kehvemaks." Ta hõõrus silmi. „Ausalt, seda ei sooviks isegi oma vihavaenlasele."

Olin nii šokeeritud, et minus polnud jõudu talle rahustuseks kättki ulatada. Esimest korda alates Pammie „teadaandest" hakkasin mõtlema, kas see võib päriselt tõsi olla. Kui seda taipasin, lahvatas mu keha jalataldadest kaelani kuumaks ning põsed lõid tulitama. Raputasin vargsi mantli seljast, et end maha jahutada.

Mulle polnud sekundikski pähe tulnud, et Pammie võis tõtt rääkida. Mõtlesin nüüd, mis mulje see minust jätab. Mida inimesed mu ümber minu hiljutisest käitumisest arvata võivad? Ma panustasin sellele, et ta valed tuuakse päevavalgele. Et ta paljastatakse kui julm pettur. Aga mis siis, kui see kõik on tõsi?

„Kuidas seal on?" küsisin. „Haiglas, ma mõtlen." Tahtsin saada kinnitust, et nad tõesti olid seal käinud.

„Patsientide olemine tehakse nii mugavaks kui võimalik," vastas ta ja ma tundsin iga silbiga aina suuremat pettumust. „Palatis on veel paar naist, kõigil sama värk. Emal on sellest abi, sest sa ju tead, milline ta on – ta ei taha end ja oma asju ainult iseendale hoida." Adam püüdis olla humoorikas. „See on hea, et ta saab vestelda, uurida, mis järgmiseks võib juhtuda, et olla kõigeks valmis. See aitab tal ka mõista, et ta pole üksi, mis minu arvates on kõige olulisem."

Ta langetas järsku pea. „Ent olukord ei paista kuigi hea, Em." Ta õlad vajusid longu ja rind kerkis raskelt.

Astusin teisele poole lauda ning libistasin end tema kõrvale istuma. Ta nuttis hääletult ja ma embasin teda. Ta haaras mul tugevalt käest ning tõstis selle oma huultele. „Ma armastan sind," sosistas ta. „Mul on väga kahju."

„Tss, kõik on hästi." Ma ei osanud midagi muud öelda. Olin nii pikalt olnud takerdunud omaenda mõtetesse, korrutades, kui ebaõiglane see kõik on, ning keskendunud Pammie vandenõule, mida ta oli juba meie esmakohtumisest alates haudunud. Ja ma polnud mõelnud, kuidas Adam end tunneb. Olin ta lihtsalt maha kandnud kui narri ega näinud teda tõsiselt võetava mehena, kuna ta oli lasknud end haneks tõmmata. Aga *tema* ei tundnud end nii: ta oli murest murtud. Ta tühistas oma pulmad armastatud naisega ning uskus tõemeeli – sest tal polnud põhjust kahelda –, et ta ema võib varsti surra.

„Pole just kõige parem koht sellise vestluse pidamiseks," märkisin võimalikult kergel toonil, kui vaatasime akna taga töölt koju tõttavaid inimesi.

„Ei, ilmselt mitte," nõustus ta, pööras minu poole ja suudles mind laubale. „Kas sa tuleksid ema vaatama? Usu või ära usu, aga ta tõesti soovib sind näha, et öelda, kui kahju tal on."

Tõmbusin tahtmatult veidi eemale. „Ma pole kindel." Ma ei suutnud enam oma mõtteid ega sõnu kontrollida.

„Palun, see tähendaks talle – meile mõlemale – väga palju."

Noogutasin. „Olgu. Võib-olla."

„Tal on järgmisel kolmapäeval jälle keemiaravi, sul on siis vaba päev. Äkki sõidad tema juurde ja saad meiega pärast seal kokku? Kui ma just ei või koju tagasi tulla – siis saaksime ehk koos minna?"

Ma polnud enam milleski kindel. See, et Adam oli tõesti koos Pammiega haiglas käinud, ei toonud mu mõtetesse mingit selgust, vaid tekitas hulganisti painavaid küsimärke juurde, nii et mu meelekohad hakkasid valusalt tuikama.

33

Mul oli põrgulik peavalu, kuid põhjuseks polnud see, et Adam kodus tagasi oli. Stressi tekitas hoopis teadmine, et pean Pammiega kohtuma. Tundsin sõna otseses mõttes, kuidas pinge kangestas õlad ja kaela.

Avasin hajameelselt külmkapi, et võtta sealt veinipudel, kuid peatusin järsku. Alkohol oli tuimastina hästi toiminud, aga ma ei saanud sellele nagu kargule igavesti toetuda. Ma pidin ise püsti seisma ja olema oma mõistuse ja kehaga üks, et kõike päriselt tunda, mitte hõljuda depressiooni ja eraldatuse udupilves, millesse olin end mitmeks nädalaks mässinud.

Vaatasin igatsevalt Sauvignon Blanci pudelit, mis oli täiusliku temperatuurini jahutatud. Pippa oli selle kaasa toonud, kui käis siin pühapäeval õhtustamas, ja imekombel oli see siiamaani puutumata. Ega mul polnud tookord mingit tahtmist napsitada – lihtsalt, kui ütlesin talle, et kohtusin Adamiga, soovis ta tungivalt mulle külla tulla, et kõigest üksikasjalikumalt kuulda.

Ma muidugi jutustasin talle tüütuseni detailselt kogu Adami ja minu vestluse ümber, tammudes toas edasi-tagasi, ja tema kuulas diivanil istudes ammuli sui. Hoolimata sellest, et olin ilmselgelt stressis, oli tore taas Pippaga aega veeta. Ma tundsin puudust meie ühiselamisest ja lahedatest jutuajamistest. Ta oli nagu mu teine aju – kui minu oma tõrkuma hakkas, oli just tema see mõistuse hääl, mida sageli vajasin.

„Kas sa oled kindel, et teed õigesti?" küsis Pippa. „Kui võtad ta tagasi?"

Noogutasin piinatult ja mudisin sõrmi, tegelikult oma otsuses siiski kaheldes.

„Aga sul tuleb siis ikkagi *temaga* tegemist teha." Ta ei suutnud isegi Pammie nime välja öelda. „See naine jääb igaveseks su ellu. Kas Adam on tõesti seda väärt?"

„Ma armastan teda, Pip. Mida ma peaksin siis tegema? Püüame Adami ema hetkeks kahtlustest hoolimata uskuda. Äkki räägib ta tõesti tõtt."

„Ei, mina seda küll ei usu," raputas Pippa pead. „Mäletad, kui tegin nalja, et maailmas ei ole kuigi palju psühhootilisi penskareid?"

Noogutasin.

„Ma eksisin." Tuba täitus meie lõkerdavast naerust.

Järsku helises mu mobiil ja me võpatasime.

„Halloo?" Itsitasin ikka veel, kui telefonile vastasin.

„Kuidas läheb, võõras? Tore sind rõõmsana kuulda." See oli Seb.

Tundsin kohemaid süümepiina, sest peaksin ju hoopis masenduses olema, ent taipasin siis, et see oli kahe nädala jooksul esimene kord, mil naerda suutsin. Seega ei teinud ma midagi valesti, kuigi arvasin, et küllap ütleb Seb mulle midagi vastupidist.

„Anna andeks," kohmasin. „Olen olnud nagu augus."

„Augus, millest välja pääsemiseks sa sõbra abikätt ei tahtnud?"

Ta sõnad panid mind ohkama. Oli valus tunnistada, et ma olin ta vastamata kõned tähelepanuta jätnud, kuigi lubasin endale iga kord, et homme kindlasti helistan … aga ma ikkagi ei suutnud ja see näris mind. Meie suhe polnud kunagi varem keeruline olnud.

Ma suutsin välja mõelda vaid ühe põhjuse, miks see oli nüüd selliseks kujunenud, ent võisin süüdistada üksnes iseennast, et lasin välistel mõjutajatel meie erilisesse sidemesse sekkuda.

„Ma tõesti palun väga vabandust," kordasin.

„Kas oled kodus? Kas ma võin sinu poolt läbi astuda?" küsis Seb.

Ma kõhklesin. „Ee ..."

„Ära muretse, ilmselgelt on sul tegemist," kostis ta nukralt.

Pagan küll, mida ma teen? „Muidugi tule. Pippa on ka siin. Oleks tore sind näha."

Ta suudles mind uksel karskelt põsele – see oli hoopis midagi muud kui kallistus, mida olin olukorda arvestades oodanud. Meie vestlus oli terve esimese veinipudeli aja kohmetu, me hiilisime kõrvale probleemist, mis tundus kui kiil me vahel, aga ma ei saanud pihta, mis see täpselt oli. Ta oli endassetõmbunud ja tavatult tuim ning see sundis mind valvele, ootama, millal ta selle pommi nüüd viskab. Teadsin, et olin teda pulmade ärajätmisest saati vältinud, aga samas olin ju vältinud ka kõiki teisi peale Pippa ja ema. Kuigi ma seda ei tunnistanud, siis südames ma teadsin, et tavaliselt oleks Seb rasketel aegadel mu ustav tugi, ja tema teadis seda samuti.

Ta hakkas just avama teist Pinot Grigio pudelit, kui küsis äkitselt: „Miks sa tegelikult mind oma kleidiproovi ei tahtnud?"

See ei vastanud ühelegi neist mustmiljonist stsenaariumist, mida olin oma peas viimased tund aega veeretanud. Tundsin, kuidas mu põsed hakkasid õhetama.

„Nagu ma sulle ütlesin," laususin napilt, „tahtsin, et see üllatus jääks pulmapäevaks." Kas see polnud siis tõsi? Ise jäin ma küll seda peaaegu uskuma.

„Nii et sel polnud siis midagi pistmist sellega, mida Pammie sulle ütles?" Ta tõstis pilgu pudelilt, mida põlvede vahel hoidis.

„Mida? Millal?" küsisin üllatunult, kuigi kardetud tõdemus jõudis mulle juba kohale.

„Portugalis, basseini ääres."

Vaatasin Pippa poole, et saada kinnitust sellele, mida Seb minu arvates ütles, aga tema kehitas vaid õlgu.

„Anna andeks, ma ei saa sinust päris hästi aru," ütlesin lootuses, et ta vaid blufib.

„Ma istusin teisel pool hekki," lausus ta. Mu süda võpatas ja ma püüdsin paaniliselt meenutada iga sõna, mida olin Pammiele öelnud.

„Ma lootsin, uskusin südamest, et sa mõtlesid seda tõsiselt, kui ütlesid, et valiksid selle naise asemel minu."

Jõllitasin teda, suu ammuli. „Aga ... Mõtlesingi. Ma tegingi ju nii."

Seb kergitas küsivalt kulme. „Kuid kohe, kui me tagasi jõudsime, teatasid sa, et ei taha mind oma kleidiproovi, ja pärast pulmade ärajätmist pole ma sinust piuksugi kuulnud. Ma ei taha sulle koormaks olla, Em, nii et kui see, et ma sinu elus olemas olen, teeb midagi keeruliseks, siis lihtsalt nii ütlegi ..."

Need sõnad tabasid hella kohta ja ma raputasin ägedalt pead, justkui püüdes valusat tõde mõtteist välja raputada. „See pole nii," üritasin end kaitsta.

„Noh, kas siis Adamil on minuga mingi probleem?" küsis ta otse.

Meenutasin, kuidas Adam oli tol korral meie kinoskäigu ajal käitunud, enne veel kui Sebiga üldse kohtuski, ja tema teravaid märkusi, kui ta kuulis, et Seb pidi mu kleidiproovi tulema. Surusin kahtlused sügavale ajusoppi.

„Ära ole rumal. Adam ei näe sinus rivaali. Asi on lihtsalt Pammies, kes käitub nagu Pammie ... sa ju tead, milline ta on." Astusin Sebi juurde ja kallistasin teda. „Anna andeks, kui sa arvasid, et minu eemalehoidmisel võis olla mõni muu põhjus kui see, et mul oli kogu selle pulmajama pärast piinlik ja häbi."

Ta embas mind soojalt vastu, just nii, nagu olin juba tema tuleku hetkel eeldanud ja oodanud. „Aga see olen ju mina," lausus ta. „Mis ajast oleme me lasknud piinlikkusel või häbil meie vahele tulla?"

Ma naeratasin.

„Ma olen sinu jaoks alati olemas. Nii heas kui ka halvas."

„Kurat küll," sekkus Pippa vahele. „Võib-olla hoopis *teie* kaks peaksite abielluma."

Seepeale puhkesime kõik kolmekesi kergendunult naerma – vaid mõni päev varem poleks ma suutnud seda ettegi kujutada.

Aga nüüd, istudes Adami autos teel Sevenoaksi, ei tundunud elu enam sugugi nii muretu ja ma soovisin, et oleksin ikkagi seda veini joonud, lihtsalt selleks, et natukenegi pingeid maandada. Mu pea oli nii uimane ja segi, et ma ei suutnud asju selgelt näha.

„Kas sinuga on kõik korras?" küsis Adam naeratades, ilmselt ta tajus mu ärevust.

Muigasin vastu ja ta võttis mu käe pihku. „Kõik läheb hästi," julgustas ta. Ma kahtlesin selles, kuid siis meenutasin endale, et tegelikult pole mina enam kõige olulisem. Kõige olulisem on Pammie, kellel võib, aga ei pruugi olla surmatõbi (mu arvamus pendeldas küll ühest seinast teise, aga üheksal korral kümnest kaldus see jääma viimase variandi kasuks). Siiski, kuni ma polnud täiesti kindel, et lugu ongi nii, nõustusin oletama halvimat. Iroonilisel kombel tundsin, et mu murekoorem vähenes, kui püüdsin uskuda, et ta rääkis tõtt. Sel juhul on meil vähemalt mingigi pidepunkt, millele toetudes võiksime kõik koos sõbralikult edasi liikuda ja aidata tal haigusest võitu saada. Aga mis siis, kui ta ikkagi valetab?

„Oh, kallis Emily, mul on nii hea meel sind näha," kudrutas Pammie mind välisuksel emmates. „Ma ei suuda sõnadessegi panna, kui kahju mul on. Tõesti. Mul on nii-nii kahju. Ma poleks iial midagi öelnud, kui oleksin hetkekski arvanud, et …"

Naeratasin kõhklevalt. Ükskõik, haige või mitte – ta ei pidanud mulle siiski meeldima.

„Kullake!" hüüatas ta, kui sai pojalt sooja kallistuse. „Jumal küll, kuidas ma sind igatsesin."

Adam naeris ja pööritas silmi. „Ma olen ainult kaks päeva ära olnud."

„Jah, jah, ma tean. Sa peaksid olema Emilyga kodus, seal on sinu koht." Ma polnud kindel, kas ta püüdis sellega veenda meid või iseennast.

„Kuidas sul läheb?" küsisin nii siiralt kui suutsin. „Kuidas sa end tunned?"

Pammie vaatas maha. „Ah, mis siin ikka, on pareminigi läinud, aga ei saa kurta. Ei aja väga iiveldama ja juuksed on kah veel alles." Ta patsutas tähendusrikkalt oma pealage.

„Daamid, ehk läheme tuppa, enne kui kogu tänav kuuleb?" ütles Adam ning viipas meid läbi madala laega esiku majja astuma.

„Oh, muidugi, mul on tõesti nii hea meel, et te siin olete. Te mõlemad." Pammie võttis mu käest ning juhtis mu elutuppa.

„Ja kuidas sinul läinud on?" küsis ta peaaegu südamlikult. „Ma olen sinu peale nii palju mõelnud."

Vaatasin Adami poole, kes naeratas mulle soojalt vastu, nagu uhke issi. Ta uskus emme iga sõna. Ema oli oma poja kindlalt ümber väikese sõrme mässinud. Tundsin tõelist pettumusetorget: mitte miski polnud muutunud.

„Päris hästi," luiskasin.

Tekkis piinlik vaikus, kaks naist hindasid teineteist pilkudega, ent Adam ei paistnud seda tajuvat. „Meil pole eriti palju aega," poetas ta. „Ja liiklus on päris jube."

„Oi, me peaksime siis minema hakkama," lausus Pammie ning võttis toolilt oma kampsuni ja käekoti. „Eks pärast lobiseme."

Sundisin end naeratama.

„Nii, ma tegin mõned võileivad, juhuks kui sul tuleb isu midagi näksida. Lihtsalt võta säilituskile ära, kui süüa tahad, ja sahvris plekk-karbis on kooki. Sidrunikeeksi, ma ise tegin," juhendas ta uhkelt.

„Väga armas sinust," vastasin, adudes vägagi hästi, kui võlts see vestlus oli. Ma ei suutnud meenutada, millal me viimati selliseid viisakusavaldusi vahetasime. „Sa poleks pidanud nii palju vaeva nägema."

„Ära ole rumal, see on vähim, millega ma tänada saan, et te nii kaugele siia sõitsite. Ja meil ei tohiks nagunii kaua minna, arstid peavad mu vaid vooliku külge ühendama ja pärast lahti, ja ongi kõik." Ta sikutas pluusivarruka üles, näitamaks käsivarrele kinnitatud marlipadjakest. „Saame ehk pikemalt juttu puhuda, kui ma tagasi olen?"

Noogutasin, ent vaatasin nõutult Adami poole.

„Kas sa ei taha, et Emily meiega tuleks?" küsis Adam, märgates mu segadust. Mul polnud pähegi tulnud, et nad võiksid minna ilma minuta.

„Heldene aeg, ei," ütles Pammie. „Sel poleks mingit mõtet. Me joome tassi teed ja sööme kooki, kui ma tagasi jõuan, kas sobib?" Ta vaatas kõigepealt mulle otsa ja siis Adamile, ning me mõlemad noogutasime vaikides.

„Anna andeks, ma ei teadnud, et ta eeldas, et sina jääd siia," sosistas Adam ja suudles mind hüvastijätuks. „Ma teen nii ruttu, kui saan."

„Ole mureta," laususin rahulikult. „Näeme siis, kui tagasi jõuate."

„Tunne end nagu kodus!" hõikas Pammie koos pojaga uksest väljudes.

Jälgisin aknast, kuidas ta kõndis jalgu lohistades mööda teerada, seletas midagi ja andis oma koti Adami kätte, seejärel aitas

Adam ta autosse, hoides kätt kaitseks ema pea kohal, kui too aeglaselt kõrvalistmele puges.

Tegin endale tassi teed, istusin diivanile ja mõtlesin, mida ees ootavate tundidega peale hakata. Ma olen end alati teiste kodus ebamugavalt tundnud, kui pererahvast ennast pole. Selles on midagi üsna kõhedust tekitavat, kui sind ümbritsevad kellelegi teisele kuuluvad asjad, mida sa puutuda ei tohiks. Võtsin diivanilaualt ajakirja The Lady ja sirvisin seda pisut, ent klantsivad leheküljed olid täis lugusid ja reklaame, mis olid mõeldud teistsugusele elule kui minu oma. Kahjuks polnud mul praegu tarvis ei ülemteenrit, ihukaitsjat ega jahtlaeva meeskonda.

Mõtlesin teleka käima panna, niisama taustaks, et vaikust peletada, ning märkasin siis toanurgas HiFi seadet, nüüdseks juba vanaaegset helisüsteemi, mis võimaldab automaatselt vahetada kolme CD-plaati. Mul oli teismelisena üks taoline magamistoas ja mulle meenus pikk pärastlõuna, mis minul ja isal oli kulunud selle tehnikaime juhendi läbilugemisele. Ja ehkki ajad on muutunud ja edasi läinud, võttis mul sisselülitamisnupu leidmine ja plaadisahtli avamine ikkagi kauem kui oleks pidanud. Simon & Garfunkeli suurimate hittide CD, üks mu ema lemmikuid, istus juba pesas, nii et ma lükkasin selle klõpsuga uuesti kinni ja vajutasin esitusnuppu. „Mrs Robinsoni" alguse kitarripartii täitis kogu toa, viies mind mõtetes tagasi laupäevahommikutesse, kui istusime Stuartiga diivanil ja ema imes me jalge ümbert tolmu. „Jalad üles!" kamandas ta, ja meie vennaga itsitasime.

Kahe kõlari vahele mahutatud riiulil olid reas pildialbumid, mida Pammie uhkusega sirvis, kui siin päris esimest korda külas käisin. Libistasin silmadega üle albumiselgade, millele olid musta vildikaga rasvaselt kirjutatud aastaarvud. Mul oli meeles vaid see, et albumil, mida ta mulle näidanud oli, olid kastanpruunid nahkkaaned, aga nüüd neid katsudes nägin, et need olid tegelikult odavast nahaimitatsiooniga plastist. Tõmbasin üksteise külge kleepunud kaante naksudes kolmest pruunist albumist esimese riiulilt välja. Selle lehed olid täis pilte noorest Pammiest ja Jimist. Nad olid ilmselgelt kõrvuni armunud ja neil jätkus jumaldavaid pilke vaid teineteisele, teistel jäi üle vaid kadedalt pealt vaadata. Praegu on Adam nagu oma kahekümnendates aastates isa koopia, ja James vaat et veelgi sarnasem. Jimi käsivars oli uhkelt ümber Pammie kaela põimitud ning kogu olek kui hoiatusmärk kõigile teistele kosilasekandidaatidele. Ühel teisel fotol nõjatus lihtsas ja sirges geomeetrilise mustriga kleidis Pammie Hillman Impi kapotile, tema plasside nägudega sõbrannad aga istusid ontlikult autos. Võisin vaid ette kujutada nende kadedusenootidega pikitud märkusi, kui nad jälgisid vapustavalt nägusat Jimi kaamera taga askeldades oma pruuti imetlemas ja jäädvustamas ... Järgmine lehekülg: Pammie, Jim ja nende sõbrad lamavad piknikutekil ja kuigi nad on liivaluidete vahel varjus, kergitab tormlev tuul teki servi ikkagi maast lahti. Suvine Inglismaa, pole kahtlustki – võib-olla Camber Sands või Leysdown lõunarannikul. Kujutasin ette seda vabadust, mida kuuekümnendate lõpul elamine noorele inimesele pakkus, ja tundsin torkavat kadedust. Elada nii ennast-unustavalt, kui mitte miski sind ei kammitse, pidi olema vabastav. Mõtlesin, kas meie võiksime tunda sama, kui kord tulevikus prae-gusele ajale tagasi vaatame.

Neli paari, bakenbardidega noormehed ja purgilokkidega neiud, kõik naeratasid, aga siiski tundus kõik see pigem kui Pam-mie ja Jimi šõu. Nad olid ilmselgelt oma kamba Elvis ja Priscilla, alati tähelepanu keskpunktis, alati nalja viskamas.

Niisiis paistis, et Pammie oli kogu elu rambivalguses olnud. Seal tundis ta end mugavalt, uskudes naiivselt, et see justkui teeb temast tema ja et ilma draamata oleks ta tähtsusetu. Mõtlesin, kui väsitav see pidev tähelepanu otsimine olla võib.

Albumi lõpupoole vaheldusid mustvalged fotod värvisähvatustega, monokroomsus asendus samm-sammult polaroidide päriselulise säraga. Pildistatavate ilmetes peegeldub siiras hämming, kui nad seda imetabast leiutist imetlevad. Kas minu lapselapsed või koguni lapsed näevad kunagi selleks ajaks juba antiikseks muutunud iPhone'i pildikogusid vaadates meie nägudel samasugust hämmastust?

Järgmise albumi avalehel olev foto tuli mulle tuttav ette: Jim ja Adam seisavad tiigikaldal ning toidavad parte. Adam, poolik saiaviil peos, vaatab imetlusega isale alt üles. Tabasin end tookord mõttelt, et kui nad oleksid teadnud, kui vähe aega neil on jäänud koos veeta, kas nad siis oleksid teinud midagi teisiti. Öeldakse, et me ei tahaks teada, millal sureme, isegi kui selline võimalus oleks olemas, aga vaadates selliseid pilte nagu see, taban end tahes-tahtmata mõttelt, kas poleks siiski parem teada. Et võiksime oma aega targemini kasutada, veeta seda koos meile kallite inimestega.

Võtsin uuesti diivanil istet, album süles, ning lõin lahti viimase lehekülje, kus olin enda mäletamist mööda näinud Adami ja Rebecca pilti, mille Pammie oli meelega lagedale jätnud. Kui nüüd järele mõelda, siis oli juba meie kohtumise esimesest hetkest iga väiksemgi asi, mida Pammie tegi, sepitsetud, piinliku täpsusega kavandatud, et viia mind endast välja ja tekitada minus segadust. Muidugi, mitte keegi teine ei paneks seda tähele – selles oli ta väga osav. „Kui armas," ahhetasid kõik, kui ta nii suure hoolivusega oli valmistanud hiiglasliku jõuluõhtusöögi, kuigi teadis, et ma olin juba eelnevalt ühe prae söönud, või kui ta salaja korraldas ammu kaotatud sõbranna ilmumise mu tüdrukutepeole, teades vägagi hästi, et see neiu oli maganud mu tollase kallimaga. Jaah, *vana hea Pammie ...*

Lappasin lehti taha- ja ettepoole, siis uuesti tahapoole, otsides fotot Rebeccast. See oli kahtlemata õige album – mulle tulid kõik pildid tuttavad ette. Vaatasin selle uuesti läbi, leht lehe haaval, aga siin polnud seda fotot ega ka pildiallkirja sõnadega: „Kallis Rebecca – igatsen sind iga päev."

Kus, pagan, see siis on? Ja miks oli Pammie selle välja võtnud? Lasksin pilgul üle toa ringi käia ning märkasin muusikakeskuse all sahtlitega kapikest. Pildialbumite vaatamine tundus niigi juba nina teiste asjadesse toppimisena, aga miski sundis mind sügavamale kaevuma, kuigi mul olid närvid pingul kui pillikeeled. Tegin ühe sahtli paari sentimeetri võrra lahti ja nägin hunnikute viisi tšekiraamatuid, kõik kasutatud ja rahakummiga kokku seotud. Kontoväljavõtted ja arved olid plastkaustadest välja libisenud. Püüdes neid mitte väga segi ajada, urgitsesin tihedalt kinni seotud pakist välja kõige pealmise tšekiraamatu. Lappasin pöidlaga tšekikontsud läbi, kõigil oli selgelt kirjutatud kuupäev, saaja nimi ja maksesumma. British Gas, Southern Electric, Adam, Homebase, Virgin Media, Adam, Waterstones, Thames Water, Adam. Lähemalt uurides jäi silma, et Pammie oli maksnud Adamile aastaid 200 naela kuus, aga kui püüdsin leida sarnast makset Jamesile – lõppude lõpuks nii olnuks ju õiglane –, polnud sellest jälgegi. Segaduses, panin kausta ettevaatlikult sahtlisse tagasi ning püüdsin end veenda asja sinnapaika jätma, kuid mul oli tunne, nagu oleksin näppinud kärna, mis ei anna rahu enne, kui on maha kraabitud. Oma tegevuse õigustamiseks kinnitasin endale, et jahin kadunud fotot, kuid kuna sel naisel on nii palju varjata, tundus mõte sellest, mida võiksin veel leida, üsna erutav.

Teine kummutisahtel oli kinni kiilunud ning ma pidin seda avamiseks ühele ja teisele poole kangutama. Seal oli kaks patakat paelaga kokku seotud maitsetuid postkaarte. Libistasin pealmise kaardi välja – Adami sünnipäevaõnnitlus emale. Ja kõige alumine oli kaastundekaart ning selle vahel Adami käekirjaga kirjake.

Mu väga kallis ema!
Ainult sina mõistad, mis tunne on kaotada keegi nii järsku,
nii asjatult. Küsin endalt ikka ja jälle „Mis siis, kui ...?" –
nagu kindlasti sinagi oled endalt miljon korda küsinud. Mis
siis, kui ma oleksin seal olnud? Kas siis poleks seda juhtunud?
Kas oleksin võinud ta päästa? Kas need küsimused kunagi ka
lõpevad, ema? Kas on võimalik üldse kunagi öösel rahulikult
magada, teades, et kui kõik oleks läinud teisiti ...

Mul hakkas neid liigutavaid sõnu lugedes temast südamest
kahju, ja tilluke osa minust tundis kaasa ka Pammiele. Ma ei
suutnud kuidagi ette kujutada, mis tunne on kaotada keegi nii
lähedane inimene. Teine, palju suurem kuhi sisaldas armastusega
kirjutatud kaarte Jamesilt ja neid oli igaks elujuhtumiks: sünni-
päevadeks, jõuludeks, emadepäevaks ja isegi sellisteks tähtpäe-
vadeks, mille puhuks ma ei teadnudki, et üldse kaardid olemas
on – lihavõteteks, püha Taaveti päevaks ... Sel naisel on vedanud,
et tal on kaks poega, kes pühendavad talle nii palju tähelepanu
nagu Adam ja James. Küll on kahju, et ta ei tahtnud avada seda
külge endast, vaid nägi hoopis igas lähenevas naises ohtu sellele,
kui palju aega ja hoolt ta poegadel tema jaoks jagub. Praeguseks
võiks Pammiel olla lausa kaks miniat, kes tunneksid tema vastu
samasugust ahviarmastust ja oleksid õnnelikud ning igati valmis
teda toetama selles, mis võib – aga ei pruugi – olla tema senise elu
kõige raskem lahing.

Elutoas rohkem salapäraseid nurgataguseid ega pragusid ei
olnud, seega vaatasin kiirelt üle köögikapid, kuid peale tavapärase
„meestesahtli" vanade patareide, kiirtoidumenüüde ja võtmetega,
mille lukkegi enam polnud, olid seal vaid köögiriistad ja nõud.

Olin mõelnud, et lähen tagasi elutuppa, võtan teetassi kätte
ja kuulan rahus plaati edasi, millelt kõlas nüüd „Homeward

Bound" … Aga miskipärast oli mu jalg juba esimesel trepiastmel. Silmitsesin kitsaid astmelaudu, mille kattevaip oli õhukeseks kulunud, ja mõtlesin, mis võiks olla seal, kus trepp pöörab paremale ja kaob vaateväljast. Maitsetu kirevate rododendroniraagudega sidrunkollane tapeet näitas paikades, kus päike seda päeva jooksul pleegitas, tuhmumise märke. Kuid trepi lõpus, kus oli kogu aeg varjuline, oli lehtede roheline värv ikka selge ja erk.

Veensin end, et lähen üles tapeedimustrit lähemalt uurima, ent ma isegi ei peatunud. Mu jalad kõndisid justkui ise üles neist kolmest viimasest astmest, mida esikust näha polnud, ja ma jõudsin avatud uksega tuppa.

Kaheinimesevoodi ja väike riidekapp täitsid pea kogu toa, ent vastasseinas olid veel kummalgi pool kaminasimssi alkoovides kõrged kummutid. Ma võinuks vanduda, et tundsin erinevates oranžikas-pruunides toonides mööblitükkidest ikka veel erituvat männilõhna.

Päikesevalgus tungis õhukeste kardinate vahelt läbi, heites üle toa valguskiire. Kõndisin ümber voodi, põrandalauad kriuksumas jalge all, ja istusin aknast kaugema kummuti ette põrandale.

Alumine sahtel tundus raske, seega tõstsin seda lahti tõmmates sahtli kogu raskuse siinidelt üles. See oli täis ehiskarpe ja kaunistatud nipsasju. Mu käed surisesid närvidest ja kohmakatel sõrmedel õnnestus suure vaevaga avada puidust ehtekarbi kinnitusklamber, mis lausa anus, et see lahti tehtaks. Laekas olid punasele sametpadjakesele hoolikalt paigutatud väikesed piimahambad, mille valge email oli aastate jooksul kolletunud, ning käepaelad Adami ja Jamesi nimedega. Kui märkasin tuhmunud hõbedasi meeste mansetinööpe, arvatavasti Jimi omad, valdas mind kohutav süütunne ja ma plaksasin kaane kinni. Langetasin pea madratsile, mu krõnksus jalad olid sahtli ja voodi vahel kinni. Pagan, mida ma siin teen? See pole minu moodi. Ma ei tee selliseid asju. Olin lask nud Pammiel muuta end kellekski, kes pole temast sugugi parem. Hoolimata kõigest kohutavast, mida ta oli teinud, ei tohi ma lasta tal hävitada mu tõekspidamisi: väänata väärtusi ja moraalinorme, mille sisendamiseks mu vanemad nii palju vaeva olid näinud. Hakkasin laegast sahtlisse tagasi panema ning kallutasin seda, et see ära mahuks. Kuid see kukkus kolksti tagurpidi, paljastades põhjas oleva salasahtli, ja ma võpatasin ehmatusest.

Vahtisin seda natuke aega, meenutades mantrat, mida olin just mõttes kerinud, ning üritasin kiusatust ignoreerida. „Pane sahtel kinni," kordasin valjusti, lootes, et iseenda hääle kuulmine takistab mul tegemast seda, mida kavatsesin nagunii teha. Tõstsin karbi ettevaatlikult uuesti välja ja libistasin põhjaalust liistu. Ma ei tea, mida ma ootasin seal nägevat, sõrmeluud või juuksesalku, nii et see oli täielik pettumus, kui leidsin vaid vana inhalaatori, sellise, mida olin näinud koolis ühel tüdrukul, Molly oli vist ta nimi. Ma ei suuda iial unustada, kuidas ta kehalise kasvatuse tunnis kokku kukkus, kohe pärast seda, kui meil kästi korvpalli soojenduseks kaks väljakuringi joosta. Arvasime algul, et ta veiderdab, aga siis hakkas ta abitult õhku ahmima ja haaras endal kätega rinnust. Ma vaevu tundsin seda tüdrukut, kuid ei saanud tol ööl magada ning hakkasin kergendusest peaaegu nutma, kui meile järgmisel hommikul koolipäeva alguse kogunemisel öeldi, et temaga saab kõik korda.

Minu teada ei põdenud Pammie astmat, aga võib-olla kuulus see kunagi Jimile, mõtlesin hetkeks. Vahel leiavad inimesed lohutust väga veidratest mälestusesemetest. Kuid siin oli veel midagi, mingi väljalõige või pilt, ja ma tõstsin inhalaatori ettevaatlikult välja, et selgemalt näha. Sulgesin paanikas silmad, justkui püüaks meeleheitlikult takistada neid saatmast ajju sõnumit, mis oli tegelikult juba pärale jõudnud. Pingutasin täiest väest, et nähtut olematuks teha, et kustutada see pilt enne, kui panen kaks pluss kaks kokku. Aga ma olin seda näinud ja tühistusklahvi vajutada polnud enam võimalik. Rebecca. Naeratab mulle vastu, armsam tema kõrval. Albumist puuduv foto.

„Hei, ma olen tagasi!" hõikas Adam allkorruselt.

Pagan, mida tema siin teeb? Ta lahkus alles pool tundi tagasi! Pillasin karbi käest ja inhalaator kukkus sahtlisse. Püüdsin selle närviliselt sahmerdades uuesti sõrmede vahele haarata ning laeka jälle kokku panna, kuid adrenaliin möllas veres, pumbates kätesse liigselt energiat, nii et need värisesid isegi kõige lihtsamate liigutuste juures.

„Kas sa oled siin?" hüüdis ta. Kuulsin, kuidas põrandalauad nagisesid ja ta läks kööki. „Em?"

Kui ma vaid suudaksin kätevärina peatada, siis jõuaksin kõik oma kohale tagasi sättida! Ta sammud liikusid eeshalli, ja sealt sai edasi minna vaid ühes suunas. Tundsin, kuidas kõrvetav maohape tõusis rindu ja kõri tõmbus krampi, püüdes okserefleksi tagasi hoida.

„Kuule, mida sa siin üleval teed?" küsis ta, nähes mind just sel hetkel, kui olin end voodiservale istuma sättinud ja lükkasin aeglaselt jalaga kinni poolavatud sahtlit, mida ta õnneks märgata ei jõudnud.

„Ma ... ma lihtsalt ..." kokutasin vastuseks.

„Jeesus, Em, sa oled surmkahvatu. Mis lahti?"

„Mul ... Mul hakkas halb, migreen vist, ja mõtlesin siin pisut pikutada." Patsutasin tikitud päevatekiga kaetud patju, mis olid puutumata ja ideaalses korras.

Adam ei pannud mingit vasturääkivust tähele. „Oi," ütles ta. „Kuidas sa end nüüd tunned?"

„Veidi paremini, aga ma vist tõusin liiga kiiresti püsti, kui sa mind hüüdsid. Teil läks ruttu. Kas Pammiega on kõik hästi? Ma loodan, et ta ei pahanda, et ma siin tema toas olen."

„Ta pole veel tagasi, pean talle alles paari tunni pärast järele minema. Kas toon sulle võileiba või teed?"

„Kuidas, kas sa jätsid Pammie sinna?" küsisin jahmunult.

„Jah, ta ei taha, et ma temaga sisse läheksin."

„Aga eelmine kord sa ju läksid."

„Ei, tegin siis ka täpselt samuti. Ema ei taha, et ma teda sellisena näeksin, voolikute küljes ja jumal teab mis veel. See on tegelikult rumal, sest kindlasti vajaks ta mind just siis kõige rohkem, kuid ta jääb kangekaelselt selle juurde, et ei taha mind sinna."

„Aga ... eelmine kord ... sa rääkisid mulle teistest naistest, kuidas nad kõik seal kogemusi vahetavad?"

„Nii ema mulle rääkis," ütles Adam, mõistmata sekundikski, mida ta sõnadest järeldada võib. „Kahtlemata ta arvab, et tunnen end paremini, kui temaga kaasa ei lähe. Näib, et nad kõik on seal üksi, seal ei soositagi eriti saatjaid, sest ravikabinet on väike ja lihtsalt pole piisavalt ruumi."

„Kuhu ta siis läheb, kui sa oled ta kohale viinud?" pärisin edasi. Mu suu liikus kiiremini kui mõtted. „Kuhu ta läheb?"

„Palatisse 306, või mis iganes number see on," naeris Adam. „Ma ei tea. Ma vaid teen, mida ta palub, ja saadan ta peasissekäiguni."

„Nii et sellest punktist sina siis edasi ei lähe?"

„Mida see pärimine peaks tähendama, Em?" küsis ta muiates, ent juba veidikese pingega.

Mul oli vaja istuda, olla vait ja mõelda. Tundsin, et pea tahtis kogu selle inforahe all lõhkeda. Inhalaator, Rebecca foto ja kujutluspilt, kuidas Pammie kõnnib haigla ühest otsast sisse ja teisest otsejoones välja – kõik see käis mulle üle mõistuse.

„Sa näed tõesti halb välja," nentis Adam. „Viska parem uuesti pikali ja ma lähen teen teed."

„Ma ei saa." Tundsin järsku sundust sealt minema pääseda. „Ma pean minema. Vajan värsket õhku."

„Oot-oot, pea nüüd kinni," ütles ta. „Rahulikult. Oota, võta mu käe alt kinni, ma aitan su trepist alla."

„Ei, see tähendab – ma ei saa siia jääda."

„Pagan võtaks, mis sinuga lahti on?" Ta tõstis pisut häält. „Ma pean varsti tagasi minema ja ema ära tooma, sina joo lihtsalt tassike teed ja rahune maha."

„Vii mind haiglasse minnes raudteejaama. Ma saan sealt rongiga koju."

„Mis jaburat juttu sa ajad? Sa peaksid sõitma Londoni kesklinna välja ja siis tagasi Blackheathi. See pole loogiline."

Ma teadsin, et polnud, aga mitte miski ei olnud enam loogiline. Pärast kõike seda, mida Pammie oli teinud, olin ma talle võimaluse andnud ja ka valmis jätma kõik seljataha ning aitama nagu pereliige koos Adamiga tal ravi läbi teha. Kuid see, mis ma äsja olin avastanud? See oli täiesti uskumatu, ma polnuks suutnud midagi sellist isegi unes võimalikuks pidada.

„Tule nüüd," viipas Adam kutsuvalt. „Viimased nädalad on olnud rasked ja me kõik oleme pinges."

Ta kaisutas mind ning silitas mu selga, õndsas teadmatuses võikast teadmisest, mis mu ajus üha selgemat kuju võttis – arusaamisest, et Pammie ei olnud mitte ainult valelik petisest skeemitaja, kes oli endale sihiks seadnud minu elu hävitamise, vaid ka Rebeccalt tema elu röövinud jälk mõrvar.

34

Vaatasin autost, kuidas ta Adami käe kõrval rippudes parklast läbi koperdas, ja tundsin end lausa füüsiliselt halvasti. Ta lasi oma pojal haigla rahvarohkes fuajees oodata oma „raviseansi" lõppemiseni. Adam tõi mulle kohvikust kohvi, kuna Pammie venitas, teadagi selleks, et kõik paistaks ehedana, ja see hakkas mulle täiega vastu. Tahtsin, et mind viidaks rongijaama, et ma ei peaks seda nõida üldse nägema, et ma ei peaks enam olema tema kurjusest ajendatud valede ja pettuste objekt. Kuid Adam keeldus.

„Sa oled juba täitsa rõõmus ja rõõsa," väitis ta, sõites jaamast mööda haigla suunas. „Jume on tagasi."

„Ma tõesti ei tunne end hästi. Kas sa ei võiks mind lihtsalt siinsamas jaama juures maha panna?"

„See valmistaks emale suure pettumuse. Ta oleks väga nördinud, kui sa ei saaks temaga isegi tassi teed juua."

Kui oleksin end tugevamana tundnud, oleksin vedanud Adami haiglasse ja nõudnud, et meid Pammie juurde juhatataks. Vaid nii saaks ta teada, mida ta ema on teinud ja milliseks räigeks valeks suuteline. Pammie ise aga oleks õndsas teadmatuses, sest sellal kui poeg otsiks agaralt nimekirjast ema nime, keeldudes uskumast, et seda seal pole, veedaks tema nagu vana rahu ise rõõmsalt aega linnas poode kammides, kahtlemata tõstes oma tuju mõne uue pluusi ostuga. Aga rohkem polekski vaja, et Adami silmad avada. Et ta hakkaks mõistma, mida ma olen pidanud Pammie pärast läbi elama ja et me saaksime üheskoos hakata kokku panema puslet sellest, mis õieti oli Rebeccaga juhtunud.

Kui niiti kord juba tõmmata, hargneks kõik hirmuäratava kiirusega, ent ma vajasin aega, et välja nuputada, kust otsast alustada. Adam peab nägema Pammie tõelist palet, suutmaks uskuda, et ta ema on võimeline koguni inimest tapma. Kui hakkaksin ta ema ilma veenvate tõenditeta süüdistama Rebecca mõrvas, peaks Adam mind segaseks, ja kui ta mind ei usuks, tähendaks see meie suhte lõppu. Ma polnud valmis sellega riskima – sest esiteks, ma armastan teda, aga teiseks ei tohi ma lasta sel naisel võita.

Soovisin, et viha, mida olin nii kaua endas kandnud, oleks praegugi veel alles ja sunniks mind selga sirgu ajama ning tegema, mis õige, kuniks mul on see võimalus. Ent hulluks ajav vimm, mis oli kogu aeg ähvardanud lahvatada, asendus nüüd hirmuga: mitte ainult suhte pärast armastatud mehega, vaid ka minu enda pärast. See naine, keda olin algul pidanud vaid tüütuks, aga ometigi ohutuks ülikaitsvaks emaks, on tegelikkuses armukade psühhopaat, kes ei peatu oma tahtmise saamiseks mitte millegi ees.

Pammiet nüüd vaadates tundus see mõte naeruväärne. Haletsusväärselt kühmus, vanamoelises plisseeseelikus ja ilmetus kurguni kinni nööbitud kampsunis, lohistas ta vaevaliselt jalgu, justkui teeks iga samm talle piinavat valu. Kui ma poleks tundnud nii suurt hirmu, olnuks see isegi naljakas.

„Kas sa võiksid taha istuda, kullake?" lausus ta auto juurde jõudes. „Mind ajab pärast seanssi jubedalt iiveldama, nii et mul on ees parem."

Olin vait kui sukk. Astusin välja ja kebisin tagaistmele.

„Suur aitäh. Ausalt, ma ei suuda kirjeldada, kui halb tunne see on."

Lase käia, anna endast parim, tahtnuks ma öelda. Seleta mulle, mis tunne on teeselda surmatõbe, uidata muretult mööda butiike, sellal kui su sõbrad ja pere panevad oma elu pausile ning palvetavad su tervenemise eest.

„Kuidas läks?" küsisin hoopis, hääl küll kindel, kuid süda rinnus pekslemas.

„See pole kuigi meeldiv. Ja räägivad, et läheb veel hullemaks. Ma ei kujuta ette, mis ma siis peale hakkan."

„Sul võib ka hästi minna," märkisin kuivalt. „Inimesed taluvad keemiaravi erinevalt. See on väga individuaalne. Sa võid olla üks õnnelikest."

„Oh, ma kahtlen selles."

„Milles sa kahtled, ema?" küsis Adam rooli taha istudes.

„Emily arvab, et ma saan sellest jagu, aga ma kardan, et ta ülehindab mind."

Muigasin endamisi ja raputasin uskmatusest pead, ning just sel hetkel vaatas Adam minu poole ilmel, mis ütles: „Mis sul viga on?"

„Kuidas läks, ema?" uuris ta. „Kas tunned end hästi?"

Pammie tõmbas uuesti oma kampsunivarruka üles, justkui oleks vatitopi näitamine piisav tõestus, et ta on haige.

„Olen pisut uimane. Ma arvan, et juba see õhkkond ise tekitab haiglase tunde. Mis lugusid seal kõik räägitakse! Ainuüksi need võivad inimese täiesti rööpast välja viia."

„Kas sa ei taha, et Adam järgmine kord protseduurile kaasa tuleks?" küsisin. „Ehk suudab ta su mõtted mujale viia."

„Oh ei, ma ei taha, et ta mind seal sellisena näeks."

„Ma tuleksin hea meelega, ema. Kas sellest oleks abi?"

„Ei, sa oled üks suur memmekas." Pammie sirutas käe ja patsutas poja reit. „Ma ei taha seda koormat su õlgadele. Aga aitab nüüd hädaldamisest, lähme tagasi koju ja teeme ühe korraliku tee."

Mina valmistasin teed, Pammie aga lamas diivanil ja juhendas Adamit, kuidas sättida patju nii, et ta saaks piisavalt, aga mitte liigselt istukil olla.

„Oh, sa oled tõesti nii kena," kommenteeris ta, kui tõin tuppa kandiku teetassidega. „Tunneks ma end vaid paremini."

„Ära muretse, ema, kindlasti oled sa juba varsti täie tervise juures. Me peame vaid seni sinu eest hästi hoolitsema."

„Tegelikult sellest ma tahtsingi rääkida," lausus Pammie, võttes väriseva käega kandikult tassi ja alustassi. „Nagu näha, siis mu tervis ei ole kuigi hea." Ta tõstis selle tõestuseks oma tudiseva käe. „Ja sel päeval, kui sa Emily juurde tagasi läksid, ma kukkusin."

Adam ahhetas murelikult. „Ega midagi hullu juhtunud?"

„Õnneks mitte, ja nagu sa tead, ma olen alati tohutult iseseisev olnud, aga ..." Dramaatiline paus.

Pöörasin pilgu aknast välja. Nonii, hakkab jälle pihta.

„Aga mul on tõesti raske üksi toime tulla," jätkas ta. „Seda pole kerge tunnistada, kuid nii see on. Kui sa saaksid veidi rohkem minu juures olla, oleks sellest palju abi. Ma harjusin sinu siinolekuga nende paari nädala jooksul ära – see on vale, ma tean, aga ma ei saa sinna midagi parata. Nüüd, kus sind enam siin pole, tunnen end abituna."

Sundisin end mitte püsti kargama ja keskendusin täies õies päevalilledele aia tagaosas – nende erksus pakkus trööstivat kontrasti pea kohal kogunevatele tumehallidele pilvedele.

„Ma ei saa enam kauemaks jääda," vabandas Adam. „Pean olema kodus, Emilyga. Aga ma käin sind vaatamas, ja James on ju ka läheduses."

„Ma tean, ma tean," ohkas Pammie. „Jamesile ei saa praegu eriti loota, tal on nüüd see uus pruut."

Pöördusin tema poole natuke liiga kiiresti.

„Uus pruut?" Mõte Jamesist koos kellegi teisega rabas mind – mitte selle pärast, et oleksin teda ise tahtnud, vaid kuna ma ei tahtnud, et keegi teine ta endale saaks.

Pammie vaatas mulle teraselt otsa. „Ta tutvus selle neiuga linnas mingis baaris umbes kuu aega tagasi. Paistab, et ta on lootusetult sisse võetud." Püüdsin teha tuima nägu, ent see polnud sugugi lihtne. „Ma ei mäleta, et oleksin Jamesi kunagi sellisena näinud."

„Kas ta tahtis neiu meie pulma kaasa võtta?" küsisin ükskõikselt.

„Ei, me rääkisime sellest küll, aga jõudsime järeldusele, et selleks olnuks veel liiga vara. Nad olid koos olnud vaid mõne nädala, mis on selgelt liiga lühike aeg, et tüdrukut raskesse olukorda panna ja kogu suguvõsale tutvustada."

„Kas sa oled temaga kohtunud?" tundsin huvi.

„Ei, veel mitte, kuid ma loodan, et ehk õnnestub see paari järgmise nädala jooksul – siis, kui James on selleks valmis."

Pammie jutt jättis temast nii aruka, nii usutava mulje. Vaatasin teda ja mõtlesin, mis küll selles peakeses toimuda võib. Mis põrgupiinu ta vaese tüdruku jaoks plaanib, juhuks kui suhe tõsiseks muutub?

„Poiss näib igatahes kõrvuni armunud olevat," jutustas Pammie edasi. „Teie kaks vaadake, et nemad veel enne teid altari ette ei jõua."

„Ema, see pole naljakas!" kõkutas Adam.

Mind hämmastas, kuidas sai laulatuse tühistamise üle, mis pealegi juhtus vaid päev varem, nalja visata – eriti veel peigmees!

„Nii et murtud südame dieet sinule siis ei mõjunud?" märkis Pammie kohe, kui Adam oli toast väljunud.

Naeratasin ja patsutasin oma lamedat kõhtu. „Või äkki olen ma kogu sellest imelisest leppimisseksist rase?"

Kergitasin irooniliselt kulme, ja tema kortsutas enda omi halvakspanust.

„Kas arstidele ei tee muret, kuidas see ravi võib su astmale mõjuda?" küsisin julgelt.

„Astmale?" Ta oli mu küsimusest siiralt üllatunud. „Mul pole astmat."

„Oi, mulle justkui meenus, et Adam rääkis mulle kord, et sul oli astma, kui ta laps oli. Lugesin kuskilt, et teatud tüüpi keemiaravil võib olla astmaatikutele tõsiseid kõrvalmõjusid." Ma õngitsesin infot, tahtsin olla täiesti veendunud, et see inhalaator polnud tema oma, kuigi teadsin seda juba niigi.

„Ei, mul pole seda kunagi olnud," lausus Pammie, vilistas ja küünitas vastu lauda koputama.

„Mida sul pole kunagi olnud?" päris Adam tuppa tagasi tulles.

„Ei midagi, pojake."

„Millest ma ilma jäin?" küsis ta naeratades. „Tundub, et teil kahel on mingi saladus."

Naeratasin vastu ja raputasin pead. „Ütlesin, et ma olen päris kindel, et sa rääkisid mulle kunagi, et su emal oli astma, kui sa noorem olid, aga ilmselt nägin ma seda unes." Märkasin, kuidas Adami lõug tõmbus pingule ja sain aru, et olin mänginud õnnega, niisiis pöörasin kogu loo naljaks. „See ehmataks sind korralikult, kui teaksid, millest ma und näen."

„Ja millal te kaks turteltuvi siis pulmad taas plaani võtate?" Pammie püüdis ilmselgelt teemat vahetada. „Ma arvan, et see vist niipea ei juhtu, ega ju? Keeruline oleks kõike nii kiiresti uuesti korraldada, siis kõik need inimesed ka jälle kohale saada – ja seda juhul, kui peopaigas üldse on vabu aegu."

Ta aina vatras ja vatras, vastates iseenda küsimustele sellega, mida talle meeldinuks kuulda. Kuid ma ei lase Pammiel või-dutseda. „Ei, ma usun, et see juhtub üsna varsti," laususin, kuigi teadsin vägagi hästi, et hotellis olid vähemalt järgmised kuus kuud kõik peoruumid broneeritud. Tundsin järsku silmis kuumade pisarate kipitust ja pilgutasin, et need valla ei pääseks. Ma ei paku iial talle seda rahuldust, et ta näeks mind tema tegude pärast nutmas. „Ma loodan, et järgmise kuu või paari jooksul."

Pammie vajus näost ära. „Oh, see oleks tõesti suur kergendus, kullake," poetas ta pisara, tõmbas käepärast olevast karbist salvrätiku ja tupsutas silmi. „See leevendaks mõneti mu süütunnet."

„Ma pole selles nii kindel, Em. Väga palju on vaja enne ära teha," kibrutas Adam kulmu ja kükitas siis Pammie kõrvale. „Ja sina ei pea end millegi pärast süüdi tundma, ema. See oli minu otsus."

Ta vaatas mulle otsa. Kui ta aga lootis näha mu näol naeratust, vihjet andeksandmisest, siis pidi ta igatahes pettuma.

Ent ma tegin asja Pammiele huvitavamaks, põlvitasin Adami kõrvale ning võtsin Pammie käest. „Aga mõistagi ei abiellu me enne, kui sinul on parem," naeratasin haletsevalt. „Ma tahame ju kindlad olla, et sa oled ravi edukalt läbi teinud ja haigusest võitu saanud."

„Oh, sa oled tõesti armas tüdruk," patsutas ta mu kätt. Mul tuli tema puudutusest kananahk ihule.

„On jah," kiitis Adam takka, surus mind enda vastu ja suudles mind põsele. Ma pöörasin pead, nii et meie huuled kohtusid, ja paotasin pisut enda omi, ahvatledes teda jätkama. Adam tõmbus eemale, kuid me lähedushetk ei jäänud Pammiel märkamata, sest ta keeras tülgastusest pea kõrvale.

35

Kaks esimest ööd, mil Adam taas kodus oli, magas ta küla-
listetoas, sest ma lootsin naiivselt, et tema seksita jätmine
paneb ta mõistma, kui tõsine see oli, mida ta tegi ja millise riski ta
oli võtnud. Aga see oli lapsik ja tegelikult ei tahtnud seda kumbki
meist. Alles tema ema juurest lahkudes sain aru, et olin oma käi-
tumisega mänginud kaardid just Pammie kätte. Pammie ju tah-
tis, et pulmade ärajätmine teeks meie suhtele lõpu, just sellele ta
panustaski, seega oli minu ülesanne hoolitseda selle eest, et tema
tegudel poleks meile edaspidi laastavat mõju. Ta oli mind juba
muutnud, tema pärast nägin end ise teistsugusena. Ta oli röövi-
nud mu kindlustunde ja põhjustanud valu, mida kannan endas
kuni surmatunnini, kuid ma *ei* kavatse lasta tal võtta minult seda
ühte asja, mida ta tahtis. Ta ei saa minult mitte iialgi Adamit ära
võtta. Ma kasutan oma arsenali ainsat relva, millega see moor ei
saa mind kunagi üle trumbata.

Eesuks polnud veel korralikult kinnigi, kui ma juba surusin
Adami vastu ust ja suudlesin teda, otsides oma keelega tema keelt.
Ta ei lausunud sõnagi, aga ma tundsin, et ta naeratas, vastates mu
suudlusele algul õrnalt, siis juba intensiivsemalt. Viimasest vahe-
korrast oli meil juba hulk aega möödas ja kuna selle aja jooksul

oli tohutult pingeid olnud, tundus see nüüd nagu kiirkeetjast auru väljalaskmine. Ma nööpisin ta särgi rutakalt lahti, ja tema pani oma käed mulle selja taha ning tõmbas lahti mu kleidiluku, tehes seda tormiliste suudluste saatel, mis ei katkenud sekundikski. Mu kleit langes põrandale, ta surus mu jõuliselt seljaga vastu ust, tõstis mu käed pea kohale ja hoidis neid tugevasti kinni. Ma ei saanud midagi teha, kui ta suudles mu kaela, liikus siis allapoole, lükkas hammastega eemale pitsrinnahoidja ning kõditas keelega mu rindu.

Püüdsin oma käsi lahti sikutada, kuid ta hoidis neid tugevalt paigal, algul mõlema käega, aga vabastades siis ühe, et tõmmata endal püksilukk lahti, ning lükkas mu jalad oma jalalabaga harki … See ei kestnud ilmselt kauem kui kolm minutit, kuid vabastusetunne oli taevalik, ja siis me lihtsalt seisime mõnda aega vastu ust toetudes, hingates raskelt samas rütmis.

„See tuli nüüd küll ootamatult," sai Adam esimesena sõna suust. „Nagu sa ilmselt juba aru said. Anna andeks."

Naeratasin ja suudlesin teda. „Võime seda hiljem korrata, aeglasemalt, kui tahad."

Ta suudles mind vastu. „Jumal küll, kuidas ma sind armastan, Emily Havistock."

Ma ei öelnud, et mina armastan teda ka. Ma ei tea miks, sest ma ju armastan. Ehk on see tingitud sellest naistele omasest kaitsemehhanismist, mis on meile sünniga kaasa antud ning mis kammitseb ja hoiab meid tagasi ütlemast, mida tegelikult tahame öelda. Uskudes, et asjade enda teada jätmine võimaldab meil kuidagi sammukese võrra ees olla, teeb meid paremaks, tugevamaks sugupooleks.

Miks siis tunnen ma end kellegi teisena esinedes nõrga ja viletsana?

Ootasin, kuni istusime diivanil teineteise kaisus, et võtta üles teema, mis mind kõige enam painas.

„Kas ma võin midagi Rebecca kohta küsida?" Püüdsin hoida hääle rahulikuna.

„Kas sa pead?" ohkas Adam. „Meil on praegu koos nii mõnus. Ärme riku seda ära."

„Me ei rikugi. Me lihtsalt räägime."

Ta ohkas resigneerunult, kuid ma käisin peale.

„Kas sa said temaga hüvasti jätta? Kas ta oli veel elus, kui sa ta leidsid? Kas ta tuli üldse teadvusele, et aduda su juuresolekut?"

Ta raputas pead. „Ei. Ta oli juba surnud. Ta oli … puudutades külm, ja ta huuled olid sinised. Ma hoidsin teda oma embuses ja hüüdsin korduvalt ta nime, aga ei midagi. Ei mingit pulsivõbelustki, mitte midagi."

Adami silmad tõmbusid veekalkvele. „Kas sa pidid lahkamise või surmajuhtumi uurimise põrgu läbi tegema?" pärisin edasi.

„Ei, õnneks mitte. Tal oli väga põhjalik haiguslugu, astma polnud küll tõsine – või vähemalt nii me arvasime –, kuid see oli ilmselgelt surma põhjus."

„Ja su ema oli seal koos sinuga?"

Ta noogutas tõsiselt. „Ema leidiski ta. Ma ei kujuta ette, mida ta pidi seal läbi elama."

„Kes teda viimasena nägi? Enne kui tal halb hakkas?"

„Mis see nüüd on," protestis Adam, „Hispaania inkvisitsioon või?"

„Vabanda, see pole lihtsalt uudishimu … ma ei tea. Tahan end sinuga lähedasemana tunda, teada, mis sinu peakeses toimub. Rebecca oli ju väga suur osa sinu elust ja ma tahaksin olla sinuga samal lainel – saad aru –, et mõista, mis tundeid see sinus ka nüüd, aastaid hiljem tekitab. Kas see tundub loogiline?"

Kurrutasin tema mõistvale suhtumisele lootes nina, ja ta suudles seda.

„Ema viis sel päeval sinna mõned kastid ja nad jõid koos teed, temaga olevat lahtipakkimise vahepeal kõik korras olnud."

„Mida, täiesti korras või?" olin imestunud.

„Jah, aga nii oli alati enne atakki. See lihtsalt hiilib märkamatult ligi."

„Sa olid siis näinud, kuidas tal astmahoog peale tuli?"

„Mõned korrad, jah. Kuid me mõlemad teadsime, mida teha, kui ta tundis, et hoog on tulemas; see polnud kunagi probleemiks, eeldusel, et tal on inhalaator kaasas, ja see oli tal alati kaasas. Ta teadis, et peab siis pausi tegema, maha istuma ja inhalaatoriga hingama, kuni on taas võimeline ise oma hingamist kontrollima. Hirmsaks läks lugu üldse ainult üks kord, pärast rongi peale jooksmist. Maa polnudki kuigi pikk, aga võttis ta hingetuks ja ma pidin ta vaguni põrandale pikali panema, kuni jupp aega meeleheitlikult seda paganama pumpa otsisin."

„Temaga sai ju kõik kombe?"

„Viimaks jah. Kuid sa tead ju, millised need naiste käekotid on." Adam püüdis muretut nägu teha. „Tal oli seal terve elamine kaasas ja ma pidin inhalaatori leidmiseks kogu kupatuse tagurpidi pöörama. Kui ta oli taas võimeline rääkima, ütles ta esimese asjana: „Kui see oli mu Chaneli huulepulk, mis minema veeres, siis ma löön su maha!" Ise lamas põrandal, ei suutnud õieti hingatagi, ja muretses oma neetud huulepulga pärast."

See mälestus tõi talle naeratuse huulile. Minagi naeratasin. Jutu põhjal tundus Rebecca tore tüdruk.

„Kui oleksin seal olnud, oleksin saanud teda aidata. Oleksin ta inhalaatori üles leidnud ja hoo peatanud." Adami pea vajus norgu ja ta ohkas raskelt. „Aga sa ei või ju iial teada, millal see juhtub. Kõik võib olla kõige paremas korras, ja siis põmaki! Kui tunned märke ja kohe midagi ei tee, võib see su nagu niuhti maha tappa." Ta tegi sõrmega nipsu.

„Ta siis ilmselt pingutas üle?" laususin leebelt. „Võib-olla kaste tõstes või nii?"

269

Ta noogutas. „Koridoris oli üks suur raamatuid täis kast külili. See oli nii raske, ta poleks tohtinud selle tõstmisest isegi mõelda, kuid paistab, et ta siiski tegi seda. Selline pingutus olnuks ta kopsudele väga koormav, lisaks jooksis ta ilmselt terve päev trepist üles-alla." Adami hääl katkes. „Ma arvan, et ta tahtis kõik enne minu kojujõudmist korda seada."

„Aga sa rääkisid temaga tol õhtul telefonitsi, eks ju?"

„Ma helistasin talle just enne kontorist lahkumist ja kõik oli kombes."

„Kas su ema oli siis temaga? Millal tema ära läks?"

„Oh, ma ei tea." Adam hõõrus silmi. „Kas me võime selle jutu nüüd jätta? Palun."

„Anna andeks, ma lihtsalt ei mõista, kuidas saab keegi niimoodi äkki ära surra," jätkasin, ja mu hääl kõrgenes iga lausutud sõnaga. Ta vaatas mulle küsivalt otsa.

„See on lihtsalt nii jube, muud midagi," ütlesin.

Kuidas Adam seda ei näinud? Asjaolud pidid ju tallegi kahtlasena tunduma. Kõik oli nii karjuvalt selge: Pammie oli viimane, kes ta kallimat elavana nägi ja esimene, kes tolle surnult leidis – samal päeval, kui nemad kokku kolisid, päeval, kui Adam emakodust lahkus. See oli Pammiele kindlaks motiiviks teha midagi kohutavat, et takistada oma kõige hullemal õudusunenäol tõeks saamast. Ta ilmselt tundis, et on Adamit kaotamas, et kontroll libiseb käest, ja seda ei suutnud ta taluda. Jumal teab, millist põrgut ta Rebeccale veel enne oli korraldanud, et teda Adami elust välja puksida. Milliste katsumustega teda piinanud … Ainuüksi mõte sellest ajas mulle judinad peale. Vaene Rebecca – tal oli ju nii palju veel ees, just nagu minul praegu. Elu koos armsamaga. Omaenda pere. Aga ta ei taganenud. Ta seisis Pammiele vastu ja ohverdas seda tehes oma elu.

Kas mina riskisin nüüd samaga? Kas ma olin alla kirjutamas oma surmatunnistusele?

Ma ei tahtnud seda kohutavat eelaimust vaid endas kanda, kuid mul polnud valikut. Üks asi oli rääkida Pippale ja Sebile, kuidas Pammie teod mulle mõjusid – nemad olid ise oma silmaga näinud, kui julm see naine võib olla. Aga süüdistada teda mõrvas? See oleks midagi palju tõsisemat, ja kuni ma pole täiesti kindel, ilma pisimagi kahtlusevarjuta, et ta oli Rebecca surmaga tõesti seotud, pean selle enda teada hoidma.

Vaatasin üles Adami poole ja naeratasin.

„Millest sa mõtled?" küsis ta.

Kui sa vaid teaksid.

Paari järgmise nädala jooksul sukeldusin töösse, võttes enda peale kõik kliendikohtumised, mis vähegi sain. See aitas mõistust tegevuses hoida, takistada hirmul ja paanikal võimust võtmast. Õhtuti töölt koju jõudes olin füüsiliselt ja vaimselt täiesti läbi, aga Adam ei märganud midagi. Ma tegin kõik, mis suutsin, et ta ihaldaks ja vajaks mind rohkem kui kunagi varem.

„Mis põrguvärk sulle sisse on läinud?" muheles ta, kui naasis töölt ja nägi mind, seljas vaid must pitsist aluspesu, serveerimas veisefileed omatehtud piprakastmega.

Tegin nii head nägu kui vähegi võimalik. Tal polnud vaja teada, et tegelikult tahtnuks ma üksnes diivanil pidžaamaväel kaisutada, vaadata telekast mõnd lahedat sarja ja samal ajal kiirnuudleid mugida. Selle asemel aga seksisime söögilaual veel enne, kui olin jõudnud toidu lauale tuua, ja pärast sööki nõusid pestes kuulasin kaastundlikult, kuidas ta kurtis mingi töökaaslase laiskuse üle. Ma teen kõik, et Adam näeks mind nagu loteriivõitu, ja kui kaardid on laual, kui ta on sunnitud valima, valib ta minu, sest ta ei suuda minust mitte mingi hinna eest loobuda.

36

„M a pean sinult üht suurt teenet paluma," lausus Adam,
kui sõime laupäeval hommikust.

Vaatasin talle ootusärevalt otsa.

„Kas sul on järgmine kolmapäev ikka vaba?"

Noogutasin. „Mul on kõik kolmapäevad vabad, sa tead ju,"
kostsin röstitud täisterasaia mugides.

Ta kulm tõmbus kipra ja ma olin kindel, et mulle ei meeldi
see, mida ta nüüd ütleb. „Mul on üks väga oluline kohtumine
kliendiga."

Ootasin, et ta jätkaks. Mida iganes ta paluda tahtis, soovisin
ma, et ta näeks selle nimel vaeva, kas või natukenegi.

„Ja ma mõtlesin, et äkki ... seda et, emal on keemiaravi. Jame-
siga ma juba rääkisin, aga ta on oma uue tüdrukuga reisil ..."

„On või? Kus?" segasin vahele.

„Pariisis vist," kehitas ta õlgu. „Igatahes, ma mõtlesin, et kui sa
oled vaba, siis mis sa arvad, kas sa viiksid ema haiglasse."

Jõllitasin teda tühja pilguga. „Kas sa *temalt* oled küsinud?"

„Ei. Ma küsin kõigepealt sinult. Et näha, kuidas sa sellesse
suhtud."

Naeratasin sisimas rahulolevalt. Hea märk.

„Sa peaksid ta tema kodust peale võtma ja haiglasse sõidutama. Ise võiksid siis paariks tunniks linna peale minna ja ta pärast uuesti koju viia." Adam vaatas mulle ootusrikkalt silma.

Taipasin, et see võib olla minu võimalus. See annaks mulle kätte trumbi, mida mul on vaja Pammie pettuse paljastamiseks, tõestamaks ilma igasuguse kahtluseta, et ta on kõigile lähedastele – sealhulgas oma kahele armastatud pojale – jõhkralt puru silma ajanud. Aga ma teadsin ka, millega seejuures riskin ja millised võivad olla tagajärjed. Kas see mäng väärib küünlaid? Ma ei saanud enam päästa Rebeccat, kuid ma saaksin päästa iseennast. Kohe, kui see mõte mulle pähe torkas, oli otsus tehtud.

„Muidugi," laususin peaaegu abivalmilt, ehkki mu süda peksles topeltkiirusel. „Oleks tore temaga natuke koos aega veeta. Ära talle ütle. Las see olla üllatus."

Adam heitis mulle skeptilise pilgu, teades sama hästi kui mina, et tegelikult on see viimane asi, mida ma teha tahaksin.

Mul oli plaan täpselt paika pandud ja Sevenoaksi sõites olin enesekindel ning tundsin, et kõik on kontrolli all – soov Pammie paljastada näis olevat palju suurem kui hirm, mis oli viimastel nädalatel mind närinud. Aga kõndides mööda jalgrada tema majakese poole, kadus mu enesekindlus kui tina tuhka ja ma tundsin, kuidas seest tõmbus õõnsaks. Ent ma sundisin end külma närvi säilitama.

„Pamela!" tervitasin reipalt, kui ta ukse avas.

Ta vaatas üle mu õla, lootes näha Adamit mu kannul.

„Üllatus!" hüüdsin entusiastlikult. „Vean kihla, et sa ei oodanud mind."

„Kus Adam on? Ma arvasin, et tema sõidutab mind täna." Pammie vaatas ikka veel minust mööda.

„Ei, tal tulid tööasjad vahele, nii et ma kardan, et sa pead minuga leppima."

„Seda pole küll vaja. Ma saan ise mindud."

273

„Ära ole rumal," ütlesin muretult. „Ma olen siin, nii et hakkame minema. Me ei taha ju su protseduurile hiljaks jääda."

Vaatasin, kuidas ta närvitsedes asju kotti toppis – ta oli minu ootamatust saabumisest silmanähtavalt häiritud. Ta ei suutnud leida võtmeid ega meenutada, mis raamat tal pooleli on. Kuulsin teda segaduses omaette midagi pomisemas ja muigasin omaette.

Ta oli vait kui sukk, kuni jõudsime haigla parklasse ja ma hakkasin autost väljuma.

„Mida sa teed?" küsis ta. Ta hääles oli kuulda paanikanooti. „Kuhu sa lähed?"

„Saadan su sisse. Adam palus, et saadaksin su ilusti õigesse kohta."

„Ma saan väga hästi ka üksi hakkama," torises ta põlglikult. „Ma tean, kuhu minna."

„Jah, aga eelmine kord sul jalad ei kandnud hästi," ütlesin valjusti ja aeglaselt, nagu kõneleks kellegagi, kelle kõrvakuulmine on kehv.

„Mul ei ole sinu abi tarvis," turtsus ta pahuralt. „Saan siit edasi ise hakkama."

„Kas oled kindel? Mul oleks parem tunne, kui saadaksin su ikkagi sisse."

Muigasin taas, kui ta hüppas kärmesti autost välja ja kõndis läbi parkla.

„Tulen sulle siis paari tunni pärast järele?" hüüdsin, aga ta ei pööranud isegi pead. Vaatasin, kuidas ta läbi automaatuste registratuuri läks.

Olin varem alla laadinud hiiglasliku haiglahoone kaardi ja jätnud meelde, et seal oli veel kaks väljapääsu, mõlemad kompleksi tagaosas. Arvestasin, et hinnanguliselt kuluks tal läbi mitmete koridoride ja osakondade ükskõik kumma väljapääsuni jõudmiseks neli või viis minutit. Ta ei tuleks uuesti välja peauksest, see oleks liiga riskantne. Ta valib ühe neist teistest – panustasin sellele, mis on ostukeskusele lähim. Kui ta juba keskuses on, võib ta seal ennastunustavalt tolgendada tunde, seetõttu pean ta tabama enne, kui ta sinna jõuab. Pöörasin auto ringi ja suundusin ringteele, sõitsin läbi kompleksi territooriumi, Sainsbury'sest mööda, kesklinna tasulisse parklasse. Mul kulus selleks alla kahe minuti.

Parkisin nii, et näeksin seisvate autode vahelt haigla väljapääsu, ja jäin ootama. Mu suu kuivas ning kindlasti jäi mõni hingetõmme vahele. Ja kui siis nägin vilksatamas tumepunast värvilaiku, täpselt samasugust nagu Pammie kampsun, hakkas mul rinnus torkima ning ma ahmisin õhku.

Virutasin käega vastu rooli. „Kurat," vandusin kõva häälega, justkui oleks tema nägemine mind üllatanud, ja soovisin järsku, et poleks teda näinud. Kuigi ma teadsin nüüd, et mul oli õigus, tegi see paljastus, et ta oli oma haiguse kohta valetanud, kõik palju keerulisemaks. Kuidas ma peaksin seda Adamile ütlema? Kuidas ta sellele reageerib? Kas ta usub mind? Mida ma peaksin edasi tegema, tõestamaks, et mul on õigus?

Istusin seal nagu loll. Ma polnud sellest hetkest enam kaugemale mõelnud. Pammie lähenes sissepääsule ja kui ma piisavalt kiiresti ei tegutse, kaotan ta silmist.

„Kurat," vandusin uuesti, haarasin süütelukust võtme ja lükkasin ukse lahti. Pidin riskima sellega, et saan trahvi. Parkimispileti võtmiseks polnud enam aega.

Hoidsin temast parajasse kaugusse, kõndides varjuna ta kannul. Ma polnud kindel, mida ma teen, aga minus hakkas võimust võtma õudustunne, kuna mõistsin, et pean temaga vastamisi astuma. Kogu mu ettevõtmine oleks asjatu, kui ma seda ei teeks. Hetkeks mõtlesin, et võiksin selle infoga lihtsalt koju minna ja seal edasi nuputada, ent taipasin kohe, et nii ei saavutaks ma midagi. Pidin tegutsema siin ja praegu.

Ma jälitasin teda kakskümmend minutit, põigates ühest poest teise ja peites end sammaste taha. Kui nägin teda Costa kohvikusse sisenemas, hakkas mul rinnus pitsitama.

„Lihtsalt istu rahulikult ja vaata, mis edasi saab," ütlesin endale, kui viis minutit hiljem talle sinna järgnesin.

Nägin teda istumas seljaga ukse poole ning tundsin suurt kergendust – see andis mulle veel ühe võimaluse taganeda, veel kümme sekundit, et meelt muuta.

„Mida võiksin teile pakkuda?" küsis reibas barista.

Juba ongi hilja. „Üks *cappuccino* kaasa, palun."

Vaatasin Pammie poole ja mõtlesin, et ta kindlasti kuulis mu häält, ent taipasin, et üle piimavahusti kohina oli pea võimatu midagi kuulda.

Ma ei joo kohvi suhkruga, aga läksin lisandite leti juurde, et väljudes vältimatult Pammie peale sattuda. See pidi välja paistma nagu kokkusattumus.

„P... Pamela?" teesklesin üllatust, kui tema laua kõrvale jõudsin.

Ta tõstis pea ja läks silmapilk näost valgeks.

„Emily?" lausus ta kahtlevalt, justkui lootes, et ütlen imekombel „ei".

„Heldeke, on see vast üllatus," püüdsin jätta muljet hämmingust. „Sa said haiglas nii ruttu valmis?" Vaatasin, kuidas ta huuled värisesid, kui ta otsis sõnu, püüdes kontrolli saavutada. „Ma jäin hiljaks," kohmas ta. „Tuleb välja, et mu vastuvõtt oli hoopis hommikul."

„Oi, kas tõesti? See on küll veider."

„Jah, ma pean homme uuesti tulema."

„Kas sulle ei antud siis eelnevalt teada, et vastuvõtuaeg on muutunud?"

„Nad olevat saatnud kirja ... postiga," kogeles ta. Mulle pakkus tema ilmselge ärevus haiglast rahuldust. Arvasin, et ta on paremini valmistunud. Valmis selleks, et midagi niisugust võib juhtuda.

„Kas tõesti? Kui imelik, et sa seda kätte ei saanud."

Kui kaua ma kavatsen veel seda tsirkust kaasa teha? Tõmbasin tema vastas laua alt tooli ja istusin. „Tahad, ma ütlen sulle, mis tegelikult toimub?"

Ta vaatas mulle puuriva pilguga otsa, provotseerides mind seda välja ütlema.

Kallutasin end talle lähemale. „Toimub see, et sul pole kunagi mingit vähki olnudki, kas pole nii?"

Ta nägi välja, nagu oleks saanud kõrvakiilu. „Mida?" pahvatas ta. „Kui õel väide!"

Ma ei teinud märkamagi, et ta silmad täitusid pisaratega, olin selle veevärgiga juba harjunud. Ta võis nutukraanid kas või sõrmenipsuga lahti keerata.

„Kas sa tõesti tahad seda mängu jätkata?" küsisin uskmatult.

„Ma ei tea, millele sa vihjad. Ma ei tea, millest sa räägid."

„Ma arvan, et tead ikka küll," laususin teravalt. „Sa ei käinud isegi keemiaravi osakonnas, ega ju?"

„Muidugi käisin." Ta hääletoon kõrgenes. „Ja lähen homme jälle."

„Ei, sa ei käinud, ja kas tead, kuidas ma seda tean?" jätkasin, otsustanud ta blufiga proovile panna. „Sest ma just käisin seal ja nad pole sinust kuulnudki."

Ta pühkis pisara ära ja naeris sardooniliselt. „Sa võid uskuda, mida tahad."

„Oi, ma tean väga hästi, mida ma usun," kostsin külmalt, tundes siiski, et pind hakkab tasahilju jalge alt kaduma. See ei läinud päris nii, nagu ma tahtsin. „Ei tea, mida Adam küll kõigest sellest arvaks?"

Nüüd nirisesid mööda Pammie põski ehtsad pisarad. „Ta ei pea teada saama," pomises ta vaikselt.

Nii juba läheb. „Sa ei kujuta ette, kui kaua ma olen seda hetke oodanud. Kui kaua ma olen oodanud, et su tegelik pale paljastada."

„Sa ei tohi talle öelda," ütles Pammie ja sulges silmad, nii et märjad ripsmed kleepusid kokku. „See teeks lõpu ..."

„See teeb lõpu su valedele ja pettusele. Ta saab teada, milline sa tegelikult oled – et sa pole sugugi selline täiuslik ema, kellena end kõigile näitad."

„Sa ei tohi talle öelda," kordas Pammie.

„Küll sa näed," pigistasin läbi hammaste, lükkasin tooli eemale ja tõusin. „Küll sa näed."

Hakkasin minema kõndima, astuma uue elu poole, milles seda naist enam ei ole. Söandasin juba ette kujutada oma tulevast maailma: stressivaba ja täis armastust. Aga ma ei jõudnud temast veel möödagi, kui ta nähvas: „Ja kuidas kavatsed *sina* oma lugu Jamesiga õigustada?"

Jäin jalamaid seisma. „Mida?"

Ta vaatas mulle teravalt silma. „Kuidas sa kavatsed oma kihlatule selgitada, et oled tema selja taga kohtunud tema vennaga?"

Mu veri tardus ja silme ette kerkisid mälupildid minust ja Jamesist: kus me olime kohtunud, mida rääkinud. Keegi ei saanud meid näha, või sai? Mida mu piinaja teab? Mõtlesin, kas ta võis märgata, et iga meie vahetatud pilk oli ühe äraandva sekundi võrra pikem või et igal kohtumisel oli tervituseks antud põsemusi eelmisest tibake pehmem. See ei tähendanud midagi, kuid samas tähendas väga palju.

Ta püüdis mind üle bluffida, haarates õlekõrrest. Vaatasin talle otsa ja kuigi peast käis läbi miljon mõttesähvatust, ei pilgutanud ma kordagi silma.

„Kas sa päriselt ka väidad, et minu ja Jamesi vahel on midagi?" küsisin, muiates võimalikult enesekindlalt.

Pammie noogutas. „Oi, ma olen selles kindel. Ja kas tead, kuidas ma tean?" irvitas ta, enne kui mängu enda kasuks pööras. „Sest mina käskisin tal seda teha."

37

O lin terve öö üleval, nuttes kägaras diivanil ja joostes tualeti vahet, et oksendada. Kuidas küll niimoodi sai minna? Olin viimaks leidnud võimaluse oma piinaja hävitada, ta lõplikult paljastada, ent see läheks mulle liiga kalliks maksma. Ma ei saa olukorrast võitjana välja tulla, ja Pammie teab seda.

Peale jõuetu raevu ja iiveldama ajava jälestuse, mida ma Pammie vastu Rebeccale tehtu pärast tundsin, olin hingepõhjani solvunud Jamesi alatute katsete pärast mind võrgutades õnge tõmmata, et oma psühhootilise ema tahtmist täita. Kuidas see naine ta küll oma pilli järgi tantsima pani? Miks oli James varmalt valmis seda tegema? Mingi nipiga hoidis Pammie poegi oma käpa all ja kumbki neist polnud valmis sealt välja murdma.

Tundsin end rüvetatuna. Ainuüksi mõte sellest, et James lõi mulle külge oma ema taktikepi järgi, tekitas minus räpase ja ärakasutatu tunde. Ta on tõesti kõigeks valmis, et mind nende elust välja süüa.

Adam magas kogu öö nagu nott ja kui oli ärganud, tuli elutuppa, heitis mulle korraks pilgu ning nentis lühidalt: „Sa näed kuramuse kehv välja."

Mul polnud energiat talle vastata.

„Kas kohvi tahad?" küsis ta.

See oli hetkel küll viimane asi, mida tahta.

„Mis viga?" küsis ta murelikult, täites tassi kuuma veega. „Äkki oled külmetanud?"

Hõõrusin silmi – isegi pärast kõiki neid pisaraid, mis olin eile valanud, valgus ikka veel ripsmetušši laiali. „Ma ei tea," kostsin. „Oleksin justkui toidumürgituse saanud."

„Mida sa eile sõid? Kas sõite koos emaga midagi?"

Raputasin pead.

Ta tuli ja istus kohvi luristades mu kõrvale diivanile. Kohvihais tungis mulle ninna, panin küll käe suu ette, kuid ei suutnud end tagasi hoida ja oksendasin diivanilaua täis.

„Jeesus!" karjatas Adam ja hüppas diivanilt püsti, nii et kruusi sisu vaibale lendas.

„Issand jumal, anna andeks," laususin, kuigi mõtlesin juba seda öeldes, miks oli mu esimene mõte andestust paluda. „Anna mulle üks hetk. Ma käin vannitoas ja siis koristan selle ära."

Mu kõri tulitas maost üles pritsivast põletavast sapist ja pisarad voolasid mööda nägu, kui püüdsin öökimist takistada. Kuidas said mu mõistus ja keha mind ühe kuuekümne kolme aastase muti pärast niimoodi alt vedada? Ma olen ju tugev naine, kes ei salli juhmust ja kes suudab igas olukorras hakkama saada. Kuidas nüüd minuga midagi sellist juhtuda sai? Täiesti ebaloogiline.

Kallistasin ikka veel WC-potti, kui mulle äkki koitis, et võib-olla on mu kehva seisundi põhjuseks hoopis midagi üsna loogilist. Sellest mõttest hakkas mul oimukohtades vasardama.

Pidin kogu oma tahtejõu kokku võtma, et end linna vedada. Enesetunne oli küll nagu poolsurnul, ent mulle ei andnud pähe turgatanud vägagi reaalne võimalus sugugi asu. Ostsin Charing Crossi metroojaama apteegist kosmilise hinnaga testi ja kulutasin lisaks veel 50 penni tualetile, kus pulgale pissida. Kujutasin ette, et lasen kemikaalidel seni oma tööd teha, kuni ise tööle jalutan, aga ma ei jõudnud veel püksikuidki üles tõmmata, kui juba ilmus testipulga aknakesele ere sinine triip. Püüdsin ähmaseks muutunud silmil juhendit uuesti lugeda ning palusin ja lootsin, et küsimuse „Kas triip tähendab, et olen rase või ei?" vastus oleks, maksku mis maksab, teine variant.

Helistasin Pippale, togides keldrikorruse tualetist välja pääsemiseks pöördväravat. Siniste juustega tüdruk, näts suus, vahtis nõutult pealt, kuidas ma seda neli korda aina raevukamalt üritasin.

„See on *sissepääsu* värav."

„Geniaalne," laususin sarkastiliselt.

„Mis?" küsis Pippa hääl, kui ta lõpuks toru võttis.

„Ma olen rase," vastasin jõuetult.

„Kurat, mis otsast see sinu arust geniaalne on?"

„Ei, see pole geniaalne, ma rääkisin ühe ... ah, pole tähtis. Pagan, Pippa, ma olen rase."

„See on küll paras üllatus," kostis ta aeglaselt.

„Mis mõttes?" Mu aju ei suutnud kõike toimuvat töödelda.

Pippa oli liini teises otsas vait, kuni jõudsin Strandile.

„Kuidas see juhtus? Kas see pidigi juhtuma?" uuris ta.

„Muidugi mitte," nähvasin järsult, kuigi ma ei tea, miks ma oma šoki tema peale valasin.

„Ma arvasin, et sa oled tablettide peal," märkis Pippa.

„Olingi. Olengi. Aga ma unustasin vahepeal võtta, kui Pammie pärast kogu see õudus pihta hakkas. Mul jäi võtmata vist, ma ei tea, võib-olla nädala jagu, võib-olla rohkem. Adam polnud kodus, ja mul polnud plaanis temaga niipea magada, nii et ..."

„Noh, aga kuidas see siis juhtus?" päris ta. „Pühast vaimust jäid rasedaks?"

„Asjad võtsid ühel õhtul üllatava pöörde, esimesel õhtul, kui me ... tead küll ..."

Mulle meenus, kuidas ütlesin Pammiele, et võin leppimisseks nautimisest rase olla, ja ma oigasin. Jeesus küll!

„Ma arvasin, et tahad laulatuspäeva võimalikult ruttu uuesti paika panna ja selle lõpuks ära teha," lausus ta.

„Tahangi, aga nüüd enam ei saa, ega ju? Ma ei suuda mitte mingi nipiga kõike uuesti organiseerida enne, kui kõht välja paistma hakkab ja ma ei taha altari ette paterdada nagu seitse kuud rase part. Oh jumal, Pippa, ma ei suuda seda uskuda! Seda kõike on minu jaoks liiast." Hakkasin töinama ja postkontori ees teeservas peatunud kuller küsis, kas minuga on kõik korras. Naeratasin talle virilalt.

„Mida Adam ütles?" küsis Pippa.

„Ta ei tea veel. Ma tegin just Charing Crossi jaamas testi. Oota. Helistan sulle tagasi." Jooksin lähima prügikastini ja viskusin peadpidi sinna sisse. Nähes kummuli karpi järatud kanakontidega, ajas see mind veel kümme korda hullemini öökima. Möödujad olid ilmselgelt kimbatuses, kas peaksid kärmelt edasi ruttama või jõllitamiseks sammu aeglustama, ent nad kõik tundsid tülgastust.

„Oled kombes?" küsis Pippa, kui ma ta kõne vastu võtsin.

Röhatasin tahtmatult. „Ma lihtsalt ropsisin tänaval prügikasti, muud midagi."

„Oh, kui šikk," naljatas ta. „Aga tõsiselt, mida sa kavatsed nüüd teha?"

„Ma ütlen Adamile täna õhtul ja me arutame selle läbi. Ausalt, Pippa, ma ei suuda uskuda, kui untsu kõik on läinud."

„See pole untsu läinud, see on õnnistus," lohutas ta.

„Ma pean silmas kogu seda jama. Kogu mu elu on puntras. Kuidas ma saan kaaluda lapse saamist, kui Adamil ja minul on veel omad asjad klaarimata? Mida tema küll sellest arvata võib? Oh jumal."

„Rahune maha. Võib-olla just seda teil mõlemal tegelikult vaja ongi. *See naine* peab nüüd raudselt aru saama, et sinuga ei saa enam lolli mängida. Sellega näitad talle kohe kahte keskmist sõrme," itsitas Pippa rahulolevalt.

Ma sain ta mõttekäigust aru, aga teadsin, et reaalsuses tähendaks Pammie lapselapse saamine seda, et oleksime igavesti seotud. See väljavaade kohutas mind.

„Ma tõepoolest ei suuda seda uskuda, Pip," kostsin nukralt. „Mida ma nüüd peale hakkan?"

„Noh, võta üks samm korraga. Räägi täna õhtul Adamiga ja kui tema arvamus on teada, siis mõtleme edasi. Okei?"

Noogutasin sõnatult.

„Okei, Em?"

„Jah, ma püüan sulle hiljem helistada, ja kui ei saa, siis homme hommikul."

„Hästi. Kõlla mulle siis, kui saad."

Lõpetasin kõne ja märkasin, et ma ei kõndinud oma kontori poolegi. Ma olin Old Compton Streeti maha maganud ja otsejoones edasi trampinud.

Kui lõpuks tööle jõudsin, tegin nii palju vigu, et mu boss Nathan küsis, kas ma ei tahaks varem koju minna. Siis taipasin äkki, et ma polnud end alates pulmadega seotud segadusest töölt kordagi vabaks võtnud. Mul oli nagu tavaliselt kaks puhkepäeva nädalas, aga ma olin tagasi lükanud Nathani pakkumise võtta nädal aega puhkust – see oleks pidanud olema mu pulmareisi teine nädal –, kuulutades, et minuga on kõik korras ja ma tahan tööl edasi käia. Rühmasin nagu ei iial varem, ignoreerides pulmadraamat ja kõike muud sellega seonduvat nagu väikest viperust. Alles nüüd, kui ta mind pead kallutades kaastundlikult vaatas, taipasin lõpuks fakti. Mul oli vaja pausi – puhkust monotoonsest tööle ja koju sõitmisest; klientidest, kes kõik arvasid, et nad on olulisemad kui teised kolmkümmend, kellega mul tuli samuti tegeleda; isegi kolleegidega tühjast-tähjast lobisemisest ja sellest, et pidin pidevalt teesklema, nagu oleks mu elus kõik hästi. Ei olnud, ja nüüd oli mul veel üks probleem juures. Suur probleem.

„Me saame hakkama," julgustas Nathan, tajudes mu kõhklust. Ma ei tahtnud, et nad hakkama saaks. Mu ego tahtis, et kogu firma kukuks kokku, kui mind kohal ei ole.

„Mine," utsitas ta. „Mine võta veidikeseks aeg maha."

Mul oli seda tõesti vaja, aga tõrkusin ikka veel. „Sa räägid nagu mingi jänkide eluguru," laususin lõõpides.

Nathan puhkes naerma. „Kui sa kohe minema ei hakka, võtan su sülle ja tassin ise välja. Kao nüüd siit."

Korjasin laualt oma huulesalvi, ühissõidukikaardi ja paki šokolaadiga digestiivküpsiseid ning heitsin koti üle õla. „Oled kindel?" küsisin veel viimast korda enne uksest välja astumist.

„Mine juba!" hüüdis boss mulle järele.

Kell polnud veel neli, seega sõitsin Centrali metrooliinil Citysse, lootes tabada Adamit, kelle tööpäev pidanuks hakkama lõppema. Miskipärast arvasin, et talle lapsest rääkida on lihtsam neutraalsel territooriumil, rahvarohkes baaris või restoranis, mitte koduvaikuses. Lootsin, et niiviisi paistab reaalne olukord vähem tõsine, vähem hirmutav.

„Hei," ütles ta telefoni.

„Hei," kostsin kõhklevalt. „Kas sa saad varsti töölt lahti?"

„Tõmban veel ühed otsad kokku ja siis hakkan liikuma. Miks küsid? Kas midagi juhtus?"

„Ei midagi," märkisin rahulikult. Mis ajast olin ma hakanud nii ladusalt valetama? „Olen siin Banki metroojaama juures, mõtlesin, et äkki tahaksid minuga ühed joogid teha ja siis läheksime koos koju."

„Hea mõte, mulle kuluks üks õlts ära küll, täiega jama päev oli."

Vaikisin hetke. Kui tal oli juba niigi kehv päev, siis äkki peaksin oma uudise edasi lükkama? Kui ta on avatuma meelega ja vähem

284

pinges. Materdasin end otsemaid mõttes, et püüdsin langetada otsuse tema eest, ja lubasin endale, et räägin talle kõigest hoolimata. *Minul* oli *terve kuu* räbal olnud, aga see ei takistanud kellelgi mulle veel rohkem jama kaela toomast.

„Hästi," kostsin. „Saame kümne minuti pärast King's Headis kokku?"

„Sobib ideaalselt, näeme siis."

Jõudsin kohale kuus minutit varem, nii et mul oli piisavalt aega, et võtta närvide rahustamiseks üks naps.

„Palun üks suur klaas Sauvignon Blanci," ütlesin baarmenile. Vaatasin, kuidas ta võttis baarileti kohalt restilt alla pokaali, kõndis letialuse külmiku juurde ja mõõtis välja klaasitäie merevaiguvärvi nektarit. Alles siis, kui ta asetas selle minu ette ja veini magus aroom mu ninasõõrmetesse jõudis, taipasin äkitselt ehmudes, et kannan ju last.

„Ee… kas ma saaksin selle juurde ka ühe tomatimahla, palun?" küsisin peaaegu vabandavalt.

Baarmen vaatas minu ümber ringi ja jõudis õigele järeldusele – ma olin üksi.

„Huvitav kombo," kommenteeris ta.

Naeratasin ja vangutasin pead. Jumal küll, kas järgmised üheksa kuud tõotavadki sellised tulla? Kõndides ringi kõrvitsasuuruse kõhuga ja pea täis vatti?

„Tere, kaunitar!" ilmus Adam äkki mu selja taha ja suudles mind põsele. „Kas tunned end juba paremini?"

Ma ei jõudnud selle peale midagi kosta, sest ta pöördus juba baarmeni poole.

„Palun pint Fostersit, semu."

Hoidsin näol kohmetut naeratust, kuni Adam oma jooki ootas ja olin tänulik, et mul oli veel mõni minut aega enne ta maailma segipaiskamist. Vaatasin, kuidas ta kulistas kolm suurt lonksu õlut nagu jooks vett. Tal võib veel üht vaja minna – varem kui aimatagi oskab.

„Ma pean sulle midagi ütlema," alustasin ettevaatlikult.

Adam vaatas mulle äkitselt silma ja võttis mu kätest kinni. „Jumal küll, ega sa haige ei ole?" küsis ta ja ta näkku ilmus paanika. „Sest kui oled, siis ma ei elaks seda ilmselt üle."

Naljakas. Olukorras, kus *mina* võin haige olla, on *tema* ikkagi kõige tähtsam. Ma polnud seda varem tähele pannud.

Raputasin pead. „Ei, minuga on kõik hästi, meiega on kõik hästi."

„Muidugi on meiega kõik hästi, miks ei peaks olema?"

„Mitte minu ja sinuga," ütlesin aeglaselt, hõõrudes oma kõhtu. „Minuga ja sellega siin."

„Anna andeks, ma ei saa pihta," kergitas ta kulmu.

„Ma olen rase," laususin vaikselt, kuigi mulle tundus, nagu oleksin seda valjuhäälselt üle terve pubi kuulutanud.

„Mida?" hüüatas ta.

Nägin, kuidas ta segaduses näoilme muutus järsku vihaseks, siis rõõmsaks, ja jälle hämmeldunuks, kõik sekundi murdosa jooksul.

„Sa oled rase? Kuidas?"

„Ee … kas ma tõesti pean sulle selgitama?"

„Kuid ma arvasin, et sa … Ma arvasin, et meil oli see kontrolli all."

„Meil oligi, noh, *minul* oli, aga mul jäi pärast kogu seda pulma-virvarri päris mitu päeva tablett võtmata. Ma ei pidanud hoolikalt järge."

„Mitu päeva sul vahele jäi?" päris ta, justkui see muudaks midagi.

„Ma ei tea … võib-olla kümme päeva, paar nädalat? Ma ei mäleta. Oli kuidas oli, nii ehk naa olen ma nüüd rase."

„Sa oleks pidanud hoolsam olema."

See vestlus ei läinud nii, nagu ma ootasin. Või äkki läkski just nii, nagu sügaval sisimas lootsin?

„Noh, aga mida me siis nüüd teeme?" küsis ta ninajuurt hõõrudes.

Vaatasin teda küsival pilgul, saamata päris täpselt aru, mida ta sellega mõtles. Minu meelest ei olnud meil valikuid, tema meelest ilmselt oli.

„Mitte midagi," vastasin napilt. „Ma saan lapse."

Ta silmad tõmbusid kissi ja ta vaikis justkui terve igaviku.

„Okei," kostis ta lõpuks. „See on siis hea uudis, jah?"

„Ma pole jõudnud seda veel seedida, sain ise ka alles täna hommikul teada, aga see võiks ju hea olla, eks?"

Istusime seal tummaks lööduna, teadmata, mida järgmiseks teha või öelda. Ta libistas sõrmedega läbi juuste ja ma ootasin ta järgmist sammu. Ma tõepoolest ei osanud aimata, kas ta kallistab mind või kõnnib minema.

Ta ei teinud kumbagi. „Nojaa, aga mida me pulmadega ette võtame?"

Tundsin, nagu kõnniksime mõlemad õhukesel jääl. „Ma ei taha rasedana abielluda, seega arvan, et peaksime sellega ootama."

„Okei, see on siis otsustatud," ütles ta innutult ning embas mind kohmakalt. „See on väga hea."

Ta pilk rääkis küll midagi muud kui sõnad, aga ma pidin andma talle mõtlemisaega, et ta jõuaks selgusele, mida see tähendab tema jaoks – ja meie kui paari jaoks samuti. Minul oli olnud pea kaheksa tundi selle elumuutva uudisega harjumiseks, temal polnud veel kaheksat minutitki, niisiis andsin talle aega ega hakanud kohe hukka mõistma.

„Jah," sõnasin kõhklevalt. „On küll."

38

„Kuidas ma välja näen?" küsisin, pööramata pilku mulle peeglist vastu vaatavalt naiselt.

Adam astus mu selja taha, pani oma käed mu paisuvale kõhule ja suudles mind põsele. „Sa näed väga seksikas välja."

„Seksikana" ma küll ennast ei tundnud, aga ilmselgelt pidas Adam mu muutuvat keha atraktiivseks, sest ta polnud mind paar viimast nädalat üldse rahule jätnud. Samal ajal kui mina maadlesin oma hiiglaslike tissidega, et neid võrkkiigesuurusesse rinnahoidjasse toppida, istus tema sageli niisama voodiserval ja silmitses mind hämmastuse – ning ihaga.

Meil kulus mu rasedusega leppimiseks aega ja me tülitsesime ning armatsesime vaheldumisi, tihti lausa sama õhtu jooksul.

Vaid mõni nädal tagasi oli meil suur sõnasõda minu riietuse üle. „Sa ei lähe niimoodi välja," nähvas Adam, nähes mind selga tõmbamas uut musta kleiti, kui pidin õhtul Pippa ja Sebiga linna peale minema. Mulle meeldis see kohe, kui seda Whistlesis nägin, kuna kleidi liibuv lõige oli nagu loodud mu kitsastele puusadele – beebikõhtu polnud veel näha.

„Mis nüüd siis viga on?" õrritasin teda. „Sulle ju meeldib, kui kannan kitsast kleiti, ja selle võlu peitub disainis, mis kasvab koos minuga." Oma väite tõestuseks sikutasin mõnusalt venivat kangast kõhu kohal.

„Siis oli nii, aga nüüd on naa," lausus ta tõsiselt. „Ma ei taha, et sa niimoodi väljas käiksid."

Pöörasin kannalt ringi. „Kas mõtled seda tõsiselt?"

Ta noogutas ja vaatas eemale. „Sa kannad nüüd mu last ja pead riietuma vastavalt."

„Ja mida see „vastavalt" tähendab?" Pahvatasin naerma. „Kas ma peaksin käima ringi, telk seljas, isegi kui mu kõhtu pole veel näha?"

„Paluks natuke lugupidamist," ütles ta. „Minu ja tite vastu."

„Oh, lõpeta, Adam. Sa räägid juba nagu su ema. Kuidas mina otsustan riietuda, ei puutu kuidagi sinusse." Uurisin oma keha. „Mõni kuu tagasi oleks see kleit su pöördesse ajanud. Miski pole muutunud, ma näen ikka sama hea välja, nii et kas sa päriselt tuled ütlema, et ma olen lugupidamatu?"

Ta tuli mulle ähvardavalt ligemale ja haaras mu randmest. „Sa ootad last ja arvad, et on normaalne minna välja nagu lits, jah või? Sa tõmbad niimoodi endale valede inimeste tähelepanu, ja ma ei lase mõnel purjus kiimakotil sulle ligi ajada, kui sa tegelikult ei peaks väljaski olema."

„Mulle aitab!" käratasin. „Ma olen teist kuud rase ja ma ei tohiks enam mitte iial kuhugi välja minna? Ma ei pane teisi riideid."

Võtsin oma koti ja astusin magamistoa ukse poole.

Ta seisis ukseavas, blokeerides selle kehaga.

„Mine eest!" ütlesin sõjakamalt kui tegelikult olin.

„Sa ei lähe kuhugi."

Mu süda tagus nii, et tahtis rinnust välja hüpata, ning kurk tõmbus kuivaks. Tundsin, kuidas pea pingest tuikama hakkas.

Vaatasin talle anuvalt silma, et ta astuks eemale, aga tema jäi kindlalt paigale. Mõlema kannatus oli viimase vindi peal.

„Mine eest," kordasin.

„Ei."

Tagusin rusikatega vastu ta rinda. „Mine eest ära!" hüüdsin täiest kõrist, vihapisarad mööda nägu voolamas. „Ma vannun, jumala nimel, kui sa mul minna ei lase ..."

Ta haaras mu randmetest ja lükkas mu vastu seina. Arvasin, et ta kavatseb mind edasi sarjata või – mis veel hullem – tõsta minu vastu kätt, ning tõmbusin rünnakuks valmistudes kägarasse. Aga tema hoopis suudles mind, kirglikult ja jõuliselt. Ma ei tahtnud talle anduda. Tahtsin talle näidata, et olin ikka veel maruvihane, kuid ei suutnud vastu hakata. Ta käristas mu sukkpüksid neid alla rebides puruks, nagu kurjast vaimust vaevatud, ja ma karjatasin, kui ta minusse tungis.

„Kas on valus?" küsis ta.

Raputasin pead. Ta vaatas mulle silma, nagu näeks mind esimest korda.

„Anna andeks," ütles ta siis, kogu olek järsku järeleandlik ja kuulekas. „Ma ei tea, mis mulle peale tuli. Sa näed lihtsalt nii vapustav välja ja ..."

Adam asus asja kallale ja ma tundsin ta põlvede nõtkutamist ning ta pead oma kaelalt tuge otsimas. „Kas sa kavatsed ikka veel välja minna?" sosistas ta valjult hingeldades.

„Jah," vastasin ning silusin kleidi sirgeks. Ma ei saanud päris täpselt aru, mis just juhtus. Kas see oli normaalne? Kuidas saavad kaks inimest tülitseda ja teineteise peale karjuda ning vaid mõni minut hiljem seksida?

Ma käisin küll väljas, kuid mul polnud lõbus. Pole just kõige toredam õhtu veetmise viis, kui su kaaslased võtavad end rõõmsalt napsiseks, aga sina juua ei saa. Võib-olla oli Adamil õigus: kõik *on* teisiti ja jääb igavesti nii.

*

Seisin peegli ees, toppisin pluusi värvli vahele ja tirisin uuesti välja. Olin veidi üle kolme kuu rase ja mu paisuva kõhu varjamine muutus aina keerulisemaks, aga täna polnud sel tähtsust. Täna võiksin esimest korda demonstreerida oma rasedust uhkusega, kuid tundsin end üksnes ebamugavalt paksuna.

„Miski ei sobi," pahurdasin, tuhlates riidekapis ja otsides midagi meelepärast, kuid seda leidmata. Hakkasin närvi minema.

„See, mis sul seljas on, näeb ju küll väga hea välja," väitis Adam veel kord, vaadates, kuidas ma ärritunult riidepuid nügin ning särke ja pükse voodile loobin. Ta oleks võinud seda lõpmatuseni korrutada, aga ma *ei näinud* hea välja, mu enesetunne *ei olnud* hea, *mitte miski ei olnud* hea. Ma tahtnuks vaid pitsitavad püksinööbid lahti teha, voodile viskuda ja nutta.

„Kas me tõesti peame minema?" hädaldasin nagu kolmeaastane.

„Sa pole mu ema juba sada aastat näinud ja me peame talle ju oma uudise teatama," ütles ta ja ma mul oli selge, et pääsu pole.

„Kas sa ei võiks seda talle telefoni teel öelda?" palusin.

„Em, me saame lapse, ja tema saab esimest korda vanaemaks. See pole telefonijutt. Ja see pole üldse nii hull, sest James tuleb oma uue tüdrukuga samuti, siis on seltsis segasem."

Oleksin tahtnud karjuda. Kuidas, pagan, ma sellega hakkama saan? Ma polnud Pammiet pärast haiglafiaskot näinud ja ignoreerisin ta kaht kõnepostisõnumit. Adam oli ta viimasele „keemiaseansile" sõidutanud ning säras nagu lill, kui Pammie nädal aega hiljem helistas ja ütles, et arstid on ta edusammudega väga rahul ja lõpetavad praeguseks ravi. Ma naeratasin puiselt, kui Adam mulle sellest võidukalt rääkis, ja surusin maha meeletu soovi karjuda: „Ta valetab!"

Ainuüksi mõte Pammie nägemisest ajas mulle külmavärinad peale. Mul polnud nüüd juba nädalaid süda paha olnud, aga teadmine, et pean temaga samas ruumis viibima, võttis tuttaval moel seest keerama. Mu närvid olid ülitundlikud ja viimse piirini pingul.

Kujutasin ette tema õelat ilmet, kui ta Jamesi juuresolekul õrritaks mind tõde päevavalgele tooma, olles ise valmis vastu lajatama tapva hoobiga, mis teadagi hävitaks kõik, mis mul Adamiga on. Või äkki tõmbaks hoopis James mul vaiba alt? Mul hakkas pea ringi käima, kui juurdlesin – ja mitte esimest korda –, mis võis küll Jamesi motiveerida seda tegema. Ütlema, mida ta ütles. Mida oli neil sellest võita, sepitsedes koos plaani, et mind murda ja meid Adamiga lahku ajada? Kas James üldse rääkiski Pammiele tõtt? Et ma talle ära ütlesin? Või on ta samasugune valevorst nagu ta ema ja jutustas talle moonutatud versiooni? Kuid tegelikult polnud see enam oluline. See naine suudab mu elu nii või teisiti põrguks teha ja mind oma kontrolli all pantvangis hoida – aga kas ta seda kavatsebki? Kindlasti mõistab ta, et see poleks tark tegu, kuna ta teab, mida ma tema kohta tean, aga mis tähtsust sel enam oleks? Adami ja minuga oleks lõpp veel enne, kui ma talle rääkida saaksin, kui julmalt ta ema oma haiguse kohta valetas.

„Ma ei tunne end piisavalt hästi, et tulla," ütlesin Adamile. „Mul on paha olla. Miks sa ei võiks üksi minna ja neile olukorrast teada anda?"

„Kuule, Em, võta ennast kokku. Sa oled rase, mitte haige. Veedame paar tundi kenas restoranis ja tuleme ära. Sellega saad sa ju hakkama, eks?"

Ma tõesti ei kujutanud ette, kuidas ma suudan istuda Pammie, Adami, Jamesi ja tema kallima seltsis, kogu aeg kartes ja oodates, millal pomm lõhkeb. Ent kes sütiku süütab, oli veel lahtine.

„Ma hoolitsen su eest," lohutas Adam justkui mu mõtteid lugedes. „See pole nii hull."

Mu silmad täitusid pisaraist. Mõistsin, et võin oma ainsast toetavast inimesest ilma jääda, mil iganes Pammie heaks arvab.

39

Tavatul kombel oli Pammie juba restoranis, istus lauas ning naeris kõva häälega Jamesi ja tema kallima seltsis, kui me nende juurde kõndisime. Juba siis tundsin, et ma olen viies ratas vankri all, lihtsalt naerualune.

Pammie tõusis meid tervitama. „Kullake," ütles ta Adamile, „nii tore sind näha."

Püüdsin teha rõõmsat nägu.

„Ja Emily. Kallis Emily, sa näed välja ..." Ta ohkas väljapeetult ning mõõtis mind pilguga juustest jalgadeni. „Hurmav."

Adam aitas mul mantli seljast.

„Hei, Em, saa tuttavaks, tema on Kate," lausus James kohmetult. Ta kummardus mu põske suudlema ja ma pidin pingutama, et temast mitte eemale põrkuda. Kate astus ligemale ja me surusime kätt. Ta oli pikk, blond ja sale ning ma tundsin end tema kõrval üsna armetuna.

Naeratasin. „Meeldiv tutvuda."

„Samad sõnad," vastas ta, „olen sinust palju kuulnud."

Oleksin tahtnud küsida „Kas tõesti?", ent andsin lihtsalt standardvastuse: „Loodetavasti ainult head?"

Mitte keegi ei vasta sellele kunagi, kuigi see on üks vähestest retoorilistest küsimustest elus, millele igaüks vastust sooviks.

Adam läks riidenagi otsima ja me vahetasime viisakaid naeratusi. „Noh, kuidas läheb?" uuris James. „Tööl on kiire?"

Ma polnud teda näinud pärast toda õhtusööki enne toimumata jäänud pulmi. Ta juuksed olid veidi pikemad, nii et tukk langes poolenisti ühele silmale, ja päike oli need pleegitanud meekarva blondiks. Oletasin, et sügav päevitus oli tingitud päevade viisi Inglismaa aedades kõpitsemisest, kuid märkasin siis, et ka Kate'i põsed olid jumekad. Mu hinge hiilis kadeduseuss, kui kujutasin neid ette mingis kauges romantilises paigas – villas või hubases hotellis, Itaalias või Prantsusmaal – päeval basseini ääres lesimas ja öösiti armurõõme nautimas. Püüdsin seda mõtet peletada ja olin enda peale pahane, et James läks mulle ikka veel korda, isegi pärast oma alatuid käike.

„Jah, kõik on hästi," kohmasin. „Ja sul? Paistab, et oled soojal maal käinud."

„Käisime Kreekas," ütles Kate elevalt. „See oli imeline, eks ju?" Ta vaatas Jamesile andunult silma, James vastas sama kirgliku pilguga ja võttis tal käest. Kas Adam ja mina vaatame teineteist samuti niimoodi?

„Suur mees ongi kohal," kostis James, nähes Adamit naeratades meie suunas tulemas.

Vennaksed surusid kätt ja seejärel tutvustati Adamit Kate'ile, nende katse teineteist põsele suudelda kukkus kohmakalt välja, kuna Adam üritas suudelda mõlemat põske, Kate aga ootas musi vaid ühele põsele. Tajusin, et neil mõlemal oli veidi piinlik.

Kate nägi välja särav ja ma nihelesin ebamugavust tundes oma ilmetus pluusis, soovides, et oleksin pannud selga selle kleidi, mille pärast Adamiga paar nädalat tagasi tülitsesime. Vähemalt oleks mul siis olnud millegagi pisutki konkurentsi pakkuda.

„Kas ta pole mitte imekaunis?" sosistas Pammie, seistes mu kõrvale ja neid silmitsedes. „Temas on kõik olemas."

Ma ei reageerinud. Jälgisin lihtsalt, kuidas mõlemad mehed Kate'i ümber lipitsesid. Kõik tõotas tulla hullemgi, kui olin ette kujutanud.

„Noh, mis uut?" küsis James, lülitades mind lõpuks taas vestlusse.

„Nii, tellime kõigepealt pudeli veini ja siis me räägime teile," ütles Adam kelnerit kohale viibates.

„Kõlab kurjakuulutavalt," naeris James.

„Sugugi mitte," lausus Adam. „Meil on tegelikult päris suuri uudiseid."

Vaatasin Pammie nägu – ta põselihased tõmblesid, kui ta püüdis neutraalset ilmet säilitada.

„Või nii?" märkis ta. „Kas te olete uue pulmapäeva paika pannud?"

„Mitte päris," kostis Adam. „Me elu on jõudnud uuele tasandile." Ta vaatas mulle otsa ja võttis mu käe pihku ning ma naeratasin talle heakskiitvalt.

„Oo, kui põnev!" hüüatas Kate.

Adam lasi pilgul lauas ringi käia, lai naeratus näol. „Niisiis, me saame lapse," teatas ta.

Jamesi suu vajus lahti, Kate lõi näost särama ja plaksutas käsi, ning Pammie istus nagu kivikuju, lõug värisemas.

„Vau, see on ju imeline," kommenteeris James. „See on tõesti lahe. Vau!"

„Kui kaugel rasedus on?" uuris Kate. „Millal laps sünnib? Kas te teate juba, kas tuleb poiss või tüdruk?"

Vuristasin talle vastused ette sama kiiresti kui tema oma küsimused esitas.

„Kolmas kuu. Kevadel. Ei."

James surus uuesti Adami kätt ja tuli teisele poole lauda mind põsele suudlema. „Palju õnne," sosistas ta ja ma tõmbusin krampi.

„Ema?" Adam ootas nõutult ta reaktsiooni.

„Noh, see on paras šokk," lausus Pammie virilalt. „Tore šokk, aga sellegipoolest šokk." Ta üritas läbi pisarate naeratada, kuid tulemus polnud usutav.

„See on imetore uudis, pojake, tõesti." Kuna oli näha, et ta ei kavatsegi tõusta, läks Adam tema juurde ja embas teda. Mina ei vaevunud end liigutama.

Pammie liibus poja vastu nagu limukas.

„Ema, sa peaksid olema õnnelik, mitte nutma," naeris Adam. „Keegi pole surnud."

„Minuga on kõik hästi, pojake," löristas Pammie nina. „Vana-emaks saamisega harjumine võtab kindlasti natuke aega. Mul on teie pärast hea meel, tõesti."

Ta laskis Adamist lahti ja vaatas minu poole. Ma ei tahtnud ta pilgule vastata. Aga manasin taas näole naeratuse, sellise, mis jätab kogu maailmale mulje, et kõik on kõige paremas korras, ja siis tabasin end järsku talle ainiti silma vaatamas. Mul käis kehast jõnks läbi. Ma ei näinud ta silmis viha ja raevu, mida olin ooda-nud – ma nägin hirmu.

„Rääkides headest uudistest," lausus ta ja pööras pilgu minult ära. „Jamesil on samuti meile midagi öelda, eks ju, kullake?"

James naeratas, otsides käega taas Kate'i kätt. „Jah, ma palusin Kate'i endale naiseks ja ta ütles „jah"."

Tundsin, kuidas veri valgus pähe.

„Kas pole mitte imeline?" kudrutas Pammie ja sirutas võtma Jamesi ja Kate'i kätt oma pihkude vahele. „Meist saavad väga head sõbrad, näen seda juba ette."

Vaatasin Kate'ile otsa, püüdes leida mingitki vihjet, märki, et oleme mõttekaaslased, kes tulihingeliselt võitlevad Pammie-nimelise vääramatu jõu vastu. Ent tema silmist peegeldus vaid siirast andumust ja usku, et kõik Pammie sõnad on puhas kuld.

Ma ei tea, kumba ma rohkem haletsesin. Kas Kate'i tema paha-aimamatu naiivsuse pärast õndsas teadmatuses, kuidas naisest, kes väidab end olevat ta sõber, saab peagi ta peamine vaenlane, või ennast, kelle elu Pammie oli püüdnud kõikvõimalikul moel rikkuda. Minust oli alles vaid hale vari, ebakindel ja paranoiline naine, kes püsis koos tänu armastavale mehele, kellele lootsin toetuda, kui maailm kokku variseb.

Nägin, kuidas Kate puges Jamesi embusse, täis elevust ja kirge. Pammiel oli õigus. Tal oli tõepoolest kõik olemas, ja ma soovinuks olla tema nahas. Mulle meenus mitte väga kauge aeg, mil mind kandis meie värske suhte erutus ja ma nautisin seda sellisena, nagu see oli, kujutamata tollal hetkekski ette, et keegi, iseäranis veel Adami ema, võiks mulle põhjustada sellist valu, nagu olin sunnitud kogema.

„Võtame tähistamiseks pudeli šampanjat," pani Pammie ülevoolavalt ette.

Ja keegi ei kavatsegi küsida, millest selline kiirustamine? Kuidas nad võivad olla nii kindlad, et tahavad kogu oma ülejäänud elu koos veeta, kui nad on teineteist tundnud vaid mõne kuu? Loogiline oleks, et Pammie oma arvamuse välja käiks, nagu ta tegi minu puhul … aga ta jäi stoiliseks.

Pammie valas mu silme all välja neli klaasi šampanjat ning jagas need laiali – kõigile peale minu.

„Palju õnne!" hüüdis ta pokaali tõstes. „Jamesile ja Kate'ile."

Vaatasin Jamesi poole. Ta silmad välkusid kui nooled siia-sinna, peatudes kord emal, kord Adamil, ent tabamata kordagi mu pilku, kuigi ma istusin nende kahe vahel.

„Ema, kas Emily saaks ka klaasi?" palus Adam.

„Oih, vabandust, ma ei mõelnud, et tema võiks ka tahta," vastas Pammie. „Minu teada ei tohiks last oodates juua. Vähemalt minu ajal küll ei tohtinud."

„Ajad on muutunud," laususin pikema jututa. „Ma võtan ühe klaasikese, aitäh."

„Banksi-beebi terviseks!" hõikas James.

Sulgesin silmad ja nautisin esimest sõõmu šampanjat keelel kihisemas.

„Kas te olete juba kuupäeva paika pannud?" päris Pammie õhinal.

„Mõtlesime, et äkki järgmise aasta kevadel, kui jõuame kõik selleks ajaks organiseeritud," kostis James.

„Ah, just siis, kui lapseke on sündimas," kommenteeris Pammie, noogates peaga mu kõhu suunas. Naeratasin endamisi, teades, et selleks ajaks olen ma kas suur nagu piimaauto või ripub mul juba titt tissi otsas. Kumbki stsenaarium ei tundunud kuigi elegantsena.

„Mul on kodus pulmaajakirja väljalõigete album, pilte täis," vadistas Kate. „Sellest ajast, kui olin üheksa- või kümneaastane. Mõned peavad seda üsna napakaks."

Võpatasin taas, eeldades Pammielt mõnd mõnitavat märkust, ent ei midagi.

„See on nii armas," kiitis ta hoopis. „Mina tegin noore neiuna täpselt sama. Näitasin seda oma Jimile ja ta lubas mulle, et ma võin saada kõik, mis seal piltidel."

Kate naeratas talle.

„Heakene küll, näita meile nüüd oma sõrmust," lausus Pammie.

„Olin nii üllatunud," ütles Kate, sirutades teemantsõrmusega käe ette. „Mul polnud aimugi."

„Mul on sinu pärast väga hea meel," kostis Pammie südamlikult. „Tere tulemast perekonda!"

Kas ma sain millestki valesti aru? Tundus, nagu oleksin sattunud ema ja tütre erilise hetke tunnistajaks. Kas Pammie oli minuga ka selline, kunagi ammu, päris alguses?

Meenutasin meie kõige esimest kohtumist tema majas, kui ta jättis fotoalbumi Rebecca pildiga mulle avastamiseks. Ta tahtis, et ma seda näeksin, juba siis manipuleeris ta, õhutades mind esitama küsimusi, mille vastuseid ma ei soovinud teada. Ta istutas minusse kahtluseseemne ja vaatas selle kasvamist pealt lootuses, et see lämmatab mu ning ma ei suuda enam tagajärgedega tegeleda. Ta arvas, et võib minust vabaneda – lihtsamalt kui Rebeccast –, aga ta ei arvestanud sellega, kui väga ma Adamit armastan. Ma armastan teda rohkem kui oma elu ja nüüd, istudes siin, uus elu minus kasvamas, tean kindlalt, et see naine ei saa seda minult mitte mingil viisil ära võtta.

40

„Ma luban, et miski ei lähe üle võlli," ütles Pippa, kui beebi-ootuspeo korraldamise idee peale haput nägu tegin. „Ainult sõbrad, mõned õhupallid ja palju Proseccot."

Pööritasin oma hiiglaslikule kõhule osutades silmi.

„Aa, muidugi," kostis ta, justkui märganuks alles siis, mis konditsioonis ma olin. „Ainult *mõned* sõbrad, *sina* oled õhupall ja *mina* joon Proseccot!"

Kaks nädalat hiljem astus ta koos Sebiga korteriuksest sisse, kaasas roosadest muffinitest torn ja kahemeetrine bänner tekstiga „Tulevane ema". Neile järgnes kogu mu neiupõlvega hüvastijätus osalenud seltskond, välja arvatud Pammie, kes polnud kutsutud.

„Kas sinu arvates pole enam kui veider, et su lapse vanaema ei tule, aga naine, kes magas su peikaga, on platsis?" täheldas Pippa mõni päev varem. „Midagi sellist ei kujutaks unes ka ette."

Olin temaga nõus. Ma poleks iial osanud arvata, et Charlotte mu ellu tagasi tuleb, aga asjalood on nüüd teisiti. Ma saan lapse, ja osake minust tahab seda vana sõbraga jagada.

„Hei, kuidas end tunned?" küsis mu lapsepõlvesõbranna roosade kingituste kuhja all tuppa vaarudes. Ta kallistas mind pikalt ega tahtnud sugugi lahti lasta.

„Paksuna!" vastasin naerdes.

„Sa oled paks ja imeilus," poetas Seb vahele, pugedes trepil meie vahelt mööda.

Teised jõid šampanjat, meie emaga aga solgutasime teetassis kreemitäidisega küpsiseid. „Ma ei võta enam mitte üks tilk," ütles ema, kui Pippa talle Proseccot pakkus. „Pärast seda tüdrukute-õhtut Portugalis." Hakkasime kõik naerma, meenutades, kuidas ema pärast BJ'sis käimist järgmisel hommikul alles kell 11 magamistoast välja kobis, torisedes, miks me lasime tal nii kaua magada, ning küsis siis, kas meil on olemas kõik vajalik peekonivõileiva tegemiseks. „Oh, mida Gerald kõigest sellest mõelda võib?" pobises ta, lonkides kööki lohutustoitu otsima.

„Ma eeldan, et sa pole Pammiest pärast raseduse teadustamist midagi kuulnud, on nii?" uuris ta vaikselt, kui teised beebi kaalu arvamise mängu mängisid.

Raputasin pead. „Ta helistas paar korda ja jättis kõneposti sõnumeid, paludes, et ma talle tagasi helistaksin, aga rohkem midagi …"

„Ja sa pole?" küsis ema. „Talle tagasi helistanud, ma mõtlen."

„Ei. Mul pole talle midagi öelda."

Ema noogutas nõustuvalt. Ma olin talle ette kandnud kogu meie sõnavahetuse, mis kaubanduskeskuse kohvikus aset leidis, välja arvatud muidugi selle osa, mis puudutas Jamesi. Ma ei tahtnud, et ema minust halvasti mõtleks, ent seda riski võtmata ei osanuks ma talle olukorda ka selgitada. Seb ja Pippa siiski teadsid, ning kuigi nad püüdsid mind lohutada, et ma pole midagi valesti teinud, oleksin tahtnud häbist maa alla vajuda.

Vaatasime parajasti kõik diivanil rivis tekkide all istudes filmi „Mida oodata last oodates", kui eesuks paukus, ja mul hakkas korraga kõhe, kuuldes raskeid samme trepist üles tulemas. Võisin juba paari esimese sammu järgi diagnoosida, millises joobeastmes Adam parajasti on, ning ma eksisin väga harva.

301

„Hei, hei, hei! Tere tulemast Naiste Instituudi üldkoosolekule!"
teatas ta valjuhäälselt. Märkasin ta silmis vilgatust, kui ta pilk
liikus üle toa ja jäi pidama Sebil. Olin kindel, et nägin ta huuli
halvakspanevalt kõverdumas.

„Kas teil, daamid, on lõbus?" jätkas ta, rõhutades sõna „daamid".
Kõik pomisesid oma tervitussõnad, millele kohe varsti järgne-
sid mõtisklused *Nüüd on vist aeg?* ja *Peaks minema hakkama.*

Nägin, et Seb niheles, heitsin talle hoiatava pilgu ning rapu-
tasin pead.

„Adam, kas ma saaksin sinuga korra rääkida, palun?" Upitasin
end Pippa abiga, kes mind pepust lükkas, diivanilt püsti.

„Kas kõik on korras?" küsis Pippa sosinal.

Noogutasin. Läksin sõnagi lausumata magamistuppa ja Adam
järgnes kuulekalt.

„Mis sul viga on?" küsisin võimalikult rahulikult.

„Mis *minul* viga on?" hirnus ta. „Meie elutuba on sinu vanatüd-
rukuid täis. Ja nagu näha, on see *mees* ka jälle siin."

„Ära karju."

„See on minu kodu ja ma räägin nii kõva häälega, kui tahan."

„Oh, kasva suureks."

„Ja mis hetkel me otsustasime, et avaldame lapse soo?" küsis
ta. Ilmselgelt ei olnud ta nii purjus, et poleks märganud eestuba
ehtivaid roosasid kaunistusi. „Ma pole veel oma emalegi rääkinud,
aga sina siin kuulutad seda kõva häälega juba tervele ilmale. Kuigi,
kui mu ema oleks sinu väiksele totakale teepeole kutsutud, siis
küllap oleks temagi tänu kõigile teistele teada saanud, eks ole?" Ta
vaatas mulle ülima põlgusega otsa ja ma pöörasin minekule.

„Ma ei viitsi siin sinuga lolli mängida, Adam," laususin kurna-
tult. „Su ema pole siin, sest ma ei taha teda siia, ja meie lapse sugu
pole kunagi mingi saladus olnud. Ma oletan, et kui saaksime poja,
teadustaksid sa seda suurima rõõmuga."

Mulle meenus meie kahekümne teise nädala ultraheli paar kuud tagasi ja Adami pettunud ilme, kui arst ütles, et ta võiks kas või kihla vedada, et tegemist on tüdrukuga.

„Kui sageli te eksite?" küsis Adam naerdes.

„Ma püüan seda kõigest väest mitte teha," kõlas vastus.

„Aga mida statistika näitab?" käis Adam peale.

„Kui ma peaksin mingi arvu pakkuma, siis umbes ühel juhul kahekümnest. Nii sinnakanti."

Adam heitis mulle võidurõõmsa pilgu, kuid siis lisas tohter: „Aga teie puhul olen ma päris kindel, et võite hakata roosasid papukesi kuduma." Ja Adami õlad vajusid uuesti norgu.

„Minu meelest peaksid sa selles ... selles kõiges natuke ka minu tunnetega arvestama," torises ta nüüd ärritunult kätega vehkides.

„Oh, jumala pärast, Adam, sa räägid nagu mõni titt." Kõndisin toast minema.

Seb tuli mulle vastu, kui alla jõudsin, silmanähtavalt maruvihane. „Vabanda mind," poetas ta ja trampis minust mööda.

„Seb, oota palun." Püüdsin haarata tal käsivarrest, ent ta ei läinudki trepist alla ja korterist välja, vaid otsejoones meie magamistuppa.

„Mis su probleem on?" ründas ta Adamit.

„Seb, jäta järele," anusin, kui Adam lõi üllatunult pea kuklasse.

Sikutasin Sebi eemale ja Adam irvitas. „Kes oleks arvanud, et sinus midagi sellist peitub," sisises ta ja ma ei saanudki aru, kummale meist need sõnad mõeldud olid.

„Sa ei vääri nii head naist!" hüüdis Seb veel uksel, kui ta kättpidi toast välja tirisin.

41

Kui ma Poppyga haiglast juba kodus olin, vooris meie korterist pidevalt külalisi läbi. Mu vanemad, Pippa, Seb ja isegi James käisid oma beebiroosasid kingitusi täis korvidega külas. „Hästi tehtud," ütles James hellalt, suudeldes mu laupa, samamoodi nagu Adam oli mind suudelnud operatsioonisaalis, kui Poppy mu kõhust välja lõigati. Meie plaan vees sünnitada läks vett vedama, kuna pärast kuueteisttunnist sünnitustegevust sattus Poppy tervis ohtu.

Suhtlesin nende kõigiga nagu udus, kogu selle aja oodates – või pigem peljates – Pammie küllatulekut. Ta ei soovinud kolmel esimesel päeval tulla, sest oli külmetanud ning kartis last nakatada. Mina seevastu tahtsin, et ta käiks ometi juba ära, et ma saaksin puhata ja Poppyga koos olemist nautida.

„Kas sulle sobib, kui ema tuleb homme katsikule?" küsis Adam, kui Pippa oli just lahkunud. „Ta jääb ilmselt ööseks ja ma viin ta ülehomme hommikul tagasi."

Oigasin kaeblikult. „Ma olen rampväsinud, kas sa ei võiks teda juba enne õhtusööki ära viia?"

„Ole nüüd, Em. See on tema esimene lapselaps ja ta on niigi kõige viimane, kes beebit näeb. Ta võib meile isegi abiks olla."

Just see mind kohutaski. Imetlesin Poppy ideaalset näokest, ta suuri silmi mulle otsa vaatamas, ja tundsin üle kere hirmujudinaid jooksmas. „Ma tõesti tahaksin, et ta läheks koju. Palun."

„Ma helistan talle, vaatame, kuidas kulgeb," lausus Adam. „Ma ei hakka ise pakkuma, kui ta ei küsi."

Teadsin juba enne, kui ta tuppa tagasi tuli, et nende vestlus polnud läinud minu tahtmist mööda.

„Nii, ma lähen toon ema homme lõuna paiku siia ja viin ülehomme hommikul tagasi."

„Sa pingutasid küll kõvasti," pomisesin.

Isegi kui ta mu sõnu kuulis, ei reageerinud ta neile. „Ma lähen hiljem pubisse, titevarbaid kastma," märkis ta. „Sul pole selle vastu midagi, ega ju?"

Kas see oli mõeldud küsimusena või ta lihtsalt teatas mulle fakti? Kumb iganes, igatahes oli see lause konstrueeritud nõnda, et kui ma oleksin söandanud öelda „on küll", oleks see jätnud minust armukadeda ja kontrolliva mulje.

„Milleks selline nägu?" lausus ta rangelt. „Me teeme vaid mõned napsid, jumala pärast."

Naljakas – ma polnud öelnud silpigi, aga tema hakkas juba end õigustama, lihtsalt et tunda, et pubisse minek on põhjendatud.

„Millal see plaan siis tehti?" küsisin.

Adam turtsatas kärsitult. „Eile vist. Mike pakkus välja, et võiksime nii tähtsa sündmuse puhul dringile minna, ja kõik teised olid sellest ideest täiesti sillas. Nii on ju kombeks."

Muidugi ma teadsin seda traditsiooni, jumal teab, miks ta hakkas end välja vabandama. Tajusin, kuidas läksin turri, aga mitte sellepärast, et ta plaanis kõrtsi minna, vaid kuna ta kohe kaitsepositsioonile asus. Ta tundis end süüdi, ent püüdis rünnata mind, nagu oleksin mina midagi pahasti teinud.

„Olgu, lahe," lausisin ükskõikselt. „Aga püüa mitte liiga kauaks jääda, sest mul on su ema tulekuks ettevalmistuste tegemisel abi vaja."

Kui ta polnud keskööks kodus, ei näinud ma põhjust, miks ma ei peaks talle helistama. Poppy polnud veel kuigivõrd kodunenud ja tissitamise, kussutamise ning vannitamise vahel polnud mul lihtne leida aega veel millekski muuks.

„Ma helistan sulle tagasi," ütles ta pehme keelega, kui neljanda helina peale lõpuks vastas. Taustal oli rohkesti müra – jutuvada, klaaside kokkulöömist ja valju muusikat.

„Adam?" Kõne oli juba katkenud.

Kümme minutit hiljem polnud ta ikka veel tagasi helistanud, niisiis kõllasin talle ise uuesti.

„Jaah," oli kõik, mida ta suutis telefonile vastates pobiseda. Nüüd tundus kõik vaiksem ja ma kuulsin katkendlikku hingamist.

„Adam?"

„Jah," vastas ta kärsitult, justkui oleks tal kuhugi kiire. „Mis on?"

Ma püüdsin jääda rahulikuks, kuigi Poppy kisas täiest kõrist ja mu vastsel emmeajul oli raske kõike selgelt hinnata. „Mõtlesin lihtsalt küsida, kui kaua sul veel läheb."

„Miks küsid? Kas ma olen midagi ära unustanud?"

Sundisin end sügavalt hingama. „Ei, tahtsin vaid teada, kas ma peaksin voodisse heitma."

„Mis, kas sa oled *väsinud*?" püüdis ta odavat nalja teha.

„Jah, ma olen surmväsinud."

„Aga mida sa siis ootad?"

Mu kannatus katkes. „Unusta ära," nähvasin. „Tee, mis tahad."

„Aitäh, teengi," kuulsin teda veel ütlevat, enne kui telefoni käest panin.

Oleksin võinud tema kallal viriseda, aga ta oli liiga purjus, et see talle korda läinuks ja ma oleksin vaid iseennast üles kütnud. Parem olgu väljas nii kaua kui tahab, mitte mul jalus. Jokkis peaga ta lihtsalt segaks mind ja mul on Pammie peatse saabumise pärast juba niigi palju muret ning tegemist.

Pöörane, aga kui sain lõpuks Poppy magama, hakkasin hoopiski ülienergiliselt korteris ringi askeldama, sättides Pammie tuleku puhuks kõik tipp-topp korda. Ma ei tahtnud anda talle ainsatki põhjust minu kallal näägutada, öelda mulle, mida ma õigesti ei tee ja mis ma kõik valesti teen. Kui külalistetoas suure vaevaga tekki kotti toppisin ja tundsin, kuidas haavaõmblused kisuvad, küsisin endalt, mille pärast ma üldse vaeva näen. Pammiel pole ju vajagi põhjust, et mind maha teha ja pisendada – kui mingit põhjust ei ole, mõtleb ta selle lihtsalt välja.

Adam jõudis koju pisut peale kella kolme hommikul ja tegi niisugust lärmi, et äratas Poppy üles ning laps nuttis siis vahetpidamata kuni järgmise söögikorrani.

„Suur aitäh," turtsatasin, kussutades last magamistoas ringi tammudes. Adam röhatas, urises ja viskus voodisse.

Nägin teda uuesti alles kaheksa tunni pärast, kui ta tõusis, võttis kaks Alka-Seltzerit, ütles „Mul on nii sitt olla" ja läks teki alla tagasi. Ma ei hakka valetama, et see ei pakkunud mulle väikest rahuldust, kui järgnesin talle magamistuppa, tõmbasin kardinad eest ning hõikasin: „Äratus, äratus! Sa pead oma emmele järele minema." Ta tõi kuuldavale ülipika kaebleva oige ja sel hetkel, ma kujutan ette, kohutas ta ema külastus teda rohkemgi kui mind.

Selleks ajaks kui ta koos Pammiega tagasi jõudis, oli korter briljantselt puhas, Poppy tudus mu rinnal ja värske pott teed oli tulel. Tundsin end nagu rahulolev supernaine, istudes tugitoolis ja oodates oma vihavaenlast, kolmnurkne imetamispadi valutava käsivarre alla topitud.

„Oh, nutikas tüdruk," lausus Pammie eestuppa astudes. „Sa oled tõesti tubli olnud!"

Ta ei vaevunud mind põsemusiga tervitama, vaid keskendus kohe Poppyle. „Milline kaunitar," kudrutas ta. „Laps on täpselt sinu nägu, Adam."

„Arvad?" vastas Adam uhkelt, hääl veel kriipivalt kähe.

Ta võttis lapse ja asetas Pammie sülle. Kogu mu keha pakatas soovist saada tita tagasi. Pammie jalutas akna juurde ja vaatas alla tänavale, seljaga minu poole. Ma tammusin nagu emalõvi kohapeal, neilt hetkekski pilku pööramata. Pammie sussutas ja hüpitas Poppyt, aga ma ei näinud oma last. Teadsin, et ta oli seal, muidugi oli, kuid ma lihtsalt pidin teda nägema, teda hoidma.

„Ma võtan ta nüüd ise," astusin nende juurde. „Mähkmeid tuleb vahetada."

„Ma ju alles sain ta!" naeris Pammie. „Ja mis üks must mähe vanaema ja tema lapselapse vahel ikka teeb?" Ta kummardus ja silmitses Poppyt, justkui ootaks temalt vastust. „Ma ei tunne mingit lõhnagi veel, ja kindlasti saan mähkme vahetamisega hakkama, kui seda peaks vaja olema."

Vaatasin anuvalt Adami poole, et ta võtaks lapse uuesti enda kätte, aga Adam pööras pilgu ära. „Kas keegi teed soovib?" pakkus ta.

„Mina võtaksin ühe tassi, pojake," ütles Pammie. „Kas sa toidad teda rinnaga?" uuris siis minult.

„Jah," vastasin.

„Kui sa rinnast natuke piima välja pumpad, võiksin suurima heameelega teda öise toidukorra ajal toita, kui sa tahad. Et sa saaksid puhata."

Raputasin pead. „Seda pole vaja."

„Hästi, aga äkki ma võin ta vankrikeses välja jalutama viia? Et te Adamiga saaksite veidi aega omaette olla? Ma mäletan, kui

308

raske see meil Jimiga oli, kui poisid sündisid. Elu muutub ja sa pead kaks korda kõvemini pingutama, et kõik sujuks."

Naeratasin pingutatult.

„Oi, ma ostsin Poppyle midagi, loodan, et sul pole midagi selle vastu."

„Miks peaks mul midagi selle vastu olema?" küsisin puruväsinult.

„Noh, mõned emad kipuvad peenutsema, eks ju? Et mis nende beebil peaks seljas olema ja kuidas ta peaks välja nägema."

Kehitasin õlgu.

„Aga ma lihtsalt pidin selle ostma, kui seda nägin, see ajas mind nii väga naerma."

Ta ulatas mulle kilekoti ja vaatas, kuidas ma tõmbasin sealt välja tillukesed valged sipupüksid. „Väga armas," sundisin end ütlema. „Aitäh."

„Oota, sa pole pärlit veel näinud," lausus ta. „Vaata, mis seal eespool kirjas on."

Pöörasin püksid teistpidi ja tõstsin silme ette. Rinnaesisel oli suurte tähtedega: *Kui emme ütleb ei, siis küsin vanaemalt.* Ma võpatasin. „Kas pole üliarmas?" naeris Pammie.

Sama hästi oleks ta võinud osta koera kaelarihma kirjaga *Leidmise korral tagastada vanaemale.*

„Vaata, mis su ema Poppyle tõi." Hoidsin sipukaid üleval ja jõllitasin Adamit. „Kas pole mitte üliarmas?" Lootsin, et mu sarkasm ei jäänud vanaemale märkamata.

Adam naeratas mulle.

„Ma hoian teda, kuni sa teed jood," pakkusin Pammie juurde astudes.

Ta naeris. „Ära unusta, et mul on endal ka kaks beebit olnud ja ma suutsin nendegi kõrvalt teed juua. Ma *suudan* teha kaht asja korraga, kas tead."

Adam naeris emaga kaasa – minu üle. Hoidsin hinge kinni, kui ta kuuma vedelikku täis tassi suu kohale tõstis ja palvetasin endamisi, et ta seda maha ei läigataks.

Kohe kui Poppy nutma hakkas, olin hopsti toolilt püsti ning seisin ähvardavalt Pammie ette, et ta lapse minu kätte tagasi annaks. Aga tema pistis hoopis oma sõrme Poppyle suhu. „Heldene aeg, Emily, sa oled nagu kass kuumal plekk-katusel. Temaga on kõik korras, vaata, näed?"

„Palun ära tee seda," ütlesin nii rahulikult kui suutsin, sisimas aga keesin ärevusest.

„Ainuüksi nutt ei tähenda veel, et laps on näljane. Vahel tahab ta vaid lohutust, ja kui see teda rahustab, siis ei saa see ju halb olla, ega?"

„Ma ei taha, et ta lutist sõltuks," laususin vaikselt. „See pole ka eriti hügieeniline."

„Ausalt, tänapäeval on kõik nii jabur," ütles ta. „Sa pead ostma kallid steriliseerimisvahendid ja kõik need peened moodsad asjandused, aga meie ajal tuli läbi ajada Miltoni tableti ja keeva veega, kui oli õnne. Kui lutt kukkus põrandale, võtsid selle lihtsalt üles, pistsid omale suhu ja andsid kohe titele tagasi. Ja vaata mu kaht poissi praegu. See pole neile mingit kahju teinud, ega ju?"

„See kõik on meie jaoks uus, ema," astus Adam lõpuks minu kaitseks välja. „Me avastame katse-eksituse meetodil, mis töötab ja mis mitte."

Heitsin talle tänuliku pilgu.

„Ma ütlen vaid: ära mine liiga pepsiks. Beebid on vintsked tegelased ja ei nõua palju. Kui tal on nututuju, lase tal natuke aega omaette nutta. Kui jooksed teda iga jumala kord söötma, kaevad sellega iseendale auku."

Vaatasin käekella. Pammie polnud siin olnud veel viitteist minutitki.

Hiljem, pärast sunnitud vestlust, kui sõime Adami valmistatud kanapastat, palusin end vabandada ja läksin magamistuppa, võttes Poppy endaga kaasa. Viimane asi, mida ma enne ukse sulgemist kuulsin, oli Pammie hääl, mis ütles: „Ta ei söö piisavalt. Ta peab beebi jaoks kõiki toitaineid saama."

Adam polnud ikka veel voodis, kui Poppy oma keskõiseks söögikorraks ärkas, aga ma vist kuulsin, et elutoas mängis teler. Mäletan ähmaselt, kuidas ta hiljem tuppa tuli, kuid ma polnud kindel, mis kell. Ma polnud isegi kindel, mis päev siis oli, sest aeg tundus kõik ühte jorusse sulavat. Kui Poppy uinus, siis jäin minagi magama, ja kui ma kell 6 ärkasin, oli kõik veel vaikne. Mu esimene mõte oli: *Jess! Ta magas üle viie tunni*, ja teine mõte: *Issand, kas ta ikka hingab?*.

Kallutasin end üle korvhälli serva ja nägin roosat tekki ning musliinrätti. Püüdsin hämaras kuulatada lapse nohisemist, aga ainsaks heliks oli varahommikune lindude säutsumine. Püüdsin silmi hõõrudes nägemist teravdada, kuid mu silm ei seletanud veel hästi. Nägin küll tekki ja rätti, aga need paistsid liiga madratsi ligi, nagu beebit polnudki teki all. Kargasin tikksirgelt istukile ja katsusin käega voodit – ase oli külm ja keegi ei liigutanud.

Jooksin ukse kõrval oleva lambilüliti poole, aga jalad olid nagu vatist, sest adrenaliin polnud veel verre jõudnud.

„Mis pagan …?" karjatas Adam, kui tuba lõi kiiskavalt valgeks. Ahmisin tühja hälli juurde jõudes õhku. „Laps! Kus laps on?"

„Mida?" kostis Adam, veel segaduses ja valgusest pimestatud.

„Teda pole siin. Poppyt pole!" karjusin nuuksudes, kui püüdsime korraga magamistoa uksest välja trügida. „Pammie! Poppy!"

„Ema?" hüüdis Adam, hüpates alla vahemademele ja sealt edasi külalistetuppa. Ülevalt trepilt nägin, et kardinad olid akna eest ära tõmmatud ja voodi korda tehtud ning tühi.

Vajusin põrandale. „Ta on lapse ära varastanud!" ulgusin.

Adam tuiskas minust mööda elutuppa ja kööki, aga ma teadsin, et Pammiet pole. Tundsin seda.

„Ta on lapse ära varastanud," halasin üha uuesti ja uuesti.

Adam tuli minu juurde ja tiris mu kõvasti käsivartest hoides püsti. „Võta end kokku," nähvas ta.

Soovisin, et ta oleks mulle vastu vahtimist andnud ja mu kannatused lõpetanud. Et võiksin meelemärkusele tulla siis, kui see õudusunenägu on läbi ja Poppy jälle turvaliselt mu käte vahel.

„Vastik vanaeit!" karjatasin. „Ma teadsin, et ta midagi sellist teeb. Seda ta ongi kogu aeg plaaninud."

„Jumala pärast, võta end kokku," kordas Adam.

„Ma ütlesin sulle. Ütlesin sulle, et ta on psühh. Sa ei uskunud mind, aga mul oli õigus, näed nüüd?"

„Rahune maha ja vaata, mida sa suust välja ajad," ütles ta. „Ma hoiatan sind."

Ta helistas Pammie telefonile, kuid keegi ei vastanud.

„Helista politseisse," nõudsin käheda häälega. „Helista kohe praegu sinna kuradima politseisse!"

„Kuula nüüd ennast!" kärkis ta. „Me ei helista politseisse. Vanaema viis oma lapselapse õue. See pole kuritegu."

Istusin diivanile ja puhkesin hüsteeriliselt nutma, öösärk rinnast immitsevast piimast märg.

„Ta kavatseb midagi jubedat teha, ma tean seda. Sa ei tea, milleks ta võimeline on. Ma vannun, jumala nimel, kui ta teeb Poppyle viga, siis ma tapan ta."

Kõik kuhjunud emotsioonid tõusid nüüd pinnale: viha, valu, aga ennekõike hirm. Hirm, mida olin endas kandnud sellest peale, kui avastasin, mis oli Rebeccaga juhtunud. Pammie oli inimene, keda ma maailmas kõige rohkem vihkasin – ja kõige rohkem ka kartsin.

„Sa pead ta leidma, Adam, ma vannun, jumala nimel ..."

„Keda sa ähvardad?" sisises Adam, nägu mu näo lähedal . „Ma ei kavatse su psühhootilist jaburdamist kuulata, rahune kõigepealt maha."

Vaatasin abitult, kuidas ta tõmbas teksad jalga ja T-särgi selga. „Kuhu sa lähed?"

„No ta ei saanud ju väga kaugele minna? Ilmselt tuleb peagi välja, et ema läks lapsega jalutama. On see vast alles üllatus, või mis?"

„Ta tegi seda meelega!" lõugasin Adamile järele, kui ta kiiruga, kaks astet korraga võttes, trepist alla tormas. „Loodan, et oled nüüd õnnelik! Sina ja su haige perekond."

Tuiasin korteris rahutult ringi, oodates, et Adam helistaks, ent mida kauem ta ära oli, seda enam olin ma veendunud, et Pammie on lapsele viga teinud. Suutsin ette kujutada vaid, kuidas Pammie kiigutab Poppyt kätel, korrutades talle, et kõik saab korda, samas teades vägagi hästi, et nii see ei lähe. Adami mobiil suunas mu kõneposti ja ma viskasin telefoni pettumusest kisendades vastu seina.

„Kus sa ometi oled?" oigasin põlvili langedes. Tõmbasin end vaibal kerra ja lebasin seal. Tundsin tol hetkel maailma suurimat valu.

Ma ei tea, kui palju aega niimoodi möödus, kui järsku mu telefon helises ja ma roomasin käpakil sellele vastama – ekraanil jooksid suured praod. „Kas temaga on kõik korras? Kas ta on sinuga?" ähkisin. Ootasin hinge kinni hoides vastust.

„Muidugi on ta minuga," lausus pärast pikka pausi Pammie.

Tõusin istukile, süda tagus topeltkiirusel. Olin eeldanud, et kuulen Adami häält ja ehmatasin end kangeks.

„Too ta tagasi," kähistasin, hambad ristis. „Too ta kohemaid tagasi!"

Pammie naeris üleolevalt. „Või muidu?"

„Või ma tapan su," vastasin ähvardavalt. „Sul on viis minutit mu laps siia tagasi tuua või ma helistan politseisse, ja sel juhul oleks parem, kui nemad saaksid su enne kätte kui mina."

„Heldene aeg," sädistas ta. „Ma ei mõista, miks sa nii endast väljas oled? Kas sa ei saanud mu sõnumit, mille saatsin?"

„Mis sõnumit?" karjusin.

„Oota," ütles ta. Kuulsin telefonist tilinat. „Seda."

Suutsin mõranenud ekraanilt välja lugeda teksti: Ei tahtnud teid üles ajada. Poppy on ärkvel, viin ta Greenwich Parki. Lasen teil hommikul voodis lesida. Armastusega Pammie x

„Sa saatsid selle just praegu," sisisesin.

„Ei, kullake, saatsin selle umbes tund aega tagasi, enne korterist väljumist. Ma ei tahtnud, et sa muretsema hakkaksid. Võibolla see ei tulnud kohe läbi."

Vahtisin tühjal pilgul telefoni. Mul polnud sõnu.

„Igatahes me tuleme nüüd tagasi, peaksime kümne minuti pärast kohale jõudma. Laps on selleks ajaks kindlasti juba näljane."

Kõne katkes, ma põimisin käed põlvede ümber, kiigutasin end edasi-tagasi ja mõtlesin, et hakkan vist hulluks minema.

Veidi aega hiljem kuulsin Adamit tümpsuval sammul trepist üles tulemas. Ma ei teadnud, kas möödunud oli kümme minutit või kümme tundi. „Neist pole jälgegi, aga sellel on kindlasti mõni mõjuv põhjus."

Ta vaatas mind põrandal piimast, pisaratest ja meelesegadusest nõretamas. „Nad tulevad koju," laususin vaikselt.

Nägin, kuidas ta õlad lõdvestusid pingelangusest, tõestades, et ta polnudki nii tuim kui paistis. „Kus nad on?" küsis ta hingetult.

„Greenwich Parkis. Näib, et Pammie tegi meile teene." Tõin kuuldavale kuiva naeru. „Kes oleks osanud arvata, et su ema võib nii hoolivalt käituda? Võtta meie voodi kõrvalt lapse ja kaduda."

„Minu arust oled sa juba piisavalt öelnud," haugatas Adam. „Mine tee end korda."

„Kontrolli ennast," korrutasin endale, pritsides kraanist külma vett paistes näole. Aga selleks ajaks kui sain end kuivatatud, voolasid juba jälle pisarad mööda põski. Keda ma lollitan? Ma ei kontrolli end – see naine kontrollib, nagu on alati teinud. Peitsin näo veel korra rätikusse, püüdes vaprust koguda. „Lõpeta, Emily," laususin valjult. „Nüüd aitab."

Kuulsin juba enne Poppy nägemist tema nuttu ja sööstsin heli suunas trepist alla. Pammie seisis lävel täiesti muretu näoga, Poppy toetumas ta õlale. „Usun, et preilike tahab süüa," muigas ta.

„Kao mu majast," sisistasin.

„Kuidas palun?" Ta puhkes järsku kõva häälega töinama. Ja Adam tuli kiiruga trepist alla. „Mis toimub?"

„Oh, kullake, anna andeks," ütles Pammie. „Ma ei tahtnud probleeme tekitada. Arvasin, et olen teile abiks …"

Ta vaatas poega anuvate silmadega, et poeg teda usuks, ent mulle oli selge, et juba uskuski.

Krahmasin Poppy ta käest ja läksin ülakorrusele. „Kui ma uuesti välja tulen, olgu see moor siit läinud," kähvasin Adamile.

Tormasin magamistuppa, lõin ukse enda järel pauguga kinni, panin Poppy rinna otsa ja tihkusin nutta, kuni enam ei jaksanud.

42

Pammie külaskäigust kuni Jamesi ja Kate'i pulmadeni ei vahetanud me Adamiga kaks nädalat peaaegu sõnagi. Oleksin tahtnud talle kõik puust ja punaseks selgeks teha, kõik hinge pealt ära rääkida, aga kui sirvisin mõttes läbi kõik senised juhtumised, taipasin, et see naine oli teinud kõik, et paistaksin igal juhul õela paranoilise valetajana. Absoluutselt kõikidel puhkudel oleks minu sõna tema sõna vastu ja mu väited mitte ainult ei jätaks minust kibestunud muljet, vaid kujutaks hoopis mind ennast psühhopaadina. Ma ei saanud sellega riskida – pidin nüüd mõtlema Poppyle.

„Ma ei tule," ütlesin, kui Adam frakki selga sättis.

„Olgu," ühmas ta. „Aga ma võtan Poppy kaasa."

Mu jalad hakkasid värisema. Seda kartsin ma kõige enam.

„Sa ei taha teda sinna kaasa," püüdsin Adamit veenda. „Lapsega oleksid sa kogu aeg hõivatud, kuid sa peaksid tänast päeva nautima. On ju ikkagi su venna pulmad."

Ta raputas pead, nööpides särki kurgu alt kinni. „Sina võid teha, mida tahad, aga ma võtan lapse kaasa."

Oli välistatud, et ta Poppy ilma minuta sinna viiks. Läksin vastutahtsi riidekapi juurde ja valisin välja lillamustrilise kleidi, mis oli ikka veel keemilisest puhastusest tulnud kileümbrises.

Olin seda varem vaid korra kandnud, raseduse algusajal, ja selle kohendatav vöökoht võimaldas mul piisavalt oma beebijärgse kõhukesega mängida, et ma ei paistnud liiga paks.

„Kas see sobib?" küsisin Adamile kleiti näidates, teades, et pidin kena välja nägema. Kui ma pean terve päeva tema pere seltsis välja kannatama, siis on vaja, et ta vähemalt räägiks minuga.

Ta noogutas ning muigas, kuigi ma ei saanud täpselt aru, kas enesega rahulolust või kergendusest.

Autos teel sinna ajasime pinnapealset juttu, kommenteerides naeruväärselt tühiseid asju nagu ilma ja kinnisvara hindu. Kõnniteel seistes vaatasin, kuidas ta tõstis Poppy turvahällist välja, siis võttis ta mul käest ning me kõndisime koos kiriku poole. Lubasin endale põgusa naeratuse mõttest, et Pammie näeb nüüd, kui tugev meie tandem on, kuigi mul endal sellesse suurt usku polnud.

Nagu oligi oodata, hakkas ta nägu tõmblema, nähes meid tema ja Jamesi poole tulemas, ja ta käed olid poja embamiseks juba õieli. Meie aga ei teinud teineteisest väljagi.

„James," poetasin kalgilt. Ta vastas kohmetu põsemusiga.

„Hei, suur mees," tervitas ta Adamit ja surus vennal kätt.

„Oled närvis?" küsis Adam.

„Hirmul," naeris James.

„Kuidas Kate'il läheb?" uuris Adam.

Vastust ma ei kuulnudki. Mõtlesin e-kirjale, mis ootas mu mustandikaustas.

Kallis Kate!

Anna andeks, et sulle kirjutamine on mul nii palju aega võtnud, aga olen püüdnud leida õigeid sõnu, mida öelda.

Me vaevu tunneme teineteist, ent meil on siiski nii palju ühist. Praeguseks sa ilmselt juba tead, et end Bankside perega sidumisega kaasneb probleem, mida ei tohiks iial alahinnata.

Sinu armastus Jamesi vastu pannakse ikka ja jälle proovile ja su teele seatakse pidevalt lõkse. Ükski kivi ei jää tagurpidi pööramata, et püüda sind tema elust välja peletada. Ükski tegu pole liiga õel, et sind maha teha, sind heidutada ja tekitada sinus tunnet, et oled väärtusetu.

Veel pole liiga hilja mõista, et sa teed vea. Ütlen seda vaid su enda pärast. Lõpeta see suhe, kuni veel saad.

Emily x

Mulle meenusid need korrad, kui olin valinud Kate'i numbri, aga katkestanud kõne kohe, kui ta häält kuulsin. Ma tahtnuks olla talle toeks, öelda talle, et mõistan kõike, mida ta läbi elab, tahtnuks aidata teha lõppu põrgule, mida ta kindlasti juba koges. Aga ma olin liiga nõrk. Ma ei tahtnud, et ta õnne mürgitataks, nagu oli tehtud minuga. Ma ei tahtnud, et ta loomus tundmatuseni muutuks. Minu jaoks oli liiga hilja ja Rebecca jaoks ammugi, ent Kate'i võiksin ma veel päästa, kui vaid leiaksin selleks jõudu.

Kirikuõpetaja sõnad kõlasid nagu arusaamatu vulin, justkui oleks ta rääkinud vee all. Aga võib-olla olin hoopis mina see, kes oli uppumas.

„Kui keegi kohalviibijatest teab mõnd seaduslikku takistust sellele abielule, siis öelgu ta seda praegu."

Toetusin Adamile, kuna mu jalad ähvardasid nõrkeda, ja nõjatusin tema trimmis käsivarrele, tehes näo, et kõik on kõige paremas korras. Ta tundis mu keha raskust ja pööras minu poole, kergitades murelikult kulme, ent ma lihtsalt naeratasin talle jõuetult vastu. Tal pole aimugi, mis mõtted mind painavad ning ihkavad meeleheitlikult avalikuks saada, et vabastada mind lämmatavast kibestumusest ja pettumusest.

Tundsin, kuidas veri tulvas kohutaval kiirusel pähe, nii et mu kael ja nägu hakkasid järsku põletavalt kuumama.

318

Palusin mõttes, et keegi kuskil tõuseks püsti ja teataks põhjuse, miks seda liitu ei tohiks sõlmida. Aga kuulda polnud midagi peale karjuva vaikuse.

Sajapealisest laulatusele kogunenud rahvahulgast kostis piinlik köhatus – kahtlemata keegi, kelles sunnitud vaikus tekitas eba-mugavust, ja sellele järgnes tasane naerukihin, kuid mu kõrvus kohises nii kõvasti, et kuulsin seda vaevu.

Langetasin pea ning uurisin pulmalehte oma värisevate käte vahel. Üleval keskel oli kaunilt hõbedases kursiivkirjas trükitud nimed *Kate & James*, kuid nende pilt selle all ujus mu silme ees ja näod olid nagu udukogud.

Kabelis kaikus ikka veel kõrvulukustav vaikus ning sekundid venisid nagu tunnid. Nüüd oleks õige aeg! See on mu ainus või-malus. Ma saaksin selle peatada, enne kui on liiga hilja. Tundsin adrenaliinisööstu mõttest, et kohe-kohe astun selle sammu. Vaa-tasin ringi, silmitsesin meest enda kõrval, meie last tema kätel, noorpaari sõpru ning sugulasi, kes olid selleks tähtsaks sünd-museks kokku tulnud ning jälgisid nüüd härdalt, uhked naeratu-sed näol, tseremooniat.

Pöörasin nagu kõik teisedki pilgu Kate'ile, kel jätkus silmi vaid oma peigmehele. Ta naeratusest oli näha, et ta tundis end kui omaenda loodud muinasjutu printsess. Jamesi sügavsinised silmad olid naelutatud pruudile ja ma tundsin südames torget.

Mul oli piisavalt aega, et nende abiellumist katkestada. Takis-tada nende suhtel selle kulminatsioonini jõudmast. Kate väärib tõde. Minu kohus peaks olema teda aidata.

Aga ma polnud piisavalt julge enne, ja ma pole piisavalt julge nüüdki.

Kirikuõpetaja köhatas kurgu puhtaks, et jätkata, ning Kate piilus häbelikult ringi ja tõi siis kuuldavale ülisügava kergendus-ohke. Külalised kihistasid naeru ning Jamesi pinges olek lõdvenes

319

silmanähtavalt. Õige hetk oli möödas, ja koos sellega ka mu viimane võimalus.

Sopran laulis hingestunult „Jeruusalemma", päikesevalgus voogas läbi vitraažakende ja ma tajusin saja inimese pettumust mõttest, mida kõike muud võiksid nad sel ebatavaliselt soojal ja helgel aprillikuu päeval teha. Sest hoolimata sunnitud naeratustest on laulatusega alati seotud ka teatav vastumeelsus.

Me kõik tormame seda armastuse ja pühendumuse kinnitamist toetama, ent teeme seda siiski pinnapealselt ja tõtt-öelda pigem kohustusest kui siirast soovist. Alati oleks päikeselisel pühapäeva pärastlõunal teha midagi etemat kui veeta seda pikaks venival õhtusöögil igava võõra kõrval istudes. Eriti kui võtta arvesse, et selleks tuleb kulutada raha, mida meil ülearu pole, rõivaste peale, mida kanname vaid korra, ja kõige odavamale kingitusele, mille suudame hirmkallist John Lewise poe kinginimekirjast leida.

Võisin sõna otseses mõttes tunda, kuidas mind ümbritsevatest inimestest õhkus armukadedust ning ebakindlust. Pole kahtlustki, et kuskil kirikupingil istub keegi, kes sõbrustab ikka veel peigmehe endise tüdrukuga ja heitleb oma südametunnistusega, kas ta üldse peakski siin olema. Kindlasti on nende seas ka naine, kes on olnud oma partneriga koos palju kauem, kui oleks vaja abieluettepaneku väljateenimiseks, ent ettepanekut pole siiani. Seal on ilmselt ka paar, kes silmitseb pruuti igatsevalt, kumbki ihaldades tema keha, kuigi täiesti erinevatel põhjustel; ja on ka paljud, kes meenutavad aega, mil oli olnud *nende* päev, *nende* kuni-surm-meid-lahutab, ja mõtlevad, mis hetkest kõik valesti läks.

Ent täna on siin ka keegi, kes tajub kõike seda palju teravamalt kui ükski teine inimene. Kes surub alla kõrvetavat valu rinnus, kui kirikuõpetaja kuulutab Kate'i ja Jamesi meheks ja naiseks, ning naeratab sulnilt, kui noorpaar suudleb.

Adam võttis mu käe pihku ja pigistas seda ning ma surusin neelatades alla kurgupõhjas tulitavad pisarad. Aasta tagasi oleks pidanud olema meie päev, *meie* kuni-surm-meid-lahutab, ja ma teadsin täpselt, miks kõik valesti läks.

Vaatasin Pammiet, kel oli seljas vaarikaroosa satäänkleit ja sellega kokku sobiv lühikeste varrukatega jakk ning kes kõigutamatu naeratusega mängis ideaalset peiu ema. Ihkasin näha ta valu, teada, et oma noorema poja abiellumist vaadata oli tema jaoks tapvalt piinarikas, ent tal oli nagu mask näole kleebitud.

Soovisin, et oleksin oma tundeid paremini varjanud, kuid need hakkasid üha enam välja paistma ja ma ei suutnud end talitseda. Ma nutsin, kui James ja Kate teineteise käevangus minust möödusid – olin armukade, kuna nende liit oli pühitsetud, ning tundsin hirmu enda ja Adami tuleviku pärast.

Isegi kui Kate millegi pärast muretses, ei näidanud ta seda välja, kui Pammiet kiriku ees soojalt kallistas. „See oli imeilus," nuuksus Pammie. „*Sina* oled imeilus," lisas ta, silitades Kate'i põske.

Kate naeratas ja embas teda veel kord. „Las ma tutvustan sind kõigile," lausus ta, võttis Pammiel käest ja suundus kõige suurema seltskonna poole, kes kohal oli.

Sellest hetkest ei näinud ma Kate'is enam kaaskannatajat, ainsat hinge, kes võis mind tõesti mõista – nüüd oli ta keegi, kes on vastaspoolel, *tema* poolel, ja ma tundsin end järsku jube üksildasena.

Adam naeratas terve päeva jooksul mulle alati õigetel hetkedel, aga iga kord, kui avanes võimalus, eemaldus minust võimalikult kaugele. Ma klammerdusin Poppy, oma sotsiaalse barjääri külge, ja kasutasin teda ebamugavatest olukordadest kõrvale põiklemiseks. Adami tädid ja nõod käisid last ninnutamas ning pärimas, kas uus pulmakuupäev on juba paika pandud.

„Ei, veel mitte," korrutasin ma nagu lindilt. „Loodetavasti varsti, lihtsalt meil on praegu niivõrd palju tegemist."

„Jajah, seda on näha," vastas Armas Linda, Pammie õde. „Aga hoiame pöialt, et selleks ajaks oleks kindel, et Pammie on haigusest jagu saanud. Siis on meil tõepoolest, mida tähistada."

„Kuid ta kuulutati ju juba mitu kuud tagasi vähist vabaks," laususin segaduses.

Linda krimpsutas nägu, nagu oleks ta midagi valesti teinud. „Vabandust, ma arvasin, et sa tead ..."

„Tean mida?"

„Et see on tagasi. Ma poleks pidanud suud paotama ..."

„See peab nüüd küll nali olema!" Hakkasin naerma. Nii et ta püüdis siis sama trikiga ka Jamesi ja Kate'i pulmi takistada? Tundsin haiglast rahuldust, et seekord pole asi isiklik, ent samas – kui naeruväärne oli minust nii arvata. Kuidas saab kas või mingigi selle naise tegu *mitte* olla isiklik?

Müts maha Kate'i ja veel enam Jamesi ees, et nad ei lasknud Pammiel oma erilist päeva oma alatute väljamõeldistega rikkuda. Tundsin end puudutatuna, ja kui päris aus olla, siis natuke kadedanagi, et James oli Kate'i eest välja astunud ja ignoreerinud Pammie õelat katset nende õnne väärata. Ta seisis oma emale vastu – tegi seda, mida palju kuid tagasi oleks pidanud tegema Adam.

„No mis tal siis seekord on?" küsisin.

Linda näis mu järskst toonist pisut rabatud. „See on kopsudes."

„Ja kui kaua arstid talle aega annavad?" jätkasin irooniliselt.

„Ei annagi," kõlas napp vastus. „Ta saab ravi ja eks siis paistab, mis edasi. Vabanda mind nüüd ..."

„Muidugi," laususin teda pilguga saates. Võib-olla *on* asi minus. Võib-olla asi polegi Pammies. Mis siis, kui asi *ongi* minus? Või veel hullem, mis siis, kui Pammie on pannud mind uskuma, et asi on minus?

Läksin Kate'i juurde, kes oli igati täiuslik ja tasemel mõrsja, liikudes vilkalt ringi ning tänades õnnitlejaid heade soovide eest.

Mõtisklesin, kui veider see on: külalisena ei taha sa liiga palju pruudiga suhelda, sest tunned, et hoiad teda millestki või kellestki palju tähtsamast eemale, tema aga tunneb end pidevalt tõrjutuna, käies ühe juurest teise juurde ja kuuldes igaühelt, et nad ei taha tema aega kulutada. Koputasin Kate'ile õlale ja ta pööras üllatunult ringi, aval naeratus näol.

„Sa näed jalustrabav välja," märkisin, kuigi teadsin väga hästi, et ta oli seda täna ilmselt juba tuhat korda kuulnud ja see hakkas kulunult kõlama.

„Aitäh," ütles ta, välgutades oma täiuslikke valgeid hambaid. „Kas see on väike Poppy? Oi, ta on nii armas."

Nüüd, kus ta lõpuks minu ees seisis, oli mu suu nagu vett täis. Kuidas panna sõnadesse kõik see, mida pidasin vajalikuks talle öelda? Ja üldse, kas nüüd pole juba liiga hilja?

„Kate … Anna andeks, et ma pole viimastel kuudel sinuga suhelnud. Oleksin pidanud sind vägeva Bankside perekonnaga liitumisel rohkem toetama."

Ta naeris. „Ah, ole nüüd, sul on endalgi rohkem kui küllaga tegemist olnud, ja pealegi, Pammie on olnud suurepärane. Temast oli tohutult abi, eriti kuna mu enda pere on Iirimaal."

Ilmselt toimus mu näoilmes kummaline muutus, sest ta küsis: „Mis? Mis viga?"

„Vabanda, kas me räägime ikka samast inimesest?" kostsin naerdes.

„Mm, jah, ma arvan küll," oli ta segaduses.

„Pammie on olnud suurepärane, tõesti?" ei suutnud ma uskuda. Tajusin, kuidas Kate võttis kaitsva hoiaku.

„Jah, on küll. Kui aus olla, siis ma ei tea, mida ma oleksin ilma temata teinud."

Kas see on mingi nali? Olin kujutlenud, et me saame salaja kokku, kui ta on mesinädalatelt tagasi, arutamaks ühel meelel

323

ja keelel, mida Pammie suhtes ette võtta, kuidas mitte lasta tal endast üle sõita ... aga Kate'i jutust jäi mulje, nagu võtaks ta Pammie meeleldi isegi nende pulmareisile kaasa.

„Mida, ta on sind aidanud, ilma intsidentideta?" Mulle ei jõudnud see päris hästi kohale.

„Intsidentideta?" küsis ta. „Ma ei saa vist päris hästi aru, mida sa silmas pead."

„Pammie on sind aidanud, siiralt aidanud? Halvustamata ja märkusi tegemata? Tekitamata sinus tunnet, et hakkad hulluks minema?"

„Aa, ma tean, millest sa räägid!" naeratas ta, justkui oleks viimaks taibanud.

Uuh, jumal tänatud.

„Ausõna, ma arvasin, et hakkan mõistust kaotama," lausus ta. „Kui ma läksin oma kleidile järele ..."

Noogutasin julgustavalt, kannustades teda jätkama. „Nii?"

„Ulatasin poes oma krediitkaardi, aga mulle öeldi, et kleidi eest on juba tasutud. Kinnitasin neile, et ei, kohe kindlasti pean ma maksma, aga nad ei teinud kuulmagi. Tundsin end nagu mingi suli, kui sealt lahkusin, 1500-naelane kleit üle käe. Ma ei suutnud välja nuputada, mida see tähendab, aga kui samal pärastlõunal Pammiele helistasin, ütles ta, et see on tema kingitus. Täiesti uskumatu!"

Minu arvates samuti. Seisin ammuli sui paigal, tema aga jahvatas edasi.

„Me püüame üle nädala laupäevahommikuti kokku saada, joome kohvi ja näksime midagi. Sa võiksid meiega ühineda, kui mahti leiad. Me teame, et sul on palju tegemist."

Me? Mul ei tuleks iial mõttessegi, et kasutaksin seoses Pammiega sõna „meie". „Kas ta vahel räägib midagi? Minust, ma pean silmas?"

Kate paistis kimbatuses olevat. „Mis mõttes?"

„Mis tahes. Kas te räägite minust? Mida ta räägib?"

„Ainult seda, et sa oled Poppyle väga hea ema. Ta armastab Poppyt."

Noogutasin. „Suurepärane, hästi, helista mulle, kui olete mesinädalatelt tagasi, ja me võiksime trehvamiseks mingi aja kokku leppida."

„Äge," kostis ta, tõstis loorisaba üles ja hõljus minema.

Otsisin pilguga Adamit. Aeg oli juba hiline ja Poppyl kohe uneaeg. Me hotellituba oli siinsamas teisel pool hoovi, aga kuna olime viimased paar nädalat hädavaevu suutnud korteriski teineteist taluda, ei kujutanud ma ette, et ühe toa jagamine võiks eriti tore olla.

„Kas otsid Adamit?" küsis James minu juurde astudes.

„Jah," vastasin otsekoheselt.

„Viimati, kui teda nägin, läks ta aeda," ütles ta. „Ilmselt suitsu tegema."

Peatusin järsult ja vaatasin talle otsa, nagu ajaks ta udu. „Naljakas, ma ei teadnud, et ta suitsetab."

„Sa ei tea temast palju asju," lausus ta tasakesi.

Ignoreerisin seda märkust ja hakkasin terrassilt aia suunas minema, tajudes, et James järgneb mulle. Õues oli pime ja ma tõmbasin Poppyle teki tihedamalt ümber. Päevad olid aprilli kohta soojad, aga õhtud ikka veel jahedad.

Vasakul tegid mõned pidulised õrnalt valgustavate laternate all suitsu, kuid Adamit nende seas polnud. Pöörasin paremale, möödusin treppi kaunistavatest veesülititest ja suundusin pimeduse poole, kui järsku sikutas James mind käsivarrest. „Lähme parem sisse tagasi, külm on."

Raputasin end ta haardest lahti ja trampisin pimesi edasi. Ma pidin hoidma temaga võimalikult suurt distantsi. Nägin hekilabürindi sissepääsu, mille ees päeval olid järjekorras seisnud külastajad, kes maksid sinna sisenemiseks hingehinda. Ma ei teadnud, kuhu kavatsesin sealt edasi minna. Tundsin, kuidas mu silmad valgusid vett täis ja ma kallistasin Poppyt tugevamalt, lootes asjatult, et tema suudaks pisarad ära võtta.

„Oota palun üks hetk," hüüdis James mulle järele.

Pöörasin ringi. „Palun, James ..."

Ma arvan, et tema kõrvu jõudis pukspuuhekist labürindi seinte vahelt kostuv naer esimesena.

„Kuule, Em, lähme õige majja tagasi," keelitas ta vaikselt. „Poppy võib siin väljas külma saada."

Vaatasin last, kes mu süles sügavalt magas ja teadsin, et Jamesil on ilmselt õigus, ent ma ei suutnud end lahkuma sundida.

„Tss!" ütles kriipiv naisehääl. „Mu king on kadunud."

Uus naerupahvak.

„Leidsin, juba leidsin," kõlas joobnud kilge.

„Säti ennast korda," kostis mehehääl. „Sa ei saa siit nii välja minna, alukad pahkluudeni maas."

Edasi kulges kõik justkui aegluubis. Mu jalad nõrkesid ja ma tõmbusin vaistlikult ümber Poppy kägarasse, et teda kaitsta. Maailm mu silme ees lõi kirjuks ning ma hakkasin mingisse sügavikku vajuma. Pigistasin silmad tugevasti kinni ja püüdsin kujutleda, et mul on klapid kõrvadel ja et ma tegelikult ei kuulnud seda, mida kuulsin. Soovisin, et mu ajju jõudnud lausekatked laguneks dešifreerimatuks tähehunnikuks ning tuvastatud tuttav hääl asenduks tundmatuga. Olin põlvist nõrk ja teadvust kaotamas, ent seda siiski ei juhtunud. Avasin silmad ja nägin Jamesi ainitist pilku, kes mind ja Poppyt kinni hoidis.

„Viime su siit ära," pakkus ta.

„Ei," laususin hingetult. „Ma tahan siin oodata. Ta nägu näha."

„Palun, Em," anus James. „Sa ei pea seda tegema. Palun tule sisse tagasi."

„Sina ära tule mulle ütlema, mida ma pean või ei pea tegema," karjusin. Ta sirutas mu poole käe, ent ma lükkasin selle eemale.

Oli see siis pimedusest või joodud alkoholist, aga Adamil kulus labürindist välja tuigerdades mõni hea hetk, enne kui ta taipas, et tema ees seisan mina. Vaatasin täiesti tuimalt, kuidas ta ajusid ragistas, et asjast sotti saada.

„Em?" kohmas ta pehme keelega. Silmitses siis oma sasitud välimusega kaaslannat, kelle juuksed olid ehmatusest püsti ja rinnahoidja paelad lotendasid poolel käsivarrel. See naine oli üks pulmakülalistest. Ainult et päeval nägid ta uhke satäänkleit ja peen soeng šikid välja. Nüüd oli riie puusade ümber kortsus ja huulepulk üle näo laiali.

„Mis sa siin väljas teed? Poppy külmub kringliks."

Kui ma poleks oma tütrekest süles hoidnud, oleksin Adamile laia kaarega vastu vahtimist andnud. „Kui armas," kommenteerisin jäiselt. „Nii hooliv."

„Tere," kostis naine tema kõrval, vaarudes käsi pikalt ees minu poole. „Mina olen ..."

„Lõpeta ära," nähvas Adam talle.

„Ei, sellest pole midagi," ütlesin. „Äkki sa tutvustaksid mind oma sõbrannale?"

„Jäta järele, Em," lausus ta.

„Pagan võtaks, tutvusta mind oma sõbrannale," sisisesin.

„Ee ... see on ... see on ..."

„Ah, ära ütle, et ..." lalises Adami silmarõõm joobnult, „need on su naine ja laps." Ta puhkes kõkutades naerma. „Oleks see vast lugu, või mis?"

Vaikisin nagu haud.

„Oih, issake, päriselt ka või?" hakkas päevselge talle lõpuks koitma.

„Ma kardan küll," märkisin kuivalt.

„Sorri," pomises näitsik mokaotsast ja koperdas minema. Vahtisin ükskõikselt, kuidas ta vinta-vänta üle muruplatsi taarudes tagasi hotelli läks.

„Kas kõik su vallutused peavad sellises konditsioonis olema?" kommenteerisin kalgilt.

„Em, lähme sisse tagasi," püüdis James mind küünarnukist hoides minema juhtida. Ma jäin kivikujuna paigale.

„Usu või ära usu, tegelikult tahavad mõned kained naised kah minuga keppida. Erinevalt mu kihlatust." Viimase sõna juures tegi Adam sõrmedega jutumärgiżesti.

„Hüva, nüüd aitab, Adam," sekkus James. „Emily, lähme."

Ma rapsisin end ta haardest lahti. „Nii et neid on rohkem kui üks?"

Adam naeris. „Mis sina siis arvasid, kuidas asjalood olema peaks? Sa pole mind juba kuid endale ligi lasknud. Kes ma sinu arust olen, munk või?"

„Käi kuradile!" karjusin, pöörasin ringi ja kõndisin minema.

„Suurima heameelega," hõikas ta mulle järele.

„Mul on kahju, et sa pidid seda nägema," lausus James.

„Kas sa võiksid mulle takso kutsuda, palun?" ütlesin väsinult. „Ma tahaksin Poppy koju viia."

43

Pippa oli mu kaljukindel tugi järgmised viis päeva, kuni ma üritasin läbi hammustada, mida Adam oli teinud ja mida see tegelikkuses tähendas. Varem ma põlastasin naisi, kes oma partneri petmise avastades ütlesid midagi sellist, et *Ma lihtsalt ei osanud seda oodata. See pole üldse tema moodi.*

Tundsin neile kaasa, et nad nii pimedad olid. Ent siin ma nüüd olen, mõtlen täpselt samamoodi. Ma ei osanud kuskilt otsast sellele läheneda. Meil oli viimasel ajal keeruline, nii Pammie kui ka lapse pärast, aga ma poleks iial arvanud, et olime jõudnud sellisesse faasi, et ta nii kergelt riskiks kõige tuulde laskmisega.

„Mida sa kavatsed teha?" päris Pippa mustmiljonendat korda. „Mida sa *tahad* teha?"

„Mida ma *tahan* teha ja mida ma *peaksin* tegema on kaks täiesti erinevat asja."

Ta teadis, mida ma silmas pidasin. Meil oli olnud teemal „Mida sa teeksid, kui su peika paneks kõrvalt?" nii palju vestlusi, et neist piisaks terveks eluks. Kuid uskudes, et midagi sellist ei juhtu, oli märksa lihtsam moraalistandarditest vahutada ja kuulutada, et kui ta peaks seda tegema, oleks kõigel lõpp, sa lõpetaksid suhte. Nüüd aga, kui kõik on päriselt rappa läinud, olles seda meest armastanud ja uskunud, et veedan temaga kogu oma ülejäänud elu, ei ole miski enam järsku nii mustvalge.

„Asi pole mitte niivõrd selles, mida ta tegi, vaid kuidas ta seda tegi," laususin ma.

„Kas sel on vahet?" küsis Pippa. „Petis on petis."

„Mulle tegi haiget, kuidas ta minuga rääkis, kuidas ta vihjas, et neid on olnud rohkem. Palju rohkem. Miks ta pidi nii julm olema?"

„Ee ... sest ta on esmaklassiline kiimakott?"

„Kuidas see sai jälle minuga juhtuda?" soigusin. „Milline lollpea ma olen olnud!"

Pippa pani lohutavalt käe mulle seljale. „Mitte sina ei ole lollpea," ütles ta. „Kui ta on nii pime ega näe, mille kaotamisega ta riskib ..."

„Mida ma nüüd edasi teen?" küsisin.

„Kas sa armastad teda?"

„Muidugi armastan, aga ma ei lase endale pähe astuda. Kui ma ta tagasi võtan, siis ainult teatud tingimustel."

„Sa ei tohi teda tagasi võtta! Ei tohi."

„Aga ma pean Poppy peale mõtlema," väitsin. „Ma ei saa enam ainult endale mõelda. Laps vajab isa."

„Em, kui aus olla, siis ma arvan, et ta on ilmselt juba pikka aega üle aisa löönud," märkis Pippa.

Noogutasin nukralt. Teadsin, et tal oli õigus, kuid ei tahtnud seda siiski tunnistada. Mõtlesin kõigile neile „poiste neljapäevaõhtustele väljaskäimistele" Citys.

„Üks on kindel," teatas Adam üsna varsti pärast me käima hakkamist. „Neljapäevaõhtud on nagu aamen kirikus. Neid ei saa väärata elu, armastus ega ka surm."

Tollal ajas see mind naerma ja ma ei arvanud sellest suurt midagi. Teadsin, et City kutid tegidki nii, aga äkki oli ta kogu

330

selle aja hoopis teiste naistega kohtunud? Kas ta läks neljapäeviti mõne kindla naise juurde ja nad olid siis kahekesi rõõmsalt kuskil koos, rahul, et saavad ühe õhtu nädalas teineteisega veeta? Sageli ei jõudnud Adam koju enne kella kolme hommikul, kuid ka kõige hullemas stsenaariumis arvasin, et ta lööb oma kallist raha laiaks stripiklubis, mitte mõne naise käte vahel. Ent kui see oli nii, siis miks ta mind lihtsalt maha ei jätnud? Ta oleks võinud juba enne abiellumisplaane, enne Poppyt vabalt minema kõndida.

„Mida? Ja kõige magusamast osast ilma jääda?" hüüatas Pippa, kuulanud kannatlikult mind seda teemat ketramas. „Ma ei väida, et ta sind ei armasta, muidugi armastab – miks muidu oleks ta sind endale naiseks palunud? Ja Poppy saanud?"

„Jah, aga Poppy polnud just teadlik valik meie kummagi jaoks," nentisin, kuigi tundsin kohe, et poleks tohtinud nii öelda

„Selge see," nõustus ta. „Aga te teadsite, millega riskite, ja teil oli valikuid – kas neid teha või mitte, oli teie otsustada."

Kiikasin üle korvvoodi serva, kus Poppy magusasti magas, pisikesed käekesed pea kõrval. Ma ei osanud oma elu ilma temata enam ette kujutada.

„Kuid me jätame siin ühe olulise nüansi kahe silma vahele," laususin. „Nimelt me eeldame, et Adam tahab tagasi tulla. Mida mina tahan, ei pruugi üldse asjasse puutuda."

„Ah, usu mind, pärast mõnepäevast vaba mehe elu näeb ta, et mujal muru mitte ainult polegi rohelisem, vaid et seal on ka sammalt, umbrohtu ja paljaid laike!"

Ma ei suutnud naeru tagasi hoida. Olin nutmisest tüdinud. Kui järele mõelda, olin lõviosa aastast olnud õnnetu ja ühel või teisel põhjusel pisaraid valanud: pulmade tühistamise pärast, Pammie jälestusväärse käitumise pärast, rasedana hormoonidest tingitud tundelisuse tõttu ...

„Aitäh, Pip," sõnasin teda hüvastijätuks kallistades.

„Sa oled mulle kallis," sosistas ta mulle kõrva. „Ära lase endast üle sõita."

Hiljem samal õhtul ilmuski Adam ukse taha. Oleksin võinud teda sõimata, talle kõrvakiilu anda ja ukse tema nina ees kinni lüüa, kuid astusin lihtsalt sammu kõrvale ja lasin ta sisse. Mis mõttega hakata draamat tegema? Me oleme nüüd lapsevanemad, kõigi eelduste kohaselt vastutustundlikud täiskasvanud, seega on aeg hakata ka niimoodi käituma.

„Sa näed jube välja," mõtlesin endamisi. Ta silmad olid aukus, nahk hallikas, lõug ja põsed habemetüükais.

Istusin tema vastu söögilaua taha. „Kas ma võiksin Poppyt näha?" palus ta.

„Ei, ta magab. Mida sa tahad?"

„Ma tahan koju tulla."

Nõjatasin järsult vastu toolileeni ja lõin käed rinnale risti. „Kuidas palun? Kas sa tõesti arvad, et nii lihtne see ongi – ilmud kohale ja ütled, et tahad tagasi tulla?"

Ta noogutas.

„Ja selle pisikese probleemi, et sa teise naisega seksisid, unustame lihtsalt ära või?" Kuulsin, kuidas mu hääl valjenes ja püüdsin vaiksemalt rääkida, et Poppyt mitte äratada.

„See polnud nii, nagu välja paistis," õigustas ta.

Hakkasin naerma. „No räägi mulle siis, kuidas asi oli."

„Me ainult miilustasime natuke," kostis ta mornilt. „Suudlesime, ja kõik."

„Ja kõik?" pahvatasin.

„Ma tean, ma tean, see ei õigusta mu tegu, aga see on tõesti kõik, mis juhtus. Ausõna."

Ta peab mind vist puhta lolliks. „Ja sinu meelest on see okei või? Kas sinu arvates on aktsepteeritav käperdada oma venna pulmas teist naist, meetri kaugusel oma kihlatust ja lapsest? Kas sinu arvates on see *aktsepteeritav?*"

Tundsin, kuidas mu hääl muutus iga silbiga aina valjemaks ja valjemaks, nagu stereosüsteem oleks peas tümpsunud, ent kuskilt tagakõlaritest kostis ka üks nõrk heli, hoiatus. *Klaasmajades elavad inimesed ei tohiks kive loopida.*

"Kui palju neid veel on olnud?" küsisin. Ta langetas pilgu ja põrnitses põrandat.

"Noh?" nõudsin, kui vastust ei tulnud.

Ta vaatas mulle silma. "Tema oli ainus. Ma vannun. Ma ei tea, mis mulle sisse läks. Nii raske on olnud ..."

Tõstsin käe, et ta vakka jääks.

"Palun, kuula mind ära," lausus ta nördinult. "Mul on tõega raske olnud. Ma ei tea, mis meiega toimub. Meie suhtes pole kõik korras, ei ole ju? Sina tead seda ka."

Vahtisin teda pingsalt, oodates, et ta jätkaks.

"Sa pole juba mõnda aega päris sina ise olnud ja see on mõjunud mulle üsna rängalt. Sa olid rase, sul on olnud Poppyga keeruline, ja tagatipuks veel kogu see lugu mu emaga. Ma ei tea kunagi, mida järgmiseks oodata. Ma tunnen, nagu oleksin sinu jaoks tühi koht."

Lubasin endale iroonilise naeratuse. "Vaeseke," ütlesin sarkastiliselt. "Vaene Adam – kõigepealt jääb su kallim rasedaks ja siis peab imetama ja hoolitsema vastsündinud lapse eest ning takkapihta tegelema su psühhootilise emaga."

"Ära hakka jälle, Emily," lausus ta hoiataval toonil.

Ignoreerisin ta märkust. "Ent kõigest hoolimata pole see, kuidas *mina* end tunnen, üldse oluline, ega ju? Kuidagi oled sa suutnud endast ohvri mulje jätta. Just *sinul* on raske olnud. Just *sind* on tähelepanuta jäetud."

Ta langetas taas silmad ja vahtis oma varbaid.

„Ja mida sina selles olukorras teed? Lähed välja ja kepid esimest ettejuhtuvat seelikukandjat, et tunda end taas mehena ja kinnitada iseendale, kui äge täkk sa oled. Sest selles ju asja iva ongi, eks ole? Tõestada endale, et oled endiselt vägev mees."

„Ma tundsin end hüljatuna, nagu ma poleks enam sinu jaoks atraktiivne."

Purskusin naerma. „Kas seda ei peaks hoopis mina ütlema? Ja selle asemel et anda mulle aega või minuga sellest rääkida, otsustasid sina olukorra lahendada nii, et võtsid hoopis mingi tibi ette."

„Sa ei tea, kui nadilt ma end sinu pärast tundsin."

„Jumal küll, Adam, kuula, mida sa räägid! Aga kuidas on lood *minuga*? *Minu* vajadustega? Püüa ette kujutada, kuidas mina end tunnen, kui raske see mulle on. Kõik minu maailmas on muutunud: mu keha, mu igapäevaelu, mu prioriteedid ... kõik. Mis sinu jaoks muutunud on? Natuke vähem seksi, kuid see-eest armas laps, kelle juurde koju tulla, kellega enne magamaminekut pisut mängida."

Ta hakkas midagi ütlema, ent ma katkestasin teda.

„Kas mina kondan öösiti tänavail ringi, otsides meeleheitlikult võimalust mõne suvalise mehega kähkukat teha? Kas ma kaon pulmas ära, et aeleda kellegagi, kelle nimegi ma ei tea?"

„Enam seda ei juhtu," lausus ta ilmel, nagu peaksin selle avalduse eest tänulik olema. „Ma olin purjus, tundsin end üksildasena ja tegin vea."

„Ja ongi kõik?" küsisin. „Kas sa tõesti arvad, et astud lihtsalt uksest sisse ja midagi nagu polekski juhtunud?"

„Ma pole kunagi tahtnud sulle haiget teha ... Ma luban, ma ei tee sulle enam kunagi haiget."

Ta sõnad kajasid mu kõrvus vastu, ent neid oleks nagu öelnud keegi teine. Sulgesin silmad ja mulle sähvatas pähe mälestuskild

Jamesist: kuidas ta seisis mu ees ja ütles täpselt sama. „Ma luban, ma ei tee sulle kunagi haiget," oli kõlanud temagi suust. Mul hakkas halb, kuna taipasin äkki, et ta ei mõelnud neid sõnu sugugi lubadusena mulle haiget *mitte teha*. Ta tahtis mind hoiatada, et Adam *teeb* seda.

„Mida sina minu asemel teeksid?" küsisin Adamilt. „Kui saaksid teada, et ma olen kellegi teisega olnud?"

Ta näkku lahvatas vihapuna ja lõug tõmbles närviliselt.

„Ma lööksin selle mehe maha!"

44

A dam tuli päriselt taas koju kaks nädalat pärast Jamesi ja Kate'i pulmi. Tema palved, et võtaksin ta tagasi, muutusid seda tungivamaks, mida lähemale jõudis aeg noorpaaril mesinädalatelt naasta – siis oleks ta kahtlemata nende korterist välja kupatatud.

„Sa võid ju alati oma ema juurde elama minna," mõtisklesin kuuldavalt.

„Kas sa teed nalja või? Ta on hull," lausus Adam.

Lõpuks ometi! Lõpuks ometi hakkas temagi sellest aru saama.

Kui Adam oli kodus tagasi, panime paika mõned põhireeglid, oli Pammie mu nimekirjas esimene. Ta võib Poppyt näha igal ajal, kui Adam otsustab lapse sinna viia, aga last ei tohi kunagi temaga kahekesi, ilma järelevalveta jätta.

„Aga mis siis, kui …?" tahtis Adam midagi vastu väita.

„*Mitte mingil* juhul," jäin resoluutseks.

Ta noogutas tõsiselt.

Neljapäevaõhtused kuttidega väljaskäimised pole enam lubatud; ta võib nädalavahetustel ragbit mängida, aga peale kiiret drinki olgu kohe kodus, mitte neli tundi hiljem kusagilt purjutamast.

Paar ööd magas ta külalistetoas, aga kui me soovisime oma suhte taas toimima saada, poleks eraldi magamine sellele kaasa aidanud. Ma polnud valmis temaga lähedust jagama, ei emotsionaalselt ega füüsiliselt, ent tundsin, justkui istuksin tiksuva pommi otsas, peas ketramas mõte, mitu tundi ja minutit suudab ta kannatada, enne kui peab õigustatuks saada intiimsust kusagilt mujalt. Tema võime mind niimoodi tundma panna ajas vihale.

„Mida sa pulmade asjus teha tahaksid?" küsis ta ühel päeval õhtusöögi ajal, kui oli just Pammie juurest tulnud. Tema ja James sõidutasid oma ema kordamööda „keemiaravi teisele ringile". Mind üllatas, et Pammie ikka veel seda mängu mängis, sest Kate ja James olid ju juba abielus. Mis tahes katse nende paariminekut takistada oli läbi kukkunud, seega ei suutnud ma mõista, mis mõtet oli tal oma tsirkust jätkata.

„Ma ei näe küll võimalust seda niipea teha," vastasin. „Küll aga tahaksin ma Poppy ära ristida."

Ta noogutas nõusoleku märgiks. „Kuidas sa seda teha soovid?"

„Mõtlesin, et võiksime korraldada kirikus väikese tseremoonia ja siis kuskil natuke süüa-juua."

„Teeksime seda siis võimalikult varsti," nõustus ta. „Et ema ka ristsetest osa saaks."

Ignoreerisin seda kommentaari. „Hästi, ma uurin asja, kui aega saan."

„Ma kardan, et aeg töötab meile vastu," kostis ta murduval häälel. „Ma ei tea, kui palju tal on veel jäänud."

„Oh, ma olen kindel, et temaga saab kõik korda," märkisin ükskõikselt.

Adam raputas nukralt pead. „Nüüd on haigus eritiränk. Arstid arvavad, et on juba siirdeid. Ma pole kindel, kas ema on küllalt tugev, et sellest välja tulla …"Tal oli nutt kurgus.

Patsutasin leigelt ta kätt. Ma ei tundud kaastunnet ega saanud seda talle ka avaldada.

Vaatasin imikutoolis lebavat Poppyt, tema usaldavaid silmi, ja mõtlesin, kuidas võib üks ema ometi oma lapsele sellist põrgulikku kannatust valmistada. Kui kuri hing peab selleks olema?

„Mida ma siis teen?" puhkes Adam lahinal nutma. „Mida ma siis teen, kui teda enam ei ole?" Ta töinas, nii et õlad vappusid ja ma tõusin vastutahtsi püsti ning läksin tema juurde. „Ema pole seda ära teeninud. Ta on elus juba piisavalt kannatanud."

Suudlesin Adami pealage ning kussutasin teda oma embuses edasi-tagasi. „Ta on sitke naine," oli kõik, mis suutsin öelda.

„Ta teeb nägu, et on, aga see pole nii. Tegelikult mitte," nuuksus Adam. „Ta on pidanud sitkeks muutuma selle kaabaka tegude pärast, kuid sisimas on ta ikka sama hirmul nagu on olnud kogu elu."

Lükkasin ta endast veidi eemale, et talle otsa vaadata.

„*Kes* tegi talle *mida*?" küsisin.

Adam raputas pead ja tahtis tagasi mu rinna najale, ent ma hoidsin teda õlgadest. „Millest sa räägid?"

Ta pühkis väriseva käeseljaga nina.

„Kas sa palun ütleksid, millest sa ometi räägid?" kordasin kannatamatult.

„Jimist," vastas ta põlglikult. „Või isast, kui teha nägu, et ta seda oli."

„Mis su isa siia puutub?"

„Ta oli tõbras," sülgas Adam.

„Misasja? Kuidas?" Ma ei suutnud hästi järge pidada.

„See tõbras hävitas ta. Peksis armutult."

Oleksin nagu saanud laksu vastu vahtimist. Vajusin diivanile.

„Millest sa räägid? Su ema armastas teda. Ja tema armastas su ema. Mida sa öelda tahad?"

Adami pea vajus taas kätele.

„Mida su isa tegi?" käisin peale.

„Ta tuli koju ja klobis ema korralikult, vaat mis. Õhtu õhtu järel ... me elu oli justkui vaataks ilusat lille, mis iga korraga aina enam närbus."

„Kas su ema rääkis seda sulle?" küsisin pahviks löödult.

„Tal polnud vaja seda teha," kostis Adam. „Ma nägin oma silmaga. Me mõlemad Jamesiga nägime. Isa käis pärast tööd pubis ja emal oli alati õhtusöök laual valmis, kui ta koju jõudis. Aga peaaegu iga kord kraaksatas ta, et ema on midagi valesti teinud, viskas taldriku vastu seina ja virutas talle."

Kuulasin tardunult Adami juttu. „Ma nägin justkui aegluubis, kuidas ta käsi liikus läbi õhu, kui ta ema lõi. Ema tegi korraks sellist vaikset kilavat häält, kuid hoidis ülejäänu endas, et meid mitte üles äratada, meie aga istusime trepiotsal ning vaatasime kõike käsipuude vahelt, paludes, et see ometi lõpeks."

„Kas sa oled kindel? Ma mõtlen, kas sa tõepoolest nägid seda, mida sa arvad, et nägid? Sa olid ju väike. Võib-olla see polnud nii, nagu sulle paistis?" Püüdsin saada mõistuspärast seletust kogu sellele hullumeelsusele.

„Ma nägin asju, mida kellegi silmad ei peaks nägema, eriti veel sellises vanuses lapsed nagu meie. Me olime liiga väikesed, et mõista, miks isa meie ema lõi ja nutma ajas, aga me teadsime, et see oli vale. Me tegime salaplaane, kuidas põgeneda kolmekesi mere äärde, tagasi Whitstable'i, kus olime enne isa surma suvel puhkamas käinud. Isa meiega tookord kaasa ei tulnud, käisime tädi Linda, Fraseri ja Ewaniga. Ema paistis seal nii õnnelik, sellest lurjusest eemal."

„Kuidas su isa suri?" küsisin õrnalt.

Adam vaatas ainiti põrandale, nagu unustanuks end minevikumälestustesse. „Ta sai ühel hilisõhtul pärast pubist koju jõudmist südamerabanduse. Lihtsalt kukkus köögis kokku ja oligi kõik. Ema lubas mul ja Jamesil järgmisel päeval koolist puududa ning pani meile tärgeldatud särgid selga ja lipsud ette, sest maja kihas politseinikest ja matusekorraldajatest."Ta näole ilmus nukker naeratus. „Mul on meeles, kuidas see särk ajas sügelema, krae hõõrus kaela. Mäletan, et muretsesin rohkem selle kui isa surma pärast ja mõtlesin, et küllap on mul midagi viga. Sest ma ei tundnud mitte midagi. Olin täiesti tuim."

„Kas ta sind ka kunagi lõi?"

„Ei, mind ega Jamesi ei puutunud ta iial. Kui meie läheduses olime, mängis ta alati ideaalset isa ja abikaasat, aga ma teadsin. Ma teadsin, mida ta hiljem teeb. Ema teadis samuti, ta silmis oli kogu aeg hirm, kuid ta püüdis kõigest väest seda mitte välja näidata."

„Kas sa oled emale rääkinud, mida nägid?"

Adam raputas pead. „See murraks ta südame, kui ta saaks teada, et me teadsime kõike. Ta nägi palju vaeva, jätmaks muljet, et Jim on ideaalne abikaasa ja ideaalne isa. Toona arvasid ju kõik nende sõbrad, et isa oli hea saak ja ema tõeline õnneseen. Aga keegi neist tegelikult ei tundnud seda meest. Nad ei teadnud, milline ta suletud uste taga oli. Kuidas nad olekski saanud seda teada? Ema kaitses teda siis ja kaitseb veel praegugi."

Mulle tulid meelde kõik need fotod, millel olin näinud sügavalt armunud paari. Ja nende sõpru nähtavalt kadestamas seda, mis neil oli.

„Mul on nii kahju," sosistasin, astusin Adamile ligemale ja hoidsin hellalt ta pead oma rinnal. „Ükski laps ei peaks iial midagi sellist nägema."

Kuid miski siin ei klappinud. Kuidas saab see nii olla? Püüdsin leida õigustust kõigele, mida Pammie oli teinud. Muidugi: kõigel on põhjus, mingi seletus, miks ta on selline nagu ta on, aga nii väga kui ma ka püüdsin, ei suutnud ma seda leida. Mida enam ma juurdlesin, seda keerulisem oli tema tegusid mõista. Kui teda oli minevikus nii jõhkralt koheldud, siis miks hakkas ta ise kellelegi teisele tahtlikult haiget tegema?

45

Selleks ajaks kui ristimispäev kätte jõudis, olin end Pammie, Jamesi ja mingil põhjusel ka Kate'i nägemisest pööraselt üles ärritanud. Minu silmis oli temast kui liitlasest, ainsast inimesest, kes võinuks mind mõista, saanud Pammie vandeseltslane. See andis Pammiele rohkem võimu mind provotseerida, ning väljavaade neid koos näha oli heidutav.

Ostsin selleks puhuks uue kleidi – enesekindluse tõstmiseks, põhjendasin endale poes krediitkaardiga makstes, et süümepiina vähendada.

„Jeerum, päris erk värk," kommenteeris Adam. „Mul oleks päikeseprille vaja."

„Kas see on liiast?" küsisin kanaarikollast šifoonkleiti silmitsedes. Ma tundsin end selles hästi. Asümmeetriline lõige andis mulle justkui mu raseduseelse figuuri tagasi – kellelgi polnud vaja teada, et olin end korrigeerivasse pesusse pressinud.

„Ei, mulle meeldib," kostis Adam. „Mul on lihtsalt hea meel, et nartsissihooaeg on läbi, muidu oleks meil pagana raske sind lillede keskelt üles leida."

Ta naeris ja ma äsasin talle käekotiga.

Poppy jälgis keset meie voodit lesides rõõmsalt kuristades, kuidas ta vanemad teineteist tögavad.

„Hea, et sulle pudipõlle ette panin, väike preili," kudrutasin, võttes elevandiluukarva taftist puhvkleidis lapse sülle. „Me ei taha ju, et sa oma kleidi täis ilastaksid, ega ju?"

„Kas sa ei arva, et tal oleks kombinesoonis mugavam?" küsis Adam, pusides last ja tema hiigelsuurt kleiti auto turvatooli.

Mühatasin, lükkasin ta koba käe eest ning kaevusin sügavale pitsidesse-satsidesse rihma otsima. „Siin see ongi," naeratasin. „Nii, kus teine on?"

„Me oleksime pidanud talle Tuhkatriinu tõlla hankima," naljatas Adam. „Sinna sobiks ta nagu valatult."

Ma ei tahtnud ära sõnada, ent tundus, et lõpuks olime oma vana suhet taas leidmas, saamas selliseks paariks, kes kunagi olime. Kibelesin juba kirikusse, et näidata kahtlejatele, et me saime hakkama. Näidata neile, et hoolimata lõputust kaikaloopimisest suutsime me raskustest võitu saada. Ma ei tea, miks ma mõtlesin mitmusevormis, kui tegelikult oli tegemist ainult ühe konkreetse isikuga … vahel lihtsalt tundub, nagu oleks minu vastu kogu maailm, ja siis on raske näha kõike õiges perspektiivis. Aga mitte täna, sest minu käes on miski, mida tema tahab. Võit on minu.

Me tervitasime kirikuväravas saabunud külalisi ning ma pareerisin rõõmsameelselt Adami ragbisemude nöökeid, et näen välja nagu mesimumm. Silmates Jamesi ja Kate'i veidi eemal autost väljumas, asusin kõigiga üliinnukalt suhtlema. Kudistasin lõua alt oma nõo Frani pisipoega ja kummardusin Poppyt süles hoides ühe vankris oleva beebi kohale, et tittesid omavahel tutvustada. Tegelesin millega iganes, et viia mõtted Bankside klanni saabumisest eemale. Eneselegi märkamatult olin nüüd nende poole selja pööranud, aga kuulsin, kuidas inimesed tervitasid Pammiet ja küsisid ta enesetunde kohta.

Köhatasin kurgu puhtaks ja hakkasin mõttes lugema kümnest allapoole, et võtta endale aega enne temaga silmitsi astumist vapper nägu pähe teha. *Lihtsalt tee nägu, et kõik on hästi*, sisendasin endale. *Sa suudad seda.*

„Rõõm sind näha, Pamela," laususin ning pöördusin võitlusvalmilt. „Sa näed välja …"

Sõna „hea" jäi kurku kinni. See, mida ma nägin, muutis mu soolasambaks ja jättis sõnatuks. Pammie oli täiesti kiilas, tal polnud kulme ja nägu oli paistes. Olin šokist halvatud. Ma pidin midagi ütlema, ükskõik mida, kuna nad seisid mu ees kolmekesi ja vaatasid mind äraootaval pilgul, kuid ma lihtsalt ei suutnud sõnu ritta seada.

„Hei, Em," lausus James, kallutades põsemusiks minu poole. „Pole ammu näinud. Kas sinuga on kõik hästi?" Ma ei pidanud vajalikuks sellele vastata.

„Em!" hõikas Kate. „Sa näed imekaunis välja, ja Poppy – vau!"

Kokutasin midagi vastuseks. Pammie ja mina seisime hetke teineteist pilguga hinnates, oskamata kuidagi reageerida. Astusime siis korraga sammu ettepoole, nii et põrkusime kokku Ta tõmbas mu kohmetult enda vastu ja embas mind. „Tore sind näha," sosistas ta kähedalt. „Sa näed kena välja."

Mul jäi hing kinni ja silmad täitusid pisaraist. Ma ei tea, mis juhtus. Olin ta sõnadest rabatud – mitte nende sisust, vaid viisist, kuidas ta need lausus. Esimest korda kuulsin Pammi hääles peaaegu siirust, justkui mõtleks ta seda tõsiselt. Ent võib-olla lasin ta välimusel end eksitada. Manasin näole naeratuse ja otsisin meeleheitlikult Adamit. Vajasin teda enda kõrvale.

„Vabandage mind," kohmasin ning eemaldusin koos Poppyga. Kõndisin Adami poole, aga mu ema haaras mul käest, kui temast möödusin.

„Kas see on Pammie?" küsis ta segaduses.

Noogutasin tuimalt.

„Aga kuidas …"

Raputasin pead. „Ma tõesti ei tea," oli kõik, mida oskasin selle peale kosta. „Kas saaksid minutikese Poppyt hoida?"

„Muidugi," ütles ema ja ta murelikule näole ilmus lai naeratus, kui lapselaps rõõmsalt ta süles lalisema hakkas.

Adami juurde jõudes märkasin Pippat. Tema näost peegelduv vapustus oli võrdne minu sees toimuvaga. Suutsin vaid õlgu kehitada.

Püüdsin sundida end keskenduma, kuid juhtmed tundusid peas sõna otseses mõttes sassis olevat ja sädemeid pilduvat, nii et mõtted jooksid lühisesse. Ma pidin Pammiet uuesti nägema, et kindel olla, ent ei tihanud ringi pöörata, sest tajusin oma seljal kolme puurivat silmapaari. Kas ta tõesti võis minna nii kaugele, veenmaks inimesi, et rääkis tõtt? Nägin vaimusilmas taas ta nägu, pundunud palgeid ja aukus silmi. Kas midagi sellist oleks üldse võimalik?

Pidin välja mõtlema, mida Adamile öelda, sest teadsin, et valed sõnad viiksid meid ajas mitu kuud tagasi. „Sa ei öelnud mulle, et su ema on …" Ma ei teadnud, kuidas lauset lõpetada.

„Haige?" pakkus ta.

Noogutasin.

„Sa ei küsinud," vastas ta kuivalt. „Sest sulle ei läinud see korda."

Mulle meenus, kuidas ta oli püüdnud minuga mitmel korral seda teemat üles võtta ja alati olin ma teda katkestanud. Tundsin kohutavat süümepiina.

Iga kord, kui pilgu Pammie suunas pöörasin, jälgis ta mind. Iga kord, kui tajusin, et ta kavatseb minu juurde tulla, leiutasin põhjuse, miks mul on vaja mujale minna. Ma ei tea, kas mind hirmutas rohkem mõte temaga rääkimisest, sest ta võib öelda, et on päriselt haige, või vägagi reaalne võimalus, et ta oli teesklemisega niivõrd kaugele läinud. Kummalgi juhul poleks ma osanud reageerida.

Naiste tualeti poole minnes jäin Jamesile vahele.

„Talitus oli väga kena, Em. Ma pole saanud sind veel tänada, et palusid meid Kate'iga Poppy ristivanemateks."

„See polnud minu valik," vastasin edasi kõndides.

„Kuidas teil läheb?" küsis ta.

Pöörasin näoga tema poole, otsides ta silmist mingit vihjet selle kohta, mida ta oli mulle teinud ja miks. Aga need olid samasugused nagu alati. Soojad ja lahked.

„Hästi," märkisin jahedalt.

„Kas teie vahel on kõik korras?" uuris ta. „Pärast meie pulmi ja seal juhtunut?"

„Me tegeleme sellega."

„Mida ma olen teinud, et sa mu peale nii vihane oled?"

„Su ema rääkis mulle kõigest," ütlesin siis. „Ma arvasin, et sa oled minu poolel. Ma uskusin naiivselt, et see, mis meie vahel oli, oli ..."

„Oligi," katkestas ta mind.

Naersin lühidalt.

„Ma *olen* sinu poolel ..." kostis ta. „Ja jään alati sinu poolele, aga sina tegid oma seisukoha mulle puust ja punaselt selgeks, kas mäletad?"

Vaatasin talle silmi kissitades otsa. „Nii et kuigi mina usaldasin sind, jooksid sina otsejoones Pammie juurde ja latrasid talle kõik ära?"

„Mida? Ei!" lausus ta teravalt. „Ma pole kunagi ühtki su sõna edasi rääkinud, välja arvatud see, kui sa ütlesid, et meie vahel ei saa midagi olla."

„Su ema siis ei palunud sul mulle läheneda? Sa ei teinud seda tema käsul?"

„Mis asja?" Jamesi ilme oli nõutu, justkui ta ei taipaks, millest ma räägin. „Ei. Kelleks sa mind pead? Ma ei teeks iial midagi sellist. Ma rääkisin talle, et mul on sinu vastu tunded ja et tunnen end selle pärast süüdi … Ma usaldasin selle talle, sest ta on mu ema."

Pööritasin uskmatusest silmi.

„Sa pead mind uskuma," jäi ta endale kindlaks.

„Hei, väikevend!" hüüatas Adam, liikudes vähehaaval Jamesile lähemale. „Mida ta peab uskuma?"

James punastas kergelt. „Mitte midagi. Pole oluline."

„Ei, lase tulla, ma olen üks suur kõrv," jätkas Adam, ilmselt juba vindine. „Miks nimetab mu kallim sind valetajaks?"

„Me tegime niisama nalja," kohmas James ebaveenvalt.

„Ei-ei, selle vastusega ma ei lepi, vennake," ei jätnud Adam. Nii James kui ka mina tundsime teda piisavalt hästi teadmaks, et alkoholi ja paranoia koostoimel on ta äärmiselt jäärapäine.

Panin käed hellalt Adami rinnale, et ta tähelepanu endale suunata.

„Me lõõpisime niisama," laususin. „James püüab mind siin narrida. Ja tal tuleb see päris hästi välja." Laksasin naljatlevat ta käsivart.

Püüdsin Adami mõtteid teemast kõrvale juhtida, ent ta ei jätnud jonni. „Aga mida sa siis ei uskunud?" kordas ta.

Ohkasin sügavalt. „Jumala pärast, me niisama lollitasime. See polnud midagi olulist."

„Ei paistnud küll nii, et polnud midagi olulist," turtsus Adam.

Põimisin käed ümber ta piha ning sirutusin teda suudlema. „Ma armastan sind. Nüüd aga mine ole oma semude seltsis. Veeda lõbusalt aega, hiljem näeme."

Ta suudles mind vastu. „Mina armastan sind ka."

Kui ma uuesti sisse läksin, seisis Pammie ukseavas, otsekui valmistuks ründama. „Emily?" ütles ta üllatust teeseldes, kuigi ilmselgelt ootas ta just mind. Ma ei teinud temast välja, aga kui

346

ta veel teistki korda mu nime hüüdis, piisavalt valjult, et ka teised kuuleksid, pidin piinliku olukorra vältimiseks reageerima.

Ta seisis seal justkui minult midagi oodates ja ma tõepoolest ei teadnud, mida öelda. Minus oli nii palju raevu, aga kui ma teda nüüd vaatasin, päriselt vaatasin, andis viha kimbatusele järele. Ta silmavalged olid muutunud kollaseks ja tursunud nahk, sile ning särav, oli põsesarnadel pingul. Ma oleksin temast kõike uskunud, aga see?

„Pamela," poetasin lõpuks mokaotsast.

„Palun ära kutsu mind nii," lausus ta vaikselt. „Sa tead, et mulle ei meeldi see."

„Vaata, kui sa hakkad jälle pihta, siis ma ei ..."

„Ei hakka. Ma pean sulle midagi ütlema."

„Mis iganes see on, ma pole huvitatud. Mitte ükski sinu sõna ega tegu ei suuda mind enam üllatada. Sa oled siin, sest Adami emana pead sa siin olema, aga ära arva mitte sekundikski, et see tähendab midagi enamat. Sa võid Poppyt näha, kui Adam peab heaks ta sinu juurde tuua, kuid tõtt-öelda rohkem meil teineteisega asja pole."

Ta libistas käega üle oma kiila pealae ja naeratas virilalt. „Anna andeks," kostis ta. „Ma palun südamest, anna mulle andeks."

Ma ei tea, mida ma eeldasin temalt kuulda, aga andekspalumine küll nende variantide sekka ei kuulunud, eriti kui võtta arvesse, et kuuldekauguses polnud mitte üht hingelist. Ta põrnitses maha, justkui tunneks häbi, ent olin seda juba tuhat korda näinud. Ta tegi nii alati, kui oli nurka surutud ja paljastamisohus. Ka mina olin ta naiivitarimängu õnge läinud, aga see juhtus ammu. Enam ei saa ta mind lolliks teha.

„Mul tõesti pole selleks aega," ütlesin. „Praegu on mu tütre ristsed ja mul on siin saalitäis inimesi, kes on mu tähelepanu rohkem väärt kui sina ja kellega ma tõesti tahaksin vestelda ning koos olla. Ma ei kavatse siin seista ja oma aega sinu peale raisata."

Püüdsin kõneldes talle mitte otsa vaadata, sest ta väljanägemine äratas minus kõhklusi ja süütunnet.

„Ma mõistan," kostis ta. „Ja ma ei süüdista sind, aga tahan, et sa teaksid, et mul on tõesti kahju. Ma ei tahtnud kunagi teha seda kõike, mida ma sulle tegin ja ma tean, et sa ei andesta mulle, kuid mul pole enam palju elada jäänud ja ma tahaksin vähemalt püüda oma vigu parandada, enne kui on hilja. Palun sind."

Ta sirutas vaarudes minu poole käe, kuid ma taandusin.

Hetkeks jäi kõik haudvaikseks, ja siis tormasid inimesed tema poole. Seda stseeni aegluubis jälgides olnuks näha, kuidas mina, kes ma ainsana oleksin saanud ta kukkumist takistada, selg ees ja käed püsti eemaldusin, samas kui teised tulutult talle appi ruttasid.

Ta prantsatas põrandale ja kõik ahmisid jahmatusest õhku.

„Ema!" karjatas James. „Pammie!" kõlasid läbisegi hüüded.

„Mis ..." karjatas Adam jooksu pealt ja langes ema kõrvale põlvili. „Mis pagan siin juhtus?"Ta küsiv pilk oli suunatud minule, kuid ma kehitasin vaid õlgu. „Mis mõtet sinult küsida? Sina ei tea ju kunagi mitte midagi."

Kuulsin, kuidas rahvas ohkis kooris.

„Nüüd aitab," ütles James. „Ema ..."

„Minuga on kõik kombes," teatas Pammie, kui ta oli istukile aidatud. „Ma lihtsalt komistasin. Kõik on korras."

Ta sai sellega jälle hakkama!

Ma otsisin rahvasummast läbi põigeldes Poppyt, keda olin viimati näinud oma ema süles. „Ma tahan siit ära," laususin tema juurde jõudes.

„Mis ometi toimub?" oli mu ema ähmi täis. „Seda ei saanud ta kindlasti teeselda, ega ju?"

Vangutasin pead. Ma ei osanud enam midagi arvata.

„Kas saate isaga mu koju viia?" palusin.

Isa heitis pilgu kellale. „Ongi juba hiljavõitu," märkis ta, justkui vajanuks lahkumiseks ettekäänet. „Ma toon auto ette."

Korjasin Poppyle toodud kingitused kokku ning ütlesin Pippale ja tädi Betile kiiresti head aega. Kohalejäänuist olid nemad ainsad, kes mulle korda läksid; ülejäänud seltskond koosnes Adami ragbikambast ja töökaaslastest. Neist ei märkaks keegi mu kohalviibimistki, mis siis veel mu puudumisest rääkida.

„Kas kõik on hästi?" muretses Pippa, nähes mind kiiruga asju kokku pakkimas. „Tahad ehk, et tuleksin koos sinuga?"

Raputasin pead. „Tahan vaid koju minna ja pidžaamasse pugeda," ütlesin ausalt.

Ta naeratas. „Tean seda tunnet. Kõllan sulle hommikul."

Andsin talle põsemusi ja lipsasin minema.

Ema käis peale, et tuleb minuga koos üles ja aitab mind. „Ma olen kahekümne seitsme aastane," naersin.

„Ema süda muretseb ikka, ole sa nii vana kui tahes," lausus ta. „Kindel, et saad üksi hakkama?"

Noogutasin. „Ma ei usu, et Adam palju kauemaks jääb. Baar pannakse umbes tunni pärast kinni."

„Mis iganes su ümber toimub, palun ära lase sel end häirida," julgustas ema ja suudles mind laubale. „Sa oled väga tubli ja me oleme su üle väga uhked." Kallistasin teda pisarsilmil ja lehvitasin autole nukralt hüvastijätuks.

46

I lmselt olin ma diivanile magama jäänud, sest järgmise asjana mäletan välisuksele kolkimist. Mõne hetke ei saanud ma millestki aru ja mõtlesin, et näen ikka veel und. Kuulsin taamal telefonis sõnumi saabumise kolinat, aga mul polnud õrna aimugi, mis kell või isegi päev parajasti oli. Ma ei teadnud, millele peaksin kõigepealt reageerima, kuid siis meenus mulle Poppy. Kas on aeg ta üles äratada? Kas ma teda enne voodisse panekut üldse söötsin?

Kargasin püsti liiga kiiresti ja kukkusin kohe uuesti diivanile, olin uimane ning pea käis ringi. Surusin käed oimukohtadele, soovides, et saaksin niiviisi toimuvast pildi kokku kiiremini kui mõistuse abil. Allkorruselt kostis ikka veel kolkimist, tekstsõnumid nõudsid ikka veel tungivalt lugemist. Piilusin Poppy tuppa ja nägin, et ta magab sügavalt. Linnuke kirjas. Kell on vaid veidi üle kesköö. Linnuke kirjas. Adamit pole veel kodus. Linnuke ... kus pagan ta on? Ma lahkusin temast kolm tundi tagasi. Kobasin sohvapatjade all telefoni järele ja püüdsin suure vaevaga pilku teritada, et näha teavitusi, mis täitsid ekraani. Kerisin neid: vastamata kõned, häälsõnumid, tekstsõnumid. Pammie, Adam, James, Pammie, Adam, James ...

350

„Jessas," oigasin kõva häälega. Mis lahti on?

Segaduses, telefon pihus, suundusin välisukse poole. Jõudsin just kõige alumisele trepiastmele, kui see helises taas ja ekraanile ilmus Pammie nimi. Kavatsesin seda ignoreerida, aga siis turgatas pähe, et äkki helistab tema telefonilt keegi teine. Oli ilmselge, et midagi on väga viltu. Palusin vaid, et Adamiga poleks midagi juhtunud.

„Jah," kähvasin.

„Emily, see olen mina, Pammie. Adam on teel sinu juurde. Ära lase teda sisse."

„Mida?" küsisin hingeldades.

„Ära lase teda sisse. Ta on maruvihane. Ta teab, Emily. Mul on väga kahju. Ära lase teda sisse."

„Millest pagan sa räägid?"

„Ta teab Jamesist." Pammie hääl kõlas, nagu hakkaks ta lämbuma.

Ta seletas veel midagi, kuid mul hakkas veri kõrvus kohisema ja ma ei kuulnud õieti midagi.

„Mida?" karjusin, süda ärevusest kurku tõusmas.

„Nad läksid kaklema," lõõtsutas ta. „Mul on nii kahju."

Mind haaras paanika ja ma ei suutnud selgelt mõelda.

Läksin ukse juurde, kobasin värisevate kätega sneprit, kuid ei suutnud seda lukustada. Järsku põrutas Adam rusikaga vastu õhukest puitust sellise jõuga, et see rappus ja ma hüppasin ehmunult sammu tagasi.

„Adam?" hüüatasin väriseval häälel.

„Tee uks lahti!" lõugas ta, nüüd juba nii lähedal, et võisin kuulda tema hingamist.

„Ei," vastasin resoluutselt. „Mitte enne, kui sa maha rahuned."

„Jumala eest, Emily, tee see neetud uks lahti, ja kohe!"

„Ära lase teda sisse," hoiatas Pammie uuesti.

„*Mida* sa teinud oled?" sisistasin telefoni ja virutasin selle põrandale. Ma ei lase selle nõia valedel mind hävitada. Meid hävitada. Ma *pean* Adami mõistusele tooma.

„Sa hirmutad mind," hüüdsin läbi ukse. „Sa ajad lapsele hirmu peale."

Kuulsin, kuidas ta rõhutatult sügavalt hingas sisse ja välja.

„Emily," lausus ta, hääletoon äkitselt kontrolli all. „Kas sa avaksid palun ukse?"

Panin ukse ketti. „Kas sa lubad, et jääd rahulikuks?"

„Jah, ma luban."

Kohe, kui sneprit keerasin, paiskus uks lahti, rebides keti puruks ning ma lendasin kätega vehkides põrandale siruli. Järgmiseks kõrgus Adam ähvardavalt minu kohal ja ma mõistsin, et olin teinud kohutava vea. Püüdsin end püsti ajada, kuid mu jalad olid nagu vatist. Koperdasin peaaegu roomates trepist üles ja ukerdasin viimaste astmete poole, teades, et seda tehes blokeerin enda jaoks kõik väljapääsuteed. Ent ma pidin olema barjääriks Adami ja Poppy vahel. Ma ei saanud lasta teda lapse lähedusse.

Klammerdusin kätega ülemise trepiastme külge, ise ikka veel neljakäpukil, kui ta järsku haaras mul pahkluust ja tõmbas mu uuesti trepist alla. Tiris mu siis juukseidpidi püsti ja mul oli tunne, nagu rebiks ta need koos nahaga mul peast. Püüdsin ühe käega lahti kangutada ta rusikat, mis oli tugevalt mu juustesse keerdunud, ja toetusin teisega trepiastmele. Adam aga vedis mu uuesti trepist üles, nii et mu puus kolksus vastu astmete teravaid servi. See põhjustas põrgulikku valu ja ma tahtnuks karjuda, kuid pidin Poppy pärast vakka olema. Ma ei teadnud, milleks Adam suuteline on.

Ta lohistas mind piki esikut. Püüdsin end jalule ajada, ent ta oli liiga tugev ja mida enam ma rabelesin, seda jõulisem oli ta haare.

„Palun!" karjatasin. „Palun lõpeta!"

Ta tõukas mu hooga elutoa põrandale ja seisis mu kohale. Alles siis nägin esimest korda ta näoilmet – ta silmad olid pungis, nägu raevust moondunud.

„Palun, kuula mind ometi," anusin.

„Sa igavene lits!" sülgas ta, hingeõhk alkoholilehane ja suunurgast ila tilkumas. „Kas arvad, et võid mind lolliks teha?"

„Ei, mitte iial! Ma ei teeks seda iialgi."

Nägin ta kätt minu suunas sööstmas ja sain obaduse otse näkku, kulmujoone kohale. Mu nahk kipitas valust ja ma tundsin, kuidas otsaette hakkas muhk kerkima.

Ta tammus vihaselt edasi-tagasi, mudides rusikaid, ja ma kössitasin hirmunult põrandal ta ees.

„See pole nii, nagu sa arvad," laususin. „Palun, sa pead mind uskuma."

„Ma tean täpselt, kuidas see on. Sa kepid mu vennaga." Ta lõi pea kuklasse ja naeris sardooniliselt. „Mu kihlatu, mu lapse ema, on salaja, minu selja taga, mu vennaga nikkunud."

„Ei ole," püüdsin teda rahustada. „Mis rumalat juttu sa ajad?"

Ta jäi nagu post seisma ja jõllitas mind metsikul pilgul. „Kas Poppy on üldse minu tütar?" röökis ta. „Kas ta on üldse minu oma?"

Põlvitasin ta jalge ette. „Muidugi on. Sa tead, et on. Ma pole sulle kunagi truudust murdnud. Palun, sa peaksid seda teadma."

Adam kükitas ja võttis mu põskedest nagu tangidega kinni. „Aga miks ta siis oma nina sinu asjadesse topib?"

„Ma ei tea, millest sa räägid."

„Ta vedas mu äsja minema ühe tüdruku juurest, keda ma keppisin, ja virutas mulle näkku, sest tema arvates oli mu käitumine sinu suhtes lugupidamatu."

See tilluke osa mu südamest, mis polnud veel murdunud, purunes nüüd miljoniks killuks. „Sa seksisid teise naisega?" küsisin, püüdes hoida häält rahulikuna. „Meie tütre ristimisel?"

„Jah, ja meil oli tore, kohe väga tore."

„Sa igavene kaabakas!" karjatasin.

Ta naeris mulle näkku. „Oi, kas sa jäid eelmine kord kogu seda jama uskuma?"

Vaatasin tummalt, kuidas ta mu üle irvitas.

„Ja jäidki, kas pole nii? Oh, see on tõesti suurepärane! Aga kuula nüüd hoolega, ma avaldan sulle ühe väikse saaduse ..." Ta kallutas end mulle nii lähedale, et tundsin põsel tema kuuma hingeõhku. „Ma pole sulle kunagi truu olnud. Kuidas ma saaksingi olla? Sa ei tee mitte midagi, mis mind erutaks. Sa jätad mu täiesti külmaks!" Ta võdistas suurema efekti saavutamiseks õlgu. „Aga sina oled nii haledalt tänulik iga kord, kui ma sulle lähenen."

Sülitasin talle näkku, nii et suur tatilärakas maandus ta põsele.

Justkui eikusagilt sain ma rusikaga vastu põske ja paiskusin taas siruli. Kartsin, et mu hambad pudenevad suust, nagu unes vahel juhtub, ja hoidsin kramplikult suud kinni.

Adam istus kaksiratsi mu rinnale ja surus mu vastu põrandat. „Aga sellest pole midagi, sest nüüd ma tean, et sina oled samuti litsi löönud!"

Ta meenutas endale, miks ta õieti raevus oli, ning ta käed klammerdusid mu kõri ümber.

Üritasin tabada ta pilku, et näha väikestki valguskiirt, mis kaose lõpetaks ja päästaks mu sellest hullusest. Aga Adami silmad olid tumedad kui öö, mustad pupillid niivõrd laienenud, et sinist vikerkesta polnud pea üldse näha. Püüdsin suruda oma sõrmi tema käte ja oma kaela vahele, kuid haare oli liiga tugev. Ta ei kägistanud veel, vaid lihtsalt nautis mu hirmu.

„Ei ole, me pole kunagi ..." Iga mu sõna ärritas teda aina tugevamalt mu kõrile suruma. Tundsin, et meelemärkus hakkas kaduma, kui äkitselt kuulsin kaugusest nuttu – algul vaevu kuuldavat, siis üha valjenevat. Avasin silmad, taibates, et see oli Poppy, ja Adam, kes jäi hetkeks sama häält kuulatama, hakkas end püsti ajama.

„Ei!" karjatasin, püüdes teda takistada, krahmates ta juustest, särgikraest, kuhu iganes sõrmed taha sain. Ja kui ta end siiski jalule oli ajanud, kargasin talle selga nagu kiskja. Ma ei saanud lasta teda Poppy lähedale! Rippusin tal küüsipidi turjal, kratsisin ta nägu, kobasin pöialdega silmi, ja kuigi ta püüdis kogu selle aja mind maha raputada, olin ta küljes nagu takjas. Ma ei tohtinud teda mitte mingi hinna eest oma tütrekese ligidale lasta!

Järsku ajas ta end ootamatu hooga sirgu, paisates mu vastu uksepiita, ja hakkas Poppy toa poole minema. „Ei!" karjatasin uuesti. Tirisin teda kõigest jõust tagasi ning ta koperdas koridoris pikali, nii et mina jäin tema alla. Ta tõusis uuesti ja ma krahmasin ta jalast, lohisedes temaga kaasa, ent mu jõud hakkas raugema. Poppy nuttis aina valjemalt – või me jõudsime talle aina lähemale – ja see muutis mu meeled ülierksaks. Kuulsin lapse nuttu, kuulsin iseenda karjeid, aga taustal oli veel üks heli, mida ma ei suutnud tuvastada.

Verdunud ja pisarais silmil lootsin, et ehk lõpetab Poppy nutmise, kui issi ta sülle võtab. Laps ei võinud ju teada, et teda kussutav mees on kõike muud kui selline isa, keda ta vajab.

„See on läbi," lausus hääl. Naise hääl.

Mu aju justkui kees, kui püüdsin toimuvast sotti saada. Tõstsin paistetusest üha enam ähmastuva pilgu ja märkasin Poppy toa uksel seismas üht kogu. Ajasin end istuli ning püüdsin nägemist fokuseerida. Kõigepealt nägin Poppyt õdusalt selle tundmatu süles, kes kiigutas lapsekest hellalt oma kätel. Ning mind haaras peaaegu halvav hirm, kui tundsin ära teda hoidva inimese. Pammie.

See kõik käis mulle üle mõistuse. Kas nad tegutsevad koos? Kas seda olidki nad kogu aja sepitsenud?

„Anna mu laps siia!" Koperdasin püsti, aga Adam, kes seisis meie vahel, tõukas mu uuesti pikali.

„See on läbi," kordas Pammie väriseval häälel.

„Anna ta siia!" hüüdsin uuesti, tahtes Poppyt meeleheitlikult oma käte vahel tunda. Kujutasin ette, kuidas kõik edasi lahti rullub: Pammie tormab koos mu lapsega trepist alla ja välja tänavale. Aga mul pole aimugi, kuhu. Mu süda oli justkui tuksumast lakanud – see oli vaid liigne raskus mu rinnus.

„Palun," anusin käsi Pammie poole sirutades.

„Ema," kostis Adam järsku hämmastavalt rahulikult. „Anna laps siia."

„Ma tean, mida sa tegid," ütles Pammie. „Ma nägin sind."

„Ema, ära ole rumal." Adami hääles oli hoiatav noot. „Anna Poppy minu kätte."

Taas oli kuulda välisukse paukumist. „Ema, Emily ... politsei on juba teel," hüüdis James hingeldades üles trepimademele jõudes. Siis nägi ta käsipuude vahelt mu verist nägu ja ütles vaid: „Jeesus!"

Me neljakesi lihtsalt seisime tardunult, mõõtes üksteist pilkudega. Esimesena hakkas rääkima Pammie, kuid see, mida ta ütles, oli küll viimane asi, mida oodata oskasin.

„Emily, tule võta Poppy," lausus ta. Vaatasin teda, siis Jamesi ja lõpuks Adamit, kes ikka veel ähvardavalt mu ees seisis. Roomasin neljakäpukil Pammie juurde ja kui olin tema selja taga seinale toetudes istukile saanud, ulatas ta beebi ettevaatlikult minu kätte. Võtsin lapse sülle ja hingasin sisse tema lõhna.

„Ma nägin sind, Adam," ütles Pammie. „Ja sina nägid mind. Aga nüüd on see läbi."

„Mis pagan siin toimub?" küsis James.

„Ma olin tol õhtul seal," jätkas Pammie. „Kui Rebecca suri."

Pammie puhkes vappudes nutma. „Ma kuulsin, kuidas sa teda õrritasid, kui tal oli raske hingata … Ma nägin, kuidas sa keeldusid talle inhalaatorit andmast."

Ahmisin jahmatusest õhku ja James pahvatas: „Mida?!"

„Ma ei tea, millest sa räägid," ütles Adam trotslikult. Ta hoiak ja näoilme tõmbusid rohkem pingesse.

„Adam, ma olin seal. Rebecca palus, et sa aitaksid teda, ja sa oleksid saanud seda teha. Tema elu oli sinu kätes. Sul oleks tarvitsenud talle vaid inhalaator anda. Aga sa lihtsalt seisid tema kohal ja vaatasid, kuidas ta sureb. Kuidas sa võisid niimoodi teha?"

„Sa oled hull," irvitas Adam põlglikult, ent ma nägin ta silmis paanikat.

„Ja kui sa siis läksid tagasi rongijaama, et hakata sealt uuesti koju kõndima nagu õige mees, jäin mina tema juurde ning püüdsin meeleheitlikult ta elu päästa." Pammie hääl katkes ja ta nuuksatas. „Ma ei andesta endale iial, et ma ei suutnud seda teha."

„Mida sa seletad?" haukus Adam. „Ma olin tööl. *Sina* helistasid *mulle*, mäletad? Sina olid seal esimesena. Sa olid ka viimane, kes Rebeccat elusana nägi. Kas sulle ei tundu, et siin on liiga palju kokkusattumusi?"

„Ära mitte mõtlegi!" tõstis Pammie häält. „Ma vastutan oma elupäevade lõpuni selle eest, kes sinust saanud on ja kui kalgilt sa käitunud oled. Aga ma tegin kõik, mis mu võimuses, et seda vaest tüdrukut aidata, nagu ma olen püüdnud aidata ka Emilyt."

Pammie vaatas anuval pilgul minu poole, et ma teda usuksin. „Mul on nii kahju, et see pidi nii kaugele minema, enne kui suutsin sulle näidata, milleks Adam võimeline on."

Ma küll kuulsin ta sõnu, kuid need ei tundunud loogilised.
„Mida sa sellega öelda tahad?" küsisin vaikselt.

„Ma püüdsin sind aidata," selgitas ta läbi pisarate. „Ma tegin kõik, mis suutsin, et sind eemale peletada, kuid sellest polnud kunagi küllalt. Sa lihtsalt ei loobunud. Kuidas sa aru ei saanud, mida ma teha püüdsin?"

„Aga sa ju vihkad mind," vuristasin sügavamalt mõtlemata. „Sa oled minu vastu haudunud kõige jõledamaid asju."

„Mul ei jäänud muud üle, kas sa siis ei näe? Ma pidin su temast eemale peletama ja ma arvasin, et see on ainus viis ... Kuid see polnud mina. Ma ei ole selline. Küsi ükskõik kellelt! Sa võid oma arust Adamit tunda, aga sul pole õrna aimu, milline ta tegelikult on."

„See on hullumeelsus," pomises nüüd Adam, sasides käega närviliselt juukseid ning tammudes korrusemademel ringi nagu puuri pandud loom.

Vaatasin Adamit ja mu mälus kajasid justkui stereohelis katked sõnelustest, mis meil me kooselu jooksul olid olnud. *Sa oled lugupidamatu. Sa ei lähe niimoodi riides välja. Miks Seb sinna tuleb? Ma jätan pulmad ära. Kes ma sinu arust olen, munk või?* Temalt saadud obadused tegid küll kibedalt haiget, ent hinge kriipisid valusamalt ta julmad sõnad ning tõdemus, et ta oli omanud minu üle nii suurt kontrolli.

„Anna andeks, et ma sulle haiget tegin, anna andeks," jätkas Pammie, „kuid ma ei osanud midagi muud välja mõelda. Ma arvasin, et toimin õigesti. Teadsin, et kui sa temaga jääd, jõuab asi lõpuks siiamaani."

„Aga miks ... miks sa mulle seda lihtsalt ei rääkinud?" kogelesin Pammie poole pöördudes. „Kui sa teadsid, mida ta Rebeccaga teinud oli?"

Ta raputas vaid pead ega vaadanud mulle silma.

„Kullake, ta ajab segast," sekkus Adam mulle nüüd alandlikult otsa vaadates. Ilmselgelt tahtis ta oma šansse parandada, püüdes välja selgitada, kumma enda ees olevatest naistest võiks ta oma poolele saada. „Ta on peast segi, hull. Sa pead mind uskuma."

„Ma arvasin, et sa armastad mind ..." alustasin.

Ta kükitas mu ette ja ma võpatasin. Ootasin ärevalt, mis järgneda võib. „Armastangi, sa ju tead, et armastan," lausus ta. Ta käed värisesid ja lõug tõmbles, reetes närvilisust.

„Aga nüüd on kõik igatahes palju selgem," jätkasin vaiksel häälel. „Sa pole mind kunagi armastanud, sa tahtsid mind vaid kontrollida." Poppy hakkas uniselt vigisema ja ma surusin ta tugevamalt enda vastu.

Püüdsin tõusta, lootes asjatult end siis tugevamana tunda, ent puus tegi liigutades teravat valu, nii et kaotasin tasakaalu. James ruttas mind toetama ja ma vajusin talle sülle.

Adam tormas meie poole. „Korista oma räpased käed temast eemale!" lõugas ta. „Em on minu oma!"

James seisis kilbina mu ees ning lükkas mu õrnalt seina najale turvalisse kohta, jäädes ise Adamiga vastakuti.

„Sa oled alati minu asju endale tahtnud," irvitas Adam vennale näkku. „Juba siis, kui väikesed olime. Aga sa jääd alati teiseks – sa jääd alati vähemaks vennaks."

Libistasin end kaugemale, Poppy mu ülikaitsvas embuses, ning mu peast välgatas läbi kummastav pilt kahest poisiklutist rannas krabisid võidu ajamas. Kuulsin peaaegu reaalselt ühe loomakese kesta raksatamas ja Jamesi nuttu ... Mõtlesin, kui kaugesse minevikku Adami mõrvarlikud kalduvused ulatuda võivad.

„Aitab!" karjatas Pammie ja astus oma õblukese kehaga nende vahele. „Ma ei suuda sellega enam elada! Ma ei saa enam teeselda, et kõik on korras. Mitte miski pole pärast teie isa surma korras olnud! Sa oled mind sellest ajast saati oma ähvardavate vihjete ja julmade märkustega nagu pantvangis hoidnud. Kõik ainult selleks, et mulle meenutada, et sa tead. Ma andsin sulle viimse kui penni, mis mul oli, kõik, mida sain lubada, aga sellest ikka ei piisanud, et sa lõpetaksid. Mul on kahju selle pärast, mis ma tegin, ja mul on kahju, et see muutis su selliseks, nagu sa oled, aga nüüd aitab!"

James võttis ema käest. „Tss, ema, kõik on hästi."

Pammie vajus ta käte vahele. „Ma ei suuda enam, pojake. Ma olen liiga nõrk."

Adam vajus näost ära, kui märkas kaht politseinikku trepist üles tulemas. „See ei pea nii minema," lausus ta paluvalt minu poole vaadates. „Me peame Poppy peale mõtlema. Ta vajab meid mõlemat. Me võime olla perekond, päris perekond."

„Adam Banks?" päris politseiametnik.

Adam vaatas mulle uuesti otsa ja sirutas käe minu poole. „Palun," anus ta pisarsilmi. „Ära tee seda."

Politsei pani Adami käed selja taha raudu. „Adam Banks, te ei pea midagi ütlema, aga kui te jätate küsitluse käigus mainimata midagi, millele hiljem kohtus toetute, võib see kahjustada teie kaitsevõimalusi. Kõike, mida te ütlete, võidakse kasutada asitõendina."

„Sa tegid just oma elu suurima vea," pressis Adam läbi hammaste, kui ta ära viidi.

Uks sulgus nende järel ja me seisime kolmekesi paigal nagu soolasambad. Esimesena avas suu James.

„Kui sa kõike seda teadsid, siis miks sa juba pärast Rebeccaga juhtunut politseisse ei läinud?" küsis ta emalt. „Ja miks sa Emily ohtu seadsid?"

„Ja inhalaator on sinu kodus." Olin nagu transis ning püüdsin sõnu appi võttes sündmusteahelaid kuidagi kokku traageldada. „Sa peitsid Rebecca inhalaatori oma koju."

„Ma ei saanud ju politseile rääkida," nuuksus Pammie. „Ja ma pidin inhalaatori kaasa võtma, sest muidu oleks tekkinud küsimus, miks ta seda ei kasutanud. Adam jättis selle tema kõrvale vedelema. Nagu kõigi varasemate astmahoogude puhul, oleks paar pahvi inhalaatorist normaalse seisundi taastanud. Kõik tuttavad teadsid seda, ta vanemad teadsid seda, ja oleks hakatud küsimusi esitama. Ma ei saanud lasta neil Adamit kahtlustada."

„Aga miks ikkagi?" James oli ilmselgelt sama segaduses kui mina.

„Sest ta nägi mind," lausus Pammie peaaegu sosinal.

Vaatasime Jamesiga teineteisele mõistmatult otsa, Pammie pea vajus norgu ja ta hakkas üle keha värisema. James läks ema juurde ja võttis tal ümbert kinni, ent Pammie lükkas ta käe eemale. „Jäta," ütles ta. „See teeb kõik vaid hullemaks."

„Kuidas saab midagi veel hullemaks minna?"

„Mul on nii kahju," nuttis Pammie. „Ma ei tahtnud, et nii läheb."

„Räägi ometi! Milles asi?" küsis James hirmuärevuses.

„Su isa," alustas Pammie pisaraid pühkides. „Ta polnud selline mees, kelleks sa teda pidasid … ta oli minuga vägivaldne."

„Ema … ma tean," kostis James tasaselt.

Pammie tõstis šokeeritult pea. „Aga kuidas …?"

„Me mõlemad teadsime. Me istusime Adamiga tavaliselt ülal trepil, püüdes välja nuputada, kuidas seda lõpetada, kuid me olime liiga hirmul."

Pammie sirutus poja kätt võtma. „Ühel õhtul tuli ta minu poole ja …" Ta ei suutnud jätkata, sõnad jäid justkui kurku kinni.

„See oli õnnetus. Usu mind. Ta oli purjus ja tahtis mulle jälle kallale tulla. Olin surmahirmul. Ma taganesin, kuid ta oli mu nurka ajanud. Ta tõstis käe, et mind lüüa, ja ma tõukasin teda. Ainult kergelt, aga sellest piisas, nii et ta kaotas tasakaalu. Libastus ja lendas selg ees pikali, peaga vastu kaminat."

James hammustas huult ja ta silmi valgusid pisarad.

„Ta lebas maas nii vagusi," jutustas Pammie edasi, „ja ma ei teadnud, mida teha. Teadsin, et teadvusele tulles ta tapaks mu, seega ma pidin sealt ära pääsema. Ma pidin meid kõiki sealt ära viima. Tormasin köögist välja, ja seal ta oligi."

Pammie silmad klaasistusid.

„Kes?" küsisin.

„Adam," vastas ta nuttes. „Ta istus ülal trepil ja vaatas piirde vahelt alla. Ühel hetkel oli ta seal, ja teisel juba läinud. Paanikas jooksin trepist üles, aga ta oli jälle oma voodis, teeskles magamist. Püüdsin teda puudutada, kuid ta lükkas mu käe eemale ja pööras näoga seina poole."

„See oli õnnetus, ema," lohutas James, tõmmates ema enda embusse. „See polnud sinu süü."

Pammie naeratas põgusalt. „Sa oled alati nii hea poiss olnud," ütles ta. „Isegi selsamal õhtul, kui ma sind kontrollima tulin, ärkasid sa korraks ja ütlesid: „Ma armastan sind, ema." Ma ei saa ilmselt kunagi teada, millega ma su ära teeninud olen."

„See polnud sinu süü," lausus James veel kord õrnalt.

„On küll!" Pammie luksatas. „Ja mina tegin Adamist sellise koletise, nagu ta on. Otsesõnu pole ta iial midagi öelnud, aga ta teab, mida ma tegin. Sellepärast ta tegigi Rebeccaga seda, mis ta tegi. Sellepärast ma kartsingi, et ta võib Emilyga sama teha. Ma pidin Emily temast eemale saama."

Istusin tuimalt paigal, suu ammuli, ja mulle hakkas lõpuks koitma, mida ta tahtis öelda.

„Ma pean politseile rääkima," teatas Pammie siis nagu ärgates ning raputas end sirgu. „Ma pean üles tunnistama, enne kui Adam neile räägib. Ta oli nii väike, ta ei mäleta täpselt, mis juhtus. Ta ütleb lihtsalt, et ma tapsin ta isa. Ma pean sinna minema, et mul oleks veel mingigi võimalus end kaitsta."

James võttis ema õlgadest ja sundis teda endale otsa vaatama. „Adam ei räägi midagi."

Pammie püüdis lahti rabeleda. „Ma pean minema," muutus ta kärsituks. Ta tahtis võimalikult ruttu oma selgitusi anda.

„Adam ei räägi midagi," kordas James.

„Räägib küll, ma tean, et räägib." Pammie oli juba peaaegu paanikas.

„Ei räägi, sest see olin mina," ütles James kindlal häälel.

Pammie vaatas pojale segaduses otsa ja nutt jäi kurku kinni.

„See olin mina, mitte Adam, kes trepil istus."

„Aga ... aga ei saanud ju olla," kokutas Pammie.

„Ma nägin, mis juhtus, ja see polnud sinu süü."

„Ei ... see oli Adam. Pidi olema, sest sina ütlesid mulle, et armastad mind."

„Ja armastan siiamaani," kostis James ning sirutas talle kallistuseks käed.

Epiloog

Nartsissid on õites ja Poppy roomab oma ema suureks meele-
härmiks nende keskel. Tütart sülle võttes märkab Emily
mind ja me naerame koos lapse poriste põlvede üle. Poppy kõku-
tab, kui emme ta õhku tõstab ja talle kõhule puristab. Ta on nae-
ratades nii väga oma ema moodi – tal on ema soojad silmad ja
nöbinina.

„Sind ootab kõik see alles ees," lausun, patsutades Kate'i kätt,
kes silitab vaistlikult oma paisunud kõhtu ning naeratab.

„Mina igatahes ei suuda seda ära oodata," ütleb James, kui
Emily asetab Poppy uuesti murule ja laps neljakäpakil kolletavalt
kutsuvale lilleväljale tagasi vudib. James roomab talle möirgamist
matkides järele ja Poppy põgeneb tema eest topeltkiirusel. See
vaatepilt ajab meid kõiki naerma.

„Temast saab suurepärane isa," märgin eemalduva Jamesi selga
vaadates.

Mõtlen kõigile neile kirjadele isalt, keda Poppy ei saa kunagi
tundma. Ma ei tea, mis neis öeldud on, sest ma pole ühtki neist
avanud, aga küllap Adam teab, millest ta ilma jääb. Selleks ajaks
kui tema vanglast vabaneb, on tüdruk juba teismeeas ja Emily on
oma eluga edasi läinud – elab elu, mida ta väärib.

Tänusõnad

Suur tänu minu agendile Tanera Simonsile, kes pidi taluma mu liigset erutust, kui teatas mulle, et sain kirjastamislepingu. Ta pidi mind ka veenma (päris mitmel korral), et tegu polnud naljaga. Aitäh, Tanera ja kõik Darley Andersoni töötajad – tunnen, et mul on teie leidmisega väga vedanud.

Tänud mu imelistele toimetajatele Vicki Mellorile Pan Macmillanist ja Catherine Richardsile Minotaur Booksist, kes kohe algusest peale selle looga suhestusid. Oli suur rõõm töötada teiega koos, et raamat tuleks nii hea kui võimalik.

Aitäh imetabasele Samile, kes kuulas mu ideed ära ja innustas mind lehekülgi juurde kirjutama veel enne, kui olin sellele ise mõeldagi jõudnud. Ja aitäh mu väga erilistele sõpradele, kes kõik kahtlemata leiavad „Teises naises" midagi endast – olgu see siis mõni ühine mälestus, tuttav iseloomujoon või varjatud vihje. Tänan teid inspiratsiooni, toe ja innustuse eest!

Tänan oma kadunud ämma, kes oli Pammiest nii erinev kui veel olla saab ning keda me kõik väga igatseme. Ja aitäh mu enda emale ... nojah, tema kohta tuleb teil küsida mu mehelt!

Suur tänu mu suurepärasele abikaasale ja lastele, kel polnud aimugi, et ma salamahti raamatut kirjutasin – aitäh, et lasite mul lihtsalt tegeleda millegagi, milleks iganes te mu tegevust pidasite! Vaat sellega siin ma siis tegelesingi!

Ja lõpetuseks aitäh kõigile, kes mu töö vilja lugesid – tänan teid südamest. Loodan, et teile meeldis.

Ma loodan, et ta kohtab kedagi, kes hakkab teda ja Poppyt armastama samamoodi nagu mina.

Kes hoolitseb ta eest samamoodi nagu tema minu eest.

Pole möödunud päevagi, mil ta poleks mind vaatama tulnud, isegi mitte siis, kui kohtuprotsess veel käis ja ma olin liiga nõrk, et sinna minna.

„Kas sinuga on kõik hästi?" küsib ta, asetades käe õrnalt mu õlale.

Ma naeratan ja paitan ta kätt.

Jah. Minuga on kõik hästi.

Ma olen vabanenud hirmust, millega olen pidanud nii kaua elama.

Soovin vaid, et mul oleks antud päevi kauemaks.